CÓDIGO-FONTE

```
BASIC MCS 8080   GATES/ALLEN/DAVIDOFF        MACRO 47(113) 03:12 10-S
F3       MAC      6-SEP-64 03:11              IF ... THEN CODE

3615                                          52520      SUBTTL IF ... TH
3616   004325' 001000 000315                  52540  IF:    CALL
3617   004326' 000000 005336'
3618   004327' 000000 004325'
3619                                          52560      IFE    LENGTH,
3620                                          52580      IFN    STRING,
3621                                          52600             LDA
3622                                          52620             PUSH
3623   004330' 001000 000176                  52640             MOV
3624                                          52660      IFE    LENGTH,
3625                                          52680             CALL
3626                                          52700             MVI
3627                                          52720
3628                                          52740
3629                                          52760
3630                                          52780  LOOPIF: SUI
3631                                          52800          JC
3632                                          52820  NUMREL=LESSTK-GR
3633                                          52840          CPI
3634                                          52860          JNC
3635                                          52880          CPI
3636                                          52900          RAL
3637                                          52920          ORA
3638                                          52940          MOV
3639                                          52960          CHRGET
3640                                          52980          JMP
3641                                          53000  ENDREL: MOV
3642                                          53020          ORA
3643                                          53040          JZ
3644                                          53060          PUSH
3645                                          53080          CALL
3646                                          53100
3647                                          53120
3648   004331' 001000 000376                  53140      IFE    LENGTH-
3649   004332' 000000 000054
3650   004333' 001000 000314                  53160          CZ
3651   004334' 000000 003426'
3652   004335' 000000 004326'
3653                                          53180      IFN    LENGTH,
3654   004336' 001000 000376                  53200          CPI
3655   004337' 000000 000210
3656   004340' 001000 000512                  53220          JZ
3657   004341' 000000 004346'
3658   004342' 000000 004334'
3659   004343' 001000 000317                  53240          SYNCHK
3660   004344' 000000 000245
3661   004345' 001000 000053                  53260          DCX
3662   004346'                                53280  OKGOTO:
3663                                          53300      IFE    LENGTH,
3664                                          53320          POP
3665                                          53340          POPR
3666                                          53360      IFN    STRING,
3667                                          53380          XTHL>
```

;EVALUATE A FORMULA

;GET VALUE TYPE INTO (A)
;SAVE THE VALUE TYPE ON THE STACK
;GET TERMINATING CHARACTER OF FORMULA

;ONTO THE STACK
;KEEPS RELATIONAL OPERATOR MEMORIES
;LESS THAN =4
;EQUAL   =2
;GREATER THAN =1
;CHECK FOR A RELATIONAL OPERATOR
;NOPE
;NUMBER OF RELATIONAL OPERATORS
;IS THIS ONE OF THEM?
;NO SEE WHAT WE HAVE
;SETUP BITS BY MAPPING
;0 TO 1, 1 TO 2 AND 2 TO 4
;OR WITH EARLIER BITS
;STORE NEW BITS
;GET NEW CHARACTER
;SEE IF RELATIONAL
;GET REALTIONAL MEMORIES
;SEE IF THERE ARE ANY
;NO RELATIONAL OPERATORS!
;SAVE RELATIONAL MEMORIES
;PICK UP FIRST NON-RELATIONAL
;CHARACTER AGAIN AND INTERPRET FORMULA
;ANSWER LEFT IN FAC
;A COMMA?

;IF SO SKIP IT

;ALLOW "GOTO" AS WELL

;MUST HAVE A THEN

;POP OFF NUMBER

;COMPARE FORMULA TYPES

BILL GATES

Código-fonte
Como tudo começou

Tradução
Berilo Vargas
Cássio de Arantes Leite
Claudio Alves Marcondes

Copyright © 2025 by Bill Gates

Todos os direitos reservados, incluindo o direito de reprodução completa ou em parte, em qualquer meio.
Publicado mediante acordo com Alfred A. Knopf, um selo de The Knopf Doubleday Group, divisão da Penguin Random House, LLC.

Grafia atualizada segundo o Acordo Ortográfico da Língua Portuguesa de 1990, que entrou em vigor no Brasil em 2009.

Título original
Source Code: My Beginnings

Capa
John Gall

Foto de capa
Wallace Ackerman Photography

Preparação
Fábio Fujita

Revisão
Clara Diament
Natália Mori

Dados Internacionais de Catalogação na Publicação (CIP)
(Câmara Brasileira do Livro, SP, Brasil)

Gates, Bill
    Código-fonte : Como tudo começou / Bill Gates ; tradução Berilo Vargas, Cássio de Arantes Leite, Claudio Alves Marcondes — 1ª ed. — São Paulo : Companhia das Letras, 2025.

    Título original: Source Code : My Beginnings
    ISBN 978-85-359-3995-8

    1. Gates, Bill, 1955- - Infância e juventude 2. Homens de negócios - Autobiografia - Estados Unidos 3. Indústria de software - Estados Unidos - História 4. Microsoft Corporation - História I. Título.

24-234274   CDD-923.3

Índice para catálogo sistemático:
1. Homens de negócios : Autobiografia 923.3
Cibele Maria Dias - Bibliotecária - CRB-8/9427

Todos os direitos desta edição reservados à
EDITORA SCHWARCZ S.A.
Rua Bandeira Paulista, 702, cj. 32
04532-002 — São Paulo — SP
Telefone: (11) 3707-3500
www.companhiadasletras.com.br
www.blogdacompanhia.com.br
facebook.com/companhiadasletras
instagram.com/companhiadasletras
x.com/cialetras

Em memória de meus pais,
Bill Gates e Mary Maxwell Gates

E a minhas irmãs,
Kristi e Libby

A recompensa é o prazer de descobrir algo.
Richard P. Feynman

Sumário

Prólogo 13

1. Trey. 21
2. View Ridge 43
3. Racional. 61
4. Menino de sorte 80
5. Lakeside. 103
6. Tempo livre 125
7. Meros garotos? 144
8. O mundo real 171
9. Um ato e cinco noves. 199
10. Precoce 220
11. Curinga 249
12. Seja correto 269
13. Micro-Soft. 284
14. Código-fonte. 316

Epílogo 355

Agradecimentos.. 363
Créditos das imagens 371

Prólogo

Por volta dos treze anos, comecei a andar com um grupo de garotos que saía para longas caminhadas pelas montanhas nos arredores de Seattle. Havíamos sido escoteiros juntos. Realizávamos várias trilhas e acampamentos com a tropa de escotismo, mas logo constituímos uma espécie de grupo à parte e começamos a empreender nossas próprias expedições — e era assim que as encarávamos, como expedições. Queríamos mais liberdade e mais risco do que as viagens com os escoteiros tinham a oferecer.

Andávamos geralmente em cinco — Mike, Rocky, Reilly, Danny e eu. Mike, o líder, era um pouco mais velho do que nós e tinha muito mais experiência ao ar livre. Por cerca de três anos, caminhamos juntos centenas de quilômetros. Desbravamos a Olympic National Forest, a oeste de Seattle, e a Glacier Peak Wilderness, a nordeste, e fizemos trilhas pela costa do Pacífico. Geralmente ficávamos fora por sete ou mais dias seguidos, guiados apenas por mapas topográficos em meio a florestas virgens e praias rochosas, onde tentávamos cronometrar as marés (valendo pontos). Durante as férias escolares, saíamos em longas viagens, caminhando e acampando sob qualquer clima, o que, no noroeste do Pacífico, muitas vezes significava uma semana com a calça de lã, comprada em loja de artigos militares, encharcada e coçando, e os dedos dos pés parecendo uvas-passas. Não fazíamos escaladas. Nada de cordas e cintas, tampouco faces rochosas. Apenas longas e árduas caminhadas. Nenhum perigo além do fato de sermos adolescentes avançando por um território montanhoso, a muitas horas de algum socorro e bem antes da existência de telefone celular.

Com o tempo, passamos a ser uma equipe confiante e unida. Ao final de um longo dia de caminhada, escolhíamos um lugar para acampar, e, praticamente em silêncio, cada um se ocupava das suas tarefas. Mike e Rocky costumavam amarrar a lona que nos serviria de teto à noite. Danny saía para recolher galhos secos, e Reilly e eu ficávamos incumbidos de juntar gravetos e galhinhos e acender a fogueira.

Então, era hora de comer. Comida barata que não pesava nas mochilas, mas substancial o bastante para nos dar energia para a caminhada. As melhores refeições que já fiz. No jantar, fatiávamos um apresuntado em lata e misturávamos com macarrão instantâneo Hamburguer Helper ou um pacote de preparado de estrogonofe de carne. De manhã, podia ser leite com Carnation Instant Breakfast ou um pó que, diluído em água, virava uma omelete ao estilo do Oeste, pelo menos segundo a embalagem. Minha refeição matinal preferida: Oscar Mayer Smokie Links, uma salsicha vendida como "pura carne", hoje descontinuada. Preparávamos boa parte da comida com uma única frigideira, tendo como louça as latas de alumínio vazias que cada um carregava, depois transformadas em baldes para buscar água, panelas, tigelas de aveia. Não sei qual de nós inventou o suco de framboesa quente. Não que fosse uma grande inovação culinária: simplesmente dissolva o pó de gelatina em água fervida e beba. Era tanto uma sobremesa quanto uma injeção de glicose matinal antes de um dia de caminhada.

Estávamos longe dos nossos pais e do controle de quaisquer adultos, escolhendo o rumo a seguir, o que comer, quando dormir, avaliando sozinhos que riscos correr. Na escola, nenhum de nós era descolado. Só Danny praticava um esporte organizado — basquete —, o qual não demorou a largar a fim de ter tempo para nossas andanças. Eu era o mais magro do grupo e geralmente o que ficava com mais frio, além de sempre me sentir mais fraco que os outros. Ainda assim, eu gostava do desafio físico e da sensação de autonomia. Embora as trilhas estivessem se popularizando pela região, não havia muitos adolescentes dispostos a caminhar por conta própria na natureza durante oito dias.

Isso posto, estávamos na década de 1970, e a atitude em relação aos filhos era mais relaxada do que hoje. As crianças tinham mais liberdade, de modo geral. E quando cheguei à adolescência, meus pais haviam aceitado o fato de que eu era diferente da maioria dos meus colegas e precisava de certa dose de independência para encontrar meu caminho no mundo. O consentimento deles fora obtido a duras penas — especialmente no caso da minha mãe —, mas teria um papel determinante na pessoa que eu me tornaria.

Hoje, olhando em retrospecto, estou certo de que todos nós procurávamos algo nessas excursões que ia além da camaradagem e da sensação de realização. Estávamos naquela idade em que as crianças testam seus limites, experimentam diferentes identidades — e, fora isso, às vezes sentem um anseio por experiências maiores, até mesmo transcendentes. Eu começara a evidenciar claramente o desejo de descobrir qual seria meu caminho. Não sabia muito bem que rumo ele tomaria, mas precisava ser interessante e relevante.

Além disso, nessa época, eu também passava bastante tempo

com outro grupo de meninos. Kent, Paul, Ric e eu frequentávamos a mesma escola, a Lakeside, que, de algum modo, conseguira um grande mainframe com o qual os alunos se conectavam por meio de uma linha telefônica. Era incrivelmente raro na época que adolescentes tivessem acesso a qualquer tipo de computador. Nós quatro adorávamos aquilo, dedicando todo nosso tempo livre a escrever programas cada vez mais sofisticados e explorar o que conseguiríamos fazer com aquela máquina eletrônica.

À primeira vista, as caminhadas e a programação não poderiam ser mais diferentes. Mas as duas coisas eram como uma aventura. Com ambos os grupos de amigos, eu explorava novos mundos, viajando a locais que a maioria dos adultos nem sequer conhecia. Assim como a caminhada, a programação se encaixava em mim porque me permitia definir minha própria medida de sucesso, e ela parecia ilimitada, não determinada por quão rápido eu conseguia correr ou quão longe eu conseguia arremessar. A lógica, o foco e a resistência necessários para escrever programas longos e complicados eram naturais para mim. Ao contrário da caminhada, entre aquele grupo de amigos, eu era o líder.

No final do meu segundo ano, em junho de 1971, Mike me ligou para falar sobre nossa próxima viagem: oitenta quilômetros pelas montanhas Olímpicas. A rota que ele escolheu era chamada de Trilha da Expedição de Imprensa, em homenagem ao grupo patrocinado por um jornal que explorara a área em 1890. Você está falando do mesmo trajeto em que os caras quase morreram de fome e suas roupas apodreceram no corpo? É, mas isso faz muito tempo, respondeu ele.

Oito décadas depois, a caminhada ainda seria difícil; aquele ano havia trazido muita neve, então era uma proposta particularmente assustadora. Mas, como todos os demais — Rocky,

Reilly e Danny — estavam determinados a isso, não seria eu a pular fora. Além disso, um escoteiro mais novo, um cara chamado Chip, também havia topado. Não tinha como eu não ir.

O plano era subir o desfiladeiro de Low Divide, descer o rio Quinault e depois voltar pela mesma trilha, pernoitando em abrigos de madeira ao longo do caminho. Seis ou sete dias no total. O primeiro dia foi moleza, e passamos a noite em um lindo campo coberto de neve. Por um ou dois dias, à medida que subíamos o Low Divide, a neve ficava cada vez mais funda. Ao chegarmos ao local onde planejávamos passar a noite, o abrigo estava soterrado pela neve. Sem dar bandeira, desfrutei de um momento pessoal de euforia. Certamente, pensei, voltaríamos para um abrigo muito mais acolhedor pelo qual já havíamos passado naquele dia. Acenderíamos uma fogueira, fugiríamos do frio, comeríamos alguma coisa.

Mike sugeriu uma votação: dar meia-volta ou seguir em frente até o destino final. Ambas as opções significavam caminhar por várias horas. "Passamos por um abrigo lá embaixo, uns quinhentos metros. Podemos voltar e ficar lá, ou seguir até o rio Quinault", disse Mike. Ele não precisou dizer que voltar significava abortar nossa missão de chegar ao rio.

"O que acha, Dan?", perguntou Mike. Danny era extraoficialmente o segundo no comando do nosso pequeno grupo. Além de ser o mais alto da turma e ter pernas longas e fortes que pareciam nunca se cansar. Sua palavra seria crucial para a votação.

"Bem, estamos quase lá, talvez devêssemos continuar", respondeu Danny. Conforme as mãos eram levantadas, ficou claro que eu era minoria. Nós seguiríamos em frente.

Depois de alguns minutos de caminhada pela trilha, falei: "Danny, estou decepcionado. Você poderia ter impedido isso". Eu estava brincando — até certo ponto.

Lembro-me do frio e do desconforto que passei nesse dia.

Também me lembro do que fiz em seguida. Fechei-me em meus próprios pensamentos.

Imaginei um código de computador.

Nessa época, a Lakeside obtivera por empréstimo um computador chamado PDP-8, fabricado pela Digital Equipment Corp. Isso em 1971, e, embora àquela altura eu já houvesse mergulhado de cabeça no incipiente mundo dos computadores, nunca tinha visto nada parecido. Até então, meus amigos e eu só havíamos testado os enormes mainframes compartilhados simultaneamente por outras pessoas. Em geral, nos conectávamos a eles por telefone, ou então as máquinas ficavam trancadas em uma sala separada. Mas o PDP-8 havia sido projetado para ser manuseado diretamente pelo usuário e era pequeno o suficiente para caber sobre uma mesa. Naquela época, talvez fosse a coisa mais próxima dos computadores pessoais que se tornariam comuns apenas cerca de uma década depois — embora pesando quase quarenta quilos e custando 8,5 mil dólares. Para me desafiar, decidi tentar escrever uma versão da linguagem de programação Basic para o novo computador.

Antes da expedição, eu estava trabalhando na parte do programa que diria ao computador em que ordem ele deveria realizar as operações quando alguém inserisse uma expressão como 3(2 + 5) × 8 − 3 ou quisesse criar um jogo que exigia matemática complexa. Em programação, esse recurso é chamado de avaliação da fórmula. Marchando penosamente com os olhos fixos no chão à minha frente, trabalhei em meu avaliador, calculando os passos necessários para realizar as operações. O segredo era manter tudo reduzido. Os computadores da época tinham pouquíssima memória, de modo que os programas precisavam ser enxutos, escritos com o mínimo de código possível para não ocupar muita memória. O PDP-8 tinha apenas seis kilobytes da memória que o computador utiliza para armazenar os dados em que está trabalhando. Eu visualizava o código e então tentava acompanhar mentalmente como o computador seguiria meus comandos. O ritmo da caminhada era algo que me ajudava a pensar, assim como meu hábito de balançar o corpo. Ao longo do resto desse dia, minha mente se concentrou apenas em desvendar o código. Conforme descíamos para o fundo do vale, a neve cedia, e passamos a uma trilha suavemente inclinada através de uma antiga floresta de abetos e pinheiros, até que chegamos ao rio, montamos o acampamento, comemos nosso Spam Stroganoff e, enfim, fomos dormir.

No início da manhã seguinte, voltamos a subir pelo Low Divide, com muito vento e granizo batendo em nosso rosto pelos lados. Paramos sob uma árvore apenas o tempo necessário para dividir um pacote de biscoitos Ritz e seguimos. Cada acampamento que encontrávamos estava cheio de outras pessoas esperando a tempestade passar. Então continuamos, adicionando mais horas a um dia interminável. Ao cruzar um riacho, Chip caiu e cortou o joelho. Mike limpou o ferimento e aplicou curativos de ponto falso; agora nos movíamos apenas na velocidade em que Chip mancava. Durante todo o tempo, aprimorei meu código silenciosamente. Mal falei uma palavra durante os quase cinquenta quilômetros que caminhamos naquele dia. Por fim, chegamos a um abrigo que tinha espaço para nós e montamos acampamento.

Como no famoso chavão "Eu teria escrito uma carta mais breve, mas estava sem tempo", é mais fácil escrever um programa em um código relapso que ocupe várias páginas do que escrever o mesmo programa em uma única folha. A versão relapsa também pode rodar mais devagar e usar mais memória. Durante essa caminhada, tive tempo de escrever algo enxuto. Nesse longo dia, lapidei o programa um pouco mais, como que desbastando um graveto para deixar a ponta afiada. O resultado parecia eficiente e agradavelmente simples. Foi de longe o melhor código que já escrevera.

Quando voltávamos ao início da trilha, na tarde seguinte, a chuva finalmente arrefeceu e deu lugar ao céu claro e ao calor da luz do sol. Senti aquela euforia que sempre me vinha *após* uma caminhada, quando todo o esforço já ficara para trás.

Quando as aulas recomeçaram, no outono, quem quer que tivesse nos emprestado o PDP-8 o pegara de volta. Nunca cheguei a terminar meu projeto de Basic. Mas o código que escrevi nessa caminhada, meu avaliador de fórmulas e sua beleza permaneceram comigo.

Três anos e meio depois, eu estava no segundo ano da faculdade, sem fazer ideia de que rumo tomar na vida, quando Paul, um dos meus amigos da Lakeside, entrou abruptamente em meu quarto no dormitório para me contar sobre um computador revolucionário. Eu sabia que poderíamos escrever uma linguagem Basic para ele; havíamos saído na frente. A primeira coisa que fiz foi pensar naquele dia miserável no Low Divide e lembrar do código avaliador que escrevera. Eu o digitei em um computador e, assim, plantei a semente do que viria a ser uma das maiores empresas do mundo e o alvorecer de uma nova indústria.

1. Trey

No futuro, haveria uma grande empresa. E, no futuro, haveria programas de software com milhões de linhas no cerne de bilhões de computadores mundo afora. Haveria fortunas e rivais, e a preocupação constante de como permanecer na vanguarda de uma revolução tecnológica.

Antes disso tudo, havia um baralho de cartas e um único objetivo: vencer minha avó.

Na minha família, não existia maneira mais rápida de cair nas graças de todo mundo do que ser bom em jogos, sobretudo no carteado. Se a pessoa mostrasse confiança no *rummy*, no bridge ou na canastra, ganhava nosso respeito, o que fez da minha avó materna, Adelle Thompson, uma lenda familiar. Escutei bastante na infância que "a Gami não perde para ninguém nas cartas".

Gami crescera em uma Washington rural, na cidade ferroviária de Enumclaw. O lugar fica a menos de oitenta quilômetros de Seattle, mas, em 1902, ano em que nasceu, isso significava um mundo de distância. Seu pai trabalhava como operador de telégrafo para a ferrovia, e sua mãe, Ida Thompson — que chamávamos de Lala —, viria a obter uma renda modesta fazendo bolos e vendendo bônus de guerra na serraria local. Lala também adorava jogar bridge. Seus parceiros e adversários eram a alta sociedade de Enumclaw, como as esposas dos banqueiros e o dono da serraria. Embora tais pessoas pudessem ter mais dinheiro ou status social, Lala compensava parte da diferença vencendo-as com facilidade no carteado. Esse talento foi passado para Gami e, em certo grau, para minha mãe, sua única filha.

Minha iniciação nessa cultura familiar veio cedo. Quando eu ainda usava fraldas, Lala me apelidou de "Trey" [trinca], como se costuma dizer em jogos de baralho. Era um trocadilho com o fato de eu ser o terceiro Bill Gates da família, em homenagem ao meu pai e ao meu avô. (Na verdade, sou o quarto, mas, como meu pai preferiu usar "Júnior", passei a ser chamado de Bill Gates III.) Gami começou por me ensinar a jogar *go fish* quando eu tinha cinco anos, e, ao longo do tempo, disputaríamos milhares de jogos de baralho. Jogávamos por diversão, para provocar uns aos outros e para passar o tempo. Mas minha avó também jogava para ganhar — o que sempre acontecia.

Eu era fascinado pela sua habilidade. Como ficara tão boa? Seria algo de nascença? Por ser uma pessoa religiosa, talvez fosse um dom divino. Por muito tempo, fiquei sem resposta. Só sabia que, sempre que jogávamos, ela vencia. Independentemente do jogo. E por mais que eu me esforçasse.

Quando a Ciência Cristã se expandiu rapidamente pela Costa Oeste no início do século XX, minhas famílias materna e paterna se tornaram devotas. Acho que os pais de mamãe extraíam força dessa crença, acolhendo a ideia de que a verdadeira identidade de alguém é encontrada no espiritual, não no material. Seguiam estritamente seus preceitos. Como os fiéis dessa religião não acompanham a idade cronológica, Gami nunca comemorou seu aniversário, nunca revelou quantos anos tinha nem em que ano nasceu. Mas, a despeito de todas as suas convicções, jamais impunha sua crença aos outros. Minha mãe não era uma adepta da fé, tampouco nossa família. E Gami nunca tentou fazer nossa cabeça.

Sua fé deve ter exercido um papel de fazer dela uma pessoa extremamente dotada de princípios. Mesmo muito novo, eu era capaz de perceber que Gami seguia um rígido código pessoal de equidade, justiça e integridade. Uma vida bem vivida significava viver com parcimônia, ceder seu tempo e dinheiro para os outros e, acima de tudo, pôr o cérebro para funcionar — permanecendo envolvida com o mundo. Ela nunca perdia a calma, não fofocava nem criticava. Era incapaz de dissimulação. Com frequência, era a pessoa mais inteligente do local, mas se preocupava em deixar os outros brilharem. Era sobretudo tímida, mas dotada de uma confiança interior que se manifestava como tranquilidade zen.

Dois meses antes de eu completar cinco anos, meu avô J. W. Maxwell Jr. morreu de câncer. Tinha apenas 51 anos de idade. Em observância aos dogmas da Ciência Cristã, recusara intervenções médicas modernas. Seus últimos anos foram muito dolorosos, e Gami sofreu no papel de cuidadora. Só mais tarde vim a saber que meu avô acreditava que a doença, de algum modo, era consequência de algo que Gami fizera, algum pecado aos olhos de Deus do qual ele não tinha conhecimento e pelo qual estava sendo punido. Ainda assim, ela permaneceu estoicamente ao seu lado, ajudando-o até o fim. Uma das minhas lembranças mais vívidas da infância é a de ter sido impedido pelos meus pais de comparecer a seu enterro. Eu mal tinha consciência do que se passava além do fato de que minha mãe, meu pai e minha irmã mais velha puderam se despedir dele, enquanto eu ficava para trás com a babá. Um ano depois, minha bisavó Lala faleceu quando visitava a casa de Gami.

A partir de então, Gami canalizou todo o seu amor e atenção para mim e minha irmã mais velha, Kristi — e, mais tarde, para minha irmã Libby. Ela seria uma presença constante em nossas jovens vidas e impactaria profundamente a nossa formação. Lia para mim antes mesmo de eu conseguir segurar um livro, e assim o fez por muitos anos, apresentando-nos clássicos como *O vento nos salgueiros*, *As aventuras de Tom Sawyer*, *A teia de Charlotte*. Depois da morte do meu avô, Gami começou a me ensinar a ler, ajudando-me a pronunciar as palavras em *The Nine Friendly Dogs*, *It's a Lovely Day* e outros livros em nossa casa. Quando esgotamos todos eles, levou-me à Northeast Seattle Library para pegar mais. Eu percebia que ela lia muito e parecia saber um pouco de tudo.

Meus avós haviam construído uma casa em Windermere, um bairro nobre de Seattle, grande o bastante para acomodar os netos e as reuniões familiares. Gami continuou morando ali depois da morte do meu avô. Kristi e eu ficávamos lá em alguns fins de semana, revezando para ter o privilégio de dormir em seu quarto. O outro ficava em um quarto próximo, onde tudo, das paredes às cortinas, era azul-claro. As luzes da rua e dos carros circulando lançavam sombras fantasmagóricas nesse quarto azul. Eu tinha medo de dormir ali e sempre ficava feliz quando era minha vez de ficar no quarto de Gami.

Essas visitas de fim de semana eram especiais. A casa da minha avó ficava a poucos quilômetros da nossa, mas o tempo passado ali era como férias. Havia uma piscina e, no quintal lateral, um campinho de minigolfe, construído pelo meu avô. Ela também nos dava o luxo de assistirmos um pouco de TV — atividade rigidamente controlada em nosso próprio lar. Gami topava tudo, e graças a ela minhas irmãs e eu viramos jogadores ávidos que transformavam qualquer coisa — Banco Imobiliário, Risk, Concentration — num esporte competitivo. Comprávamos dois quebra-cabeças iguais só para ver quem terminava primeiro. Mas tínhamos consciência de sua preferência. Na maioria das noites, depois do jantar, ela distribuía as cartas e então nos aplicava uma surra.

Eu tinha cerca de oito anos quando vislumbrei pela primeira vez sua estratégia. Ainda lembro desse dia: estou sentado diante da minha avó à mesa do jantar, ao lado de Kristi. Na sala havia um desses rádios de madeira gigantes que, já nessa época, era uma relíquia do passado. Junto a outra parede ficava um grande armário no qual Gami guardava a louça especial que usávamos nos jantares de domingo.

O ambiente está silencioso, a não ser pelo som do baralho batendo na mesa, um frenesi de cartas sendo puxadas e combinadas em rápida sucessão. O jogo se chama *pounce*, uma versão acelerada de paciência, para vários jogadores. Quem é bom nele consegue acompanhar o que há em sua própria mão, as cartas da pilha individual de cada um e os descartes da mesa. Exige uma boa memória operacional e a capacidade de reconhecer instantaneamente como algo que foi descartado se encaixa com suas cartas. Mas eu não sabia de nada disso. Sabia apenas que, independentemente do que fosse necessário para virar a sorte a seu favor, era algo que Gami tinha.

Encaro minhas cartas, tentando desesperadamente encontrar combinações. Então ouço Gami dizer: "Seu seis serve", e a seguir: "Seu nove serve". Ela ensina minha irmã e eu enquanto joga. De alguma forma ela capta tudo o que acontece na mesa e até parece saber as cartas que cada um de nós tem na mão — e não é por magia. Como faz isso? Para qualquer um que jogue cartas, é algo básico. Quanto mais conseguimos acompanhar a mão de um oponente, mais chance temos de vencer. De toda forma, para mim, naquela idade, é uma revelação. Vejo pela primeira vez que, apesar de todo o mistério e sorte envolvidos em um carteado, há coisas que posso aprender para aumentar minhas chances de vitória. Percebo que Gami não é apenas sortuda ou talentosa. Ela treinou sua mente. E também posso fazer isso.

Desde então, passei a jogar cartas tendo consciência de que cada mão distribuída proporcionava a oportunidade de aprender — se eu fosse capaz de aproveitá-la. Ela também sabia disso. Isso não significava facilitar para mim. Ela poderia ter me explicado quais eram as regras, estratégias e táticas de cada jogo. Mas não fazia seu estilo. Gami não era didática. Ensinava pelo exemplo. Assim, vivíamos jogando.

Jogávamos *pounce*, *gin rummy*, copas e o meu favorito, *sevens*. Jogávamos o favorito dela, uma forma complicada de *gin* que ela chamava de *coast guard rummy*. Jogávamos bridge de vez em quando. Encaramos, do início ao fim, todos os jogos de um livro de Hoyle, tanto os mais populares quanto os desconhecidos, até *pinochle*.

Enquanto isso, eu a estudava. Em ciência da computação, há uma coisa chamada máquina de estados — parte de um programa que recebe um input e, com base no estado de uma série de condições, executa a melhor ação. Minha avó tinha uma máquina de estados calibrada com perfeição para jogar baralho; seu algoritmo mental trabalhava metodicamente com probabilidades, árvores de decisão e teoria dos jogos. Eu não tinha como articular esses conceitos na época, mas, pouco a pouco, passei a intuí-los. Notei que, mesmo em momentos únicos de um jogo — uma combinação de jogadas possíveis e probabilidades que ela provavelmente nunca vira antes —, ela tendia a executar a jogada ideal. Se perdesse uma carta boa em algum momento, mais tarde eu veria que a sacrificara por um motivo: preparando o terreno para vencer no final.

Jogávamos sem parar, e eu perdia sem parar. Mas sempre observando e melhorando. Enquanto isso, Gami continuava me encorajando delicadamente. "Pense, Trey. Pense", dizia, conforme eu bolava minha próxima jogada. Havia uma mensagem implícita de que, se usasse a cabeça e permanecesse focado, conseguiria descobrir qual era a carta certa a jogar. Poderia vencer.

Um dia, venci.

Nada de pompa. Nada de grandes prêmios. Nada de comemorações. Não me lembro sequer do que estávamos jogando nesse dia em que acumulei mais vitórias do que derrotas contra ela. Mas sei que minha avó ficou contente. Tenho certeza de que sorriu, um reconhecimento de que eu estava crescendo.

Por fim — levou cerca de cinco anos —, passei a ganhar sempre. A essa altura, era quase um adolescente, e naturalmente competitivo. Eu apreciava a disputa mental, bem como a sensação gratificante de aprender uma nova habilidade. Jogar cartas me mostrou que, por mais misterioso ou complexo que algo pareça, quase sempre é possível descobrir como funciona. O mundo pode ser compreendido.

Nasci em 28 de outubro de 1955, o segundo de três filhos. Kristi, nascida em 1954, era 21 meses mais velha; minha irmã Libby levaria ainda quase uma década para entrar em cena. Quando bebê, fui apelidado de Happy Boy, devido ao sorriso largo estampado em meu rosto o tempo todo. Não que não chorasse, mas a alegria que eu manifestava parecia suplantar todas as demais emoções. Minha outra característica precoce notável poderia ser descrita como excesso de energia. Eu gostava de balançar o corpo. No começo, em um cavalinho de plástico, por horas a fio. E, à medida que fui crescendo, continuei a balançar sem o cavalo, sentado, de pé ou a qualquer momento em que precisasse refletir cuidadosamente sobre algo. Balançar era como um metrônomo para meu cérebro. Ainda é.

Desde cedo meus pais perceberam que meu ritmo mental era

diferente em relação ao das demais crianças. Kristi, por exemplo, obedecia a ordens, tinha facilidade em brincar com as outras crianças e sempre foi ótima aluna. Não era o meu caso. Minha mãe se preocupava comigo e alertou meus professores de pré-escola na Acorn Academy sobre o que esperar. Ao final do meu primeiro ano lá, o diretor da escola escreveu: "Sua mãe nos preparou para ele, pois pressentiu que era um grande contraste em relação à irmã. Concordamos inteiramente com ela nessa conclusão, porque ele parecia determinado a deixar bem claro para nós sua total falta de interesse em qualquer fase da vida escolar. Ele não sabia ou não se importava em aprender como cortar papel ou vestir o próprio casaco, e estava absolutamente contente assim". (É engraçado como uma das lembranças mais antigas que Kristi tem a meu respeito seja a frustração de sempre sobrar para ela a tarefa de fazer com que eu me enfiasse em meu casaco e deitasse no chão, permanecendo quieto o bastante para ela conseguir fechar o zíper.)

Quando cheguei ao meu segundo ano na Acorn Academy, era "outra criança, agressiva e rebelde", um menino de quatro anos que gostava de cantar sozinho e de realizar viagens imaginárias. Eu implicava com os demais e parecia "frustrado e infeliz na maior parte do tempo", relatou o diretor. Felizmente, meus professores ficaram animados com meus planos de longo prazo: "Sentimo-nos bem-aceitos por ele, uma vez que está nos incluindo como passageiros em seu futuro voo à Lua", escreveram. (Eu me antecipara a Kennedy em alguns anos.)

O que os educadores e meus pais notaram desde essa idade eram sinais do que estava por vir. Eu canalizava a mesma intensidade que me levou a resolver o enigma das habilidades de Gami no baralho para qualquer coisa que me interessasse — e nenhuma para o que não me interessava. O que eu achava interessante era leitura, matemática e ficar sozinho com meus pensamentos. O que não me interessava eram os rituais diários da vida e da escola, caligrafia, arte e esportes. Além de praticamente tudo o que minha mãe me pedia para fazer.

A luta dos meus pais com seu filho hipercinético, inteligente e muitas vezes teimoso e tempestuoso absorveria muito da energia deles enquanto eu crescia e moldaria nossa família de modo indelével. Conforme fui crescendo, entendi melhor o quanto eles ajudaram a traçar meu caminho não convencional para a vida adulta.

Meu pai era conhecido como um gigante gentil, com dois metros de altura e uma polidez tranquila que talvez não fosse esperada da pessoa mais alta do recinto. Tinha uma forma direta e deliberada de lidar com pessoas que era bastante característica e funcionava bem em sua carreira de advogado na consultoria de empresas e conselhos diretores (e, posteriormente, como o primeiro diretor da nossa fundação filantrópica). Embora fosse educado, não se acanhava em pedir o que quisesse. E, nos tempos de faculdade, o que ele queria era uma parceira de dança.

No outono de 1946, ele foi um dos vários veteranos beneficiados pela Lei G. I. Bill, o generoso programa do governo que ofereceu a milhões de pessoas uma educação que, de outro modo, talvez não tivessem como pagar. A única desvantagem, na opinião do meu pai, era que havia muito mais homens do que mulheres na Universidade de Washington. Isso significava que as chances de encontrar uma parceira de dança eram reduzidas. A certa altura, pediu ajuda a uma amiga. Ela se chamava Mary Maxwell.

Papai sabia que ela era a representante da irmandade Kappa Kappa Gamma, então perguntou se por acaso não conhecia alguém que pudesse estar interessada em conhecer um sujeito alto que gostava de dançar. Vou ver, respondeu ela. O tempo passou. Nenhuma garota lhe foi apresentada. Um dia, caminhando juntos perto da sede da irmandade, meu pai voltou a perguntar se ela não conhecia uma jovem com aquele perfil.

"Me ocorreu alguém", disse ela. "Eu."

Minha mãe tinha um metro e setenta, e meu pai afirmou que ela, literalmente, não estava à altura. "Mary", disse ele, "você é muito baixinha."

Ela se aproximou, ficou na ponta dos pés, pôs a mão sobre a cabeça e respondeu: "Sou nada! Olha como sou alta".

Meu pai sempre jurou que o pedido de ser apresentado a alguém não fora uma forma dissimulada de chamar minha mãe para sair com ele. Mas foi o que aconteceu. "Puxa", exclamou, "um encontro, você e eu." Então, assim conta a história, dois anos depois se casaram.

Sempre adorei essa história porque ela capta perfeitamente a personalidade dos meus pais. Papai: deliberado e assumidamente pragmático, às vezes até nos assuntos amorosos. Mamãe: extrovertida, alguém que, da mesma forma, não se acanhava em conseguir o que queria. É uma boa história, um resumo da história completa, uma história de diferenças que estavam além da questão da altura e que acabariam por influenciar a pessoa que eu me tornaria.

Minha mãe registrava de forma meticulosa os eventos em sua vida: álbuns de fotos das viagens em família e das apresentações musicais na escola, cadernos com recortes de jornais e telegramas. Há pouco tempo, encontrei várias cartas que ela e meu pai trocaram durante um ano antes de se casarem, na primavera de 1951. Seis meses antes do casamento, meu pai estava em sua cidade natal, trabalhando como advogado, seu primeiro emprego depois de se formar em direito naquele ano. Minha mãe voltara à universidade para terminar seu último ano. Uma carta escrita em outubro começa com ela esperançosa de que, naquelas páginas, evitaria o "desequilíbrio emocional" que havia notado em uma conversa no dia anterior. Embora não entrasse em detalhes, parecia haver algumas preocupações pré-matrimoniais a respeito da união e sobre como superar certas diferenças entre eles. Ela explicou:

> Minha conclusão <u>objetiva</u> sobre nosso relacionamento é que temos muito em comum e uma coisa muito boa. Queremos mais ou menos a mesma vida social e doméstica. Acho que é verdade que nós dois queremos um casamento muito íntimo — ou seja, que ambos sejamos um só. Embora venhamos de contextos sociais e familiares diferentes, acho que somos capazes de compreender os problemas daí decorrentes, porque somos muito parecidos como indivíduos. Nós dois gostamos de lidar com ideias — de pensar e sempre aprender. [...] Nós dois queremos o mesmo — todo o sucesso no mundo que possa ser conquistado de forma honesta e justa. Ainda que valorizemos bastante o sucesso, nenhum de nós cogitaria cometer uma injustiça para levar vantagem sobre alguém. Gostaríamos que nossos filhos tivessem os mesmos valores essenciais. Nossos "meios" talvez venham a ser um pouco diferentes, mas tendo a pensar que poderíamos passar a imagem de um casal muito unido cujos pontos de vista se complementam. [...] Você sabe, Bill, que, se me amasse de verdade para sempre, eu faria qualquer coisa no mundo por você.
> Eu te amo, Bill
>
> Mary

Vislumbrei nessa carta as negociações privadas que certamente continuaram ao longo da minha infância e depois. Os dois quase sempre passaram essa imagem de casal unido, resolvendo em privado suas diferenças, a maioria delas oriunda das formas de criação de cada um.

Minha mãe, Mary Maxwell, cresceu em meio a uma cultura familiar fundada por seu avô, J. W. Maxwell, um banqueiro que a adorava e servia de exemplo de uma vida em constante autoaperfeiçoamento. Na infância em Nebraska, J. W. largou a escola e obteve trabalho escavando o porão da casa de um banqueiro local em troca de remuneração, teto e comida. Quando J. W. terminou o serviço, dois meses depois, o homem lhe ofereceu um emprego em seu banco. Tinha quinze anos. Depois de aprender o ofício bancário por alguns anos, ele se mudou para o estado de Washington, na tentativa de construir uma nova vida. A depressão de 1893 quebrou seu banco recém-criado, e a cidade costeira na qual apostara sua prosperidade foi à ruína. Então ele acabou conseguindo um emprego estável na inspetoria de um banco federal, trabalho que o mantinha longe da família por vários meses, cruzando o Oeste a cavalo, em carroças e trem para avaliar a saúde financeira de pequenos bancos. Até que, por fim, conseguiu fazer a empreitada de fundar o próprio banco dar certo. Quando morreu, em 1951, aos 86 anos, meu bisavô era presidente de um grande banco em Seattle e um líder ativo da comunidade. Também atuou como prefeito, deputado estadual, membro do conselho escolar e diretor do Federal Reserve.

A estrutura financeira e de oportunidades proporcionada por J. W. e levada a cabo pelo meu avô, também banqueiro, significou que mamãe não passou necessidade na infância. Era uma ótima aluna que praticava uma série de esportes e participava de atividades com a família e vários amigos. Os domingos eram reservados aos piqueniques familiares, enquanto os dias de verão, a nadar na casa de praia dos seus avós, em Puget Sound. Esportes e jogos estavam presentes em qualquer reunião — principalmente croquet, *shuffleboard* e ferradura —, e ninguém duvidava de que, um dia, minha mãe aprenderia a jogar tênis, andar a cavalo e esquiar com desenvoltura. Na família Maxwell, os jogos abrangiam lições maiores. O golfe, por exemplo, representava o sistema bancário, pois ambos, escreveu meu avô, exigiam "habilidade, prática contínua, sobriedade, paciência, resistência e lucidez".

Em um dos álbuns da minha mãe, há uma foto dela aos três ou quatro anos de idade. Um grupo de pais da vizinhança reunira a criançada para o retrato, cada uma montada em seu triciclo. No verso, Gami anotou os bastidores da imagem. Um menino tinha o maior triciclo. Minha mãe propôs uma troca, assim *ela* ficaria com o maior. Sabe-se lá como, ele concordou. Na foto, ela aparece radiante, uma cabeça mais alta que os demais. Nunca teve medo de ser forte, de ocupar seu espaço.

A confiança e a ambição da minha mãe provavelmente foram herdadas em partes iguais do lado de Maxwell e de Gami, que, além de ter habilidade no carteado, foi oradora da sua turma no ensino médio, uma jogadora de basquete talentosa e leitora ávida, que almejava uma vida maior fora dos limites da sua cidade natal. Ela conheceu meu avô na Universidade de Washington. Minha mãe seguiu seus passos, ingressando ali em 1946 com total apoio dos pais ambiciosos e grande expectativa familiar de que se formaria com louvor.

A cidade natal do meu pai, Bremerton, no lado oposto da enseada de Puget Sound, em Seattle, era conhecida pelo estaleiro naval, famoso por ser o lugar onde se consertavam navios avariados em batalha. Não muitos anos antes, a cidade tinha a reputação de ser um antro de jogatina e de ter mais bares do que alguém era capaz de frequentar em um único dia.

Quando crianças, Kristi e eu íamos de balsa visitar nossos avós paternos. Ao desembarcarmos, subíamos o pequeno morro para chegar à casa de infância do meu pai. Uma construção azul em estilo *craftsman* numa rua tranquila. Ficávamos com nossos avós por uma ou duas noites. Se a TV estivesse ligada, era porque meu avô estava vendo boxe, praticamente a única diversão que se permitia. Minha avó por parte de pai, Lillian Elizabeth Gates, tinha o mesmo entusiasmo pelas cartas que Gami, então também costumávamos jogar juntos. Como meus avós maternos, os pais do meu pai também eram adeptos da Ciência Cristã. Uma lembrança que tenho dessas visitas é da vovó Gates toda manhã na cozinha com uma xícara de café, lendo para meu avô em voz baixa a lição bíblica diária de Mary Baker Eddy.

Quando meu pai falava sobre sua infância, sempre parecia nostálgico em relação a seu pai. Ele o descrevia como um workaholic, praticamente sem tempo para outras coisas na vida. Era dono de uma loja de móveis, herdada do meu bisavô, que quase não sobrevivera à Grande Depressão. A ansiedade constante com as finanças da família fazia do meu avô um refém do negócio. Atrás da casinha azul havia uma ruela pela qual meu avô costumava passar ao voltar para casa do trabalho, recolhendo carvão caído dos caminhões de entrega. Meu pai dizia que o pai dele nunca ia ao cinema nem o levava a jogos de beisebol; no seu entender, eram distrações que roubavam tempo de trabalho na loja. Parecia sempre estar com alguma preocupação, segundo meu pai.

De certa forma, dava para entendê-lo. Na infância, meu avô havia conhecido a pobreza em Nome, no Alasca, onde sua família sobrevivia a duras penas enquanto meu bisavô, o primeiro Bill Gates da família, saía à caça de fortuna na Corrida do Ouro do final do século XIX. Bill Jr. teve de largar a escola no oitavo ano para sustentar a família. Vendia jornais nas gélidas ruas de Nome e trabalhava com o que aparecesse, enquanto seu pai estava no garimpo. No fim, acabariam voltando a morar em Seattle, estabelecendo-se no ramo de mobília. A situação familiar melhorou, mas a ansiedade daquelas experiências iniciais nunca desapareceu.

Segundo meu pai, meu avô tinha uma visão de mundo bastante limitada. Papai atribuía isso, em parte, à insegurança. Sem ter tido uma educação completa, meu avô se agarrava ao que meu pai chamava de seus axiomas: regras rígidas sobre o mundo e a vida. "Aprenda a ganhar dinheiro, filho, aprenda a ganhar dinheiro", dizia ao meu pai. Educação se resumia a obter as habilidades necessárias para conseguir um emprego. E só.

Minha avó, a segunda melhor aluna em sua turma de ensino médio, tinha um axioma próprio que influenciou a opinião do meu pai sobre autoaperfeiçoamento: "Quanto mais você sabe, mais você não sabe". Mas a vida doméstica nem sempre foi fácil para ela. Mesmo num momento em que as mulheres começavam a conquistar mais espaço na sociedade, meu avô se prendia a uma época passada. Não permitia que a irmã mais velha do meu pai, Merridy, tirasse carteira de motorista. Tampouco considerava a ideia de mandá-la para a faculdade. As habilidades necessárias a uma mulher se restringiam a afazeres domésticos.

Papai tinha plena consciência da defasagem intelectual entre ele e seu pai. Embora não fosse analfabeto, meu avô mal sabia ler, ao passo que meu pai pretendia usar o intelecto, fazer faculdade. Não queria se sujeitar aos planos que seu pai tinha para ele, de entrar para o negócio de mobília.

Ao lado de onde meu pai morava com a família havia algo que parecia ter saído de um conto de fadas: uma casa de tijolos e alvenaria em estilo normando, com vitrais nas janelas e uma torre encimada por um telhado cônico. Era tão diferente dos bangalôs de inspiração *arts & crafts* que a vizinhança a apelidara de "castelo". A jornada paterna por uma vida melhor teve início quando ele começou a frequentar esse castelo da família Braman. Jimmy, o menino mais velho, e ele se tornaram amigos inseparáveis na infância. Meu pai afirmava ficar maravilhado com a capacidade de Jimmy de transformar uma ideia maluca em realidade, e os dois viviam fantasiando todo tipo de planos e futuros negócios. Abriram uma barraca de hambúrguer no quintal da frente e montaram um circo no quintal de trás. É engraçado pensar que as outras crianças pagavam para ver meu pai se deitar sem camisa sobre uma cama de pregos. Eles também publicavam um jornal — *The Weekly Receiver* —, que, por alguns centavos, levava a seus setenta assinantes notícias tiradas do rádio e o placar das partidas de futebol americano e beisebol das escolas locais.

Meu pai virou filho adotivo da família Braman. No pai de Jimmy, ele encontrou um mentor e um modelo do tipo de pessoa que poderia se tornar. Depois de largar o ensino médio, Dorm Braman fundou a maior marcenaria de Bremerton, mais tarde se tornaria oficial da Marinha, seria eleito prefeito de Seattle e serviria como secretário adjunto de Transportes do governo Nixon. Ele projetou e construiu aquela casa peculiar com as próprias mãos.

Dorm era "totalmente destituído de um senso de limitações pessoais", dizia meu pai, com admiração. Foi um éthos que transmitiu aos meninos em sua família e à sua tropa de escoteiros, à qual meu pai aderiu assim que completou doze anos.

Tanto meu avô quanto Dorm haviam abandonado a escola, mas encararam esse desafio de forma completamente diferente, e suas oportunidades na vida seguiram por esse mesmo caminho. Meu avô, em um permanente estado de ansiedade e aferrado a suas regras rígidas; Dorm, sem se obstinar com o que não tinha e focado no que poderia se tornar. Meu pai preferia a visão de mundo de Dorm.

No outono do seu último ano no ensino médio, ele pegou 85 dólares na cômoda do seu quarto, caminhou quatro quadras até uma concessionária de carros usados e comprou um antigo Ford Modelo A 1939 com pneus cheios de bolhas. Seu pai não permitia que dirigisse o carro da família — para um adolescente, era muito arriscado. Dado que meu pai ainda não tinha idade legal para a compra, a irmã dele assinou o documento. (Às vezes, quando contava a história, meu pai dizia que ela até comprara o carro para ele como presente de aniversário.)

Meu pai voltou dirigindo e anunciou despreocupadamente que era o orgulhoso proprietário de um surrado cupê verde-claro. Alarmada com a gritaria na frente da casa, minha avó puxou pai e filho para dentro, ordenou que sentassem e fizessem as pazes. Meu pai insistiu na ideia de que a manutenção do carro não custaria muito e, no fim, convenceu meu avô a dar uma volta com ele. Gosto de imaginar os dois juntos, o velho intransigente acabando por ceder à empolgação do filho. Nessa noite, meu pai levantou da cama duas vezes para espiar a recente aquisição. "Eu estava quase explodindo de orgulho — independência, enfim!", escreveu ele em um trabalho na faculdade.

Papai batizou o carro de Clarabelle, que ele supunha combinar com sua personalidade de meia-idade. Clarabelle lhe trouxe liberdade, levando-o a encontros, jogos de futebol americano e pescarias. Às vezes, até dez pessoas iam espremidas no banco embutido de trás e aboletadas no para-lama conforme o carro chacoalhava pelas ruas de Bremerton e pelas estradinhas esburacadas do Serviço Florestal nos arredores da cidade.

A essa altura, meu pai começara a se afastar da Ciência Cristã e a questionar a religião de forma geral. No último ano do ensino médio, nas noites de domingo, ele e dois amigos começaram a frequentar a casa do seu treinador de basquete na escola, Ken Wills, um líder muito respeitado. Todo domingo, ele abria seu ginásio para quem preferisse jogar basquete a ir à igreja. À noite, meu pai e seus amigos ouviam os argumentos dele questionando o Antigo Testamento e a existência de Deus.

Fazia quase dois anos que os Estados Unidos haviam entrado na Segunda Guerra Mundial, e muitos amigos de papai, bem como a maioria dos homens com menos de 45 anos que já não estivessem combatendo, se preparavam para a guerra. No céu de Bremerton, flutuavam enormes balões de barragem destinados a impedir o ataque de bombardeiros de mergulho japoneses. No sopé da colina, no estaleiro de Bremerton, o USS *Tennessee* e alguns navios que sobreviveram a Pearl Harbor eram reparados. Depois de terminar a escola, meu pai ingressou na Reserva do Exército, o que lhe permitiu frequentar a Universidade de Washington até ser convocado para o serviço ativo, o que aconteceu no fim do seu primeiro ano. Em junho de 1944, uma semana depois que centenas de milhares de soldados americanos avançaram pelas praias da Normandia, meu pai se apresentou para o treinamento básico no Arkansas.

Foi então que decidiu mudar de nome. Sua certidão de nascimento dizia "William Henry Gates III", algo que lhe parecia presunçoso demais para o filho de um vendedor de mobília. Convencido de que o status implícito de "terceiro" seria um convite às zombarias e agressões dos sargentos e demais soldados, retirou legalmente o sufixo e o substituiu por "Junior".

Reconheço meu pai no rapaz de dezenove anos que escrevia cartas frequentes para casa durante o treinamento básico e, mais tarde, na Escola de Candidatos a Oficial. Ele se mostra bem-humorado e consciente dos seus pontos fortes e fracos, conta como tem se esforçado e manifesta seus sentimentos profundos pela família que ficou em casa. Suas cartas são cheias de frustração pela forma como o cronograma incerto do Exército dificulta conseguir programar uma visita à família. Ele faz piadas, se desculpa por pedir mais dinheiro para pequenas compras (roupas de baixo) e por ter tomado quinze dólares emprestados de outro recruta. Na maior parte delas, reflete sobre sua vida. O serviço militar é duro, conta. Mas está focado em seu crescimento pessoal, em tentar ser uma pessoa melhor. Revela sua admiração perante o mundo novo a que foi exposto, jovens de todas as origens sociais, pobres, ricos e pessoas de diferentes etnias. Debate a Guerra Civil com um grupo de sulistas.

A escola de oficiais conduzia revistas regulares: quem não passasse era dispensado. A cada revista, meu pai via sua turma encolher. Mesmo passando, ele se preocupava com a revista seguinte, em especial com as provas físicas: flexões, barra, rastejamento por cem metros e outras coisas. Quando iniciou o serviço militar, era meio que "um fracote", escreveu ele. "Tenho a impressão de que estou virando um homem, de que agora não sou mais só um garoto. Se fracassar aqui, sei que nunca vou me recuperar. Se for aprovado, acredito que enfrentarei tudo na vida com mais confiança e entusiasmo. Certamente serei moldado por isso. Além do aspecto mental, nunca estive em melhor forma física."

Ele passou — graduou-se como segundo-tenente — e estava a bordo de um navio para as Filipinas em 15 de agosto de 1945 quando houve a rendição do Japão. A maior parte da sua mobilização se deu entre o primeiro grupo de soldados americanos em Tóquio. Suas cartas são cheias de contrastes estonteantes: a beleza de subir o monte Fuji certa manhã e o estado assustador da cidade depois dos bombardeios incendiários dos Estados Unidos — casas e prédios incendiados, reduzidos a meras cascas de concreto.

Meu pai raramente falava sobre sua experiência no Exército. Ele sabia como fora sortudo. A escola de oficiais o manteve à distância do campo de batalha por seis meses, e então a bomba atômica encerrou a guerra. Muitos dos seus amigos não tiveram a mesma sorte, e os que voltavam traziam as marcas do front. Um amigo dos meus pais que morava perto de nós em Seattle fora baleado na cabeça e sobrevivera. Ele mantinha seu capacete amassado e a medalha do Coração Púrpura expostos em sua casa. Meu pai, quando alguém perguntava, dizia que para ele o serviço militar havia sido extremamente valioso e deixava por isso mesmo.

Quando regressou aos Estados Unidos, papai não via a hora de se formar, começar uma carreira e, bem, sair para dançar.

Papai e mamãe ficaram amigos quando se voluntariaram para o grêmio estudantil. A Associação de Alunos da Universidade de Washington (ASUW) era tanto um clube social quanto um órgão administrativo, de forma que meus pais tinham muitas oportunidades de conviver. Nesse momento, a ASUW lutava contra a antiga política do conselho universitário de proibir discursos políticos. Sei que isso enfurecia meu pai e que ele trabalhou para reverter a proibição, embora sem sucesso.

Ao contrário do futuro namorado, que preferia permanecer em segundo plano, minha mãe adorava ser o centro das atenções, sobretudo se fosse escolhida para isso pelos colegas. Com determinação típica, em seu penúltimo ano ela conduziu uma campanha altamente organizada para se eleger secretária do grêmio estudantil. Compôs um jingle (o fato de "Mary" rimar com "secretary" ajudou) e redigiu um roteiro para os apoiadores usarem quando ligassem para outros alunos pedindo seu voto. No dia da eleição, acompanhou atentamente a votação dos 5 mil alunos. E venceu de lavada.

Em um álbum de recortes, ela guardou os telegramas de amigos e familiares dando-lhe os parabéns, bem como um bilhete escrito à mão pelas suas colegas da irmandade. Também guardou uma carta do seu avô. Ele listava suas grandes conquistas naquela primavera: eleita tanto para o cargo de secretária quanto para o de presidente de sua irmandade, e também primeira colocada numa prova de esqui. Como recompensa pelas três vitórias, ele lhe mandou 75 dólares (cerca de mil dólares, na cotação atual) e a parabenizou por "ficar sob os holofotes".

Para mim, é fácil imaginar como começou a amizade dos

meus pais. Minha mãe era dotada de uma afabilidade e elegância de conduta que lhe conferiam a capacidade quase mágica de se conectar às pessoas. Se alguém chegava a uma festa sem conhecer ninguém, era a primeira a lhe estender a mão, lhe dar boas-vindas e o deixar à vontade entre os demais presentes. O ministro da nossa igreja disse certa vez que minha mãe "nunca conheceu uma pessoa que não fosse importante".

Imagino-a impelida a tentar extrair alguma reação do alto e magro Bill Gates Jr. Ela percebe como ele é reservado e tenta descobrir sua história, onde nasceu, quem são seus amigos, suas motivações. Não demora a encontrar um terreno comum: os membros e a pauta do grêmio estudantil. Faz isso sem flertar. Ele é dois anos mais velho, seus cabelos já escasseiam no alto da cabeça. Não dá para considerá-lo bonito, num sentido clássico. O namorado dela na época, sim. Nas fotos, parece ter feições mais delineadas. Alguém mais meio-termo.

Mesmo assim, ele a intriga. Quando Bill Gates fala, não desperdiça as palavras. Seu raciocínio é lógico, claro, analítico. Algumas pessoas gostam de pensar em voz alta — como Dorothy, a melhor amiga da minha mãe —, mas esse jovem transmite uma sabedoria ao falar que o faz parecer mais velho, mais ponderado do que os demais ao redor. Não bastasse, é divertido. Tem um sorriso largo e é uma pessoa jovial.

Meu pai, por sua vez, fica atraído pela energia da minha mãe, pela sua mente ágil e pela sua coragem em dizer o que pensa, mesmo quando calha de sugerir a outras pessoas o que é melhor para elas. "Bill, não acha que seria uma ótima ideia se você..." é uma frase que provavelmente ouviu pouco depois de conhecê-la.

Além disso, os dois dançavam bem.

Os álbuns de Mary Maxwell contam o resto dessa história inicial. Começando na primavera de 1948, as fotos a mostram em bailes, festas e outros eventos da universidade na companhia do sujeito de feições delineadas. Mas, no início de 1950, parece já estar em outra, nem sinal dele, apenas uma foto no baile Dreamer's Holiday: meus futuros pais sentados a uma mesa, sorrindo para a câmera. Meu pai se formou na primavera desse ano e obteve um bacharelado em direito, graças a um programa acelerado oferecido a veteranos. Minha mãe se formou um ano depois, obtendo um diploma de pedagogia.

As diferenças mencionadas em suas cartas deviam ter sido resolvidas, pois, em maio de 1951, eles se casaram. Minha mãe logo se juntou ao meu pai em Bremerton, onde ele trabalhava para um advogado local que também era o procurador da cidade. Seu trabalho consistia em ajudar pessoas em processos de divórcio e mover ações por infrações menores. Minha mãe, enquanto isso, passou a lecionar na mesma escola secundária onde meu pai estudara.

Passados dois anos em Bremerton, a perspectiva de um emprego melhor e de uma vida mais empolgante os atraiu de volta a Seattle, e, meses depois de eu nascer, tornamos a nos mudar, agora para uma casa recém-construída em View Ridge, uma área na zona norte de Seattle com escola primária, parque infantil e biblioteca a uma caminhada de distância. O bairro todo continuava em construção quando da nossa chegada. Tenho um filme feito pelo meu pai assim que nos mudamos: nele vemos um quintal de terra ainda sem grama plantada; minha irmã anda de triciclo em uma calçada tão limpa que o cimento parece quase líquido; do outro lado da rua, há a estrutura de madeira de uma casa inacabada. Vendo a gravação, fico impressionado por como tudo era tão novo, como se o bairro inteiro tivesse acabado de ser construído para crianças como nós.

2. View Ridge

Começou com um estrondo que sacudiu a casa. Minha mãe, a caminho de se encontrar com meu pai para jantar, tinha acabado de se despedir de mim, de Kristi e da babá. O tremor a petrificou diante da porta, a mão na maçaneta. Nesse momento, olhamos pela janela dos fundos e acompanhamos o telhado da garagem, que voara por cima da casa, aterrissando com um estrondo no quintal, destruindo a cerca do vizinho.

Minha mãe nos levou ao porão, onde ficamos encolhidos junto aos enlatados e outros suprimentos estocados para o caso de ataque nuclear. Em 1962, uma bomba parecia muito mais provável do que o que de fato ocorreu nessa sexta-feira à noite: um tornado, o primeiro registrado na história de Seattle. Ele se formou em nosso bairro, View Ridge, tocou o solo na nossa rua e passou pelo nosso quintal antes de avançar para o lago Washington e erguer uma coluna de água de trinta metros na direção do céu. Durou quinze minutos. Milagrosamente, ninguém se feriu. Além de algumas árvores que foram ao chão e janelas quebradas, a maior parte dos danos no bairro se limitou à nossa garagem. O

Seattle Post-Intelligencer enviou um repórter e um fotógrafo. Minha mãe colou a foto que acompanhava a matéria — uma criança vizinha posando sobre a estrutura destruída — no álbum de recortes, junto com o restante das minhas memórias de infância.

Meu pai queria fazer um churrasco e convidar os amigos para lhes mostrar a confusão de madeira estilhaçada, postes de metal e telhas asfálticas que outrora constituía nossa garagem. Nem pensar, respondeu mamãe. Continuava abalada. Se tivesse aberto aquela porta alguns segundos antes, ninguém sabe o que teria acontecido com ela e conosco. Ademais, que família respeitável celebraria uma coisa dessas? Seria inapropriado. Não combinava com a imagem que minha mãe queria que a família Gates passasse.

Minha irmã Kristi e eu (e, mais tarde, Libby) éramos parte da imensa legião de crianças — os *baby boomers* — nascidas no período de prosperidade e otimismo do pós-guerra. A Guerra Fria seguia a todo vapor, e o movimento pelos direitos civis havia começado. Semanas depois do tornado, ocorreu o confronto entre Kennedy e Khruschóv por causa dos mísseis soviéticos em Cuba. No último dia da crise, conforme o mundo evitava uma conflagração nuclear, eu estava na sala de casa abrindo os presentes do meu aniversário de sete anos. Um ano depois disso, 250 mil pessoas marcharam para Washington D.C. e presenciaram Martin Luther King Jr. falando sobre seu sonho de que, um dia, nosso país fosse um lugar no qual todos os homens seriam criados iguais.

Tomei consciência desses eventos históricos de forma fragmentária, meros nomes e palavras ouvidos enquanto meus pais assistiam ao noticiário da CBS à noite e conversavam sobre artigos publicados no *The Seattle Times*. Na escola, os professores nos mostravam filmagens aterrorizantes com cenas de Hiroshima e nuvens de cogumelo. Praticávamos o ritual de ficar sob a carteira.

Mas, para um garotinho em View Ridge, esse mundo mais amplo parecia algo abstrato. Uma garagem destruída fora praticamente o evento mais dramático de nossa vida. Em famílias como a nossa, prevalecia um sentimento de confiança. Nossos pais e os pais de todo mundo na vizinhança haviam passado pela Grande Depressão e pela Segunda Guerra Mundial. Qualquer um podia perceber que os Estados Unidos prosperavam.

Como acontecia no resto do país, Seattle se expandia rapidamente para os subúrbios. Campos e florestas eram varridos por escavadeiras para dar lugar a casas e centros comerciais. Essa transformação tivera início em nossa cidade durante a guerra, quando a Boeing, uma empresa local, se converteu numa importante fabricante de aviões de guerra. Nasci exatamente quando a Boeing lançava o primeiro jato comercial viável; nos anos seguintes, viajar de avião passou de raridade a algo rotineiro.

Da janela do meu quarto dava para escutar as sonoras tacadas de beisebol no campo de View Ridge, do outro lado da casa vizinha. Quando comecei o ensino fundamental, em 1960, a escola tinha acabado de adicionar uma nova ala para acomodar mais de mil alunos; em breve a cidade precisaria construir uma segunda escola primária nas proximidades. Dez quarteirões acima, na outra direção, a filial nordeste da Biblioteca Pública de Seattle se orgulhava de oferecer a maior coleção de livros infantis da rede de bibliotecas da cidade. Quando foi inaugurada, um ano antes de eu nascer, a fila de crianças chegava até a rua. Em minha juventude, ela se tornaria uma espécie de clube, e por muito tempo continuou sendo meu lugar preferido no mundo.

A comunidade compreendia famílias de homens de negócios, médicos, engenheiros, advogados como meu pai e veteranos da Segunda Guerra Mundial, que, graças aos benefícios do governo no pós-guerra, haviam frequentado a universidade e se estabelecido no norte de Seattle, onde levavam uma vida melhor do que

45

seus pais. Um lugar de brancos e classe média. Se eu tivesse nascido negro em Seattle em 1955, não teria morado em View Ridge. Nosso bairro e os demais do entorno tinham cláusulas raciais estabelecidas na década de 1930, proibindo qualquer pessoa "não branca" de "ocupar" casas ali (com exceção de empregados domésticos). Embora essas restrições horríveis tenham sido teoricamente encerradas pela Suprema Corte em 1948, Seattle continuou segregada por muito tempo, e pessoas negras eram forçadas a viver, sobretudo, no lado sul da cidade, na parte industrial.

O choque com o lançamento do satélite russo *Sputnik* em 1957 levou os Estados Unidos a despejarem dinheiro em ciência e tecnologia, dando origem à Nasa e ao que foi então chamado de Agência de Projetos de Pesquisa Avançada (Arpa, na sigla em inglês). Parte desse dinheiro fluiu para o centro de Seattle, onde a cidade planejava abrigar a próxima Feira Mundial, apelidada de "Century 21". A exposição não demorou a se transformar numa resposta à Rússia, uma vitrine da capacidade científica dos Estados Unidos e da sua visão para o futuro no espaço, no transporte, na computação e na medicina, além do papel americano como pacificador global. Escavadeiras demoliram ruas inteiras de casas populares para dar lugar ao terreno da feira. De um esboço em um guardanapo nasceu a Space Needle, com 180 metros de altura.

"O que mostramos foi conquistado com grande empenho nos campos da ciência, da tecnologia e da indústria", declarou o presidente Kennedy, numa ligação via satélite da Flórida, ao inaugurar a exposição. "Isso exemplifica o espírito de paz e cooperação com que adentramos as décadas por vir."

Dias depois, minha mãe me enfiou em uma camisa de botões e um blazer azul, e, com minha família em roupas igualmente formais, fomos à Century 21. Vimos a cápsula Mercury, que acabara de levar o primeiro americano ao espaço. No planetário, viajamos pelo sistema solar e pela Via Láctea. Conhecemos a visão de Ford para o futuro com o carro de seis rodas movido a energia nuclear, o "Seattle-ite XXI", e a ideia que a IBM fazia de um computador barato, o IBM 1620, de 100 mil dólares. Um curta-metragem a que assistimos, intitulado *A casa da ciência*, retratava os avanços do pensamento humano, dos primeiros matemáticos aos homens (ainda levaria um bom tempo para as contribuições de mulheres cientistas serem reconhecidas) na vanguarda da biologia, da física, das geociências e da computação. "O cientista vê a natureza como um sistema de quebra-cabeças!", declarou com exagero o narrador. "Ele tem fé na ordem subjacente do universo." Embora eu não compreendesse de verdade os detalhes, saquei a ideia geral: os cientistas sabem coisas importantes. Nos quatro meses de duração da feira, voltamos inúmeras vezes. Fomos a todos os pavilhões, andamos em todos os brinquedos. Provei waffles belgas, que chegavam pela primeira vez aos Estados Unidos. Eram deliciosos.

Eis aqui como seria minha versão hollywoodiana da história: encantado com o pavilhão da IBM, sem ter completado sete anos, me apaixonei por computadores e nunca mais olhei para trás. Pode muito bem ter sido assim com outras crianças. Paul Allen, meu sócio na criação da Microsoft, atribui à feira sua obsessão por computadores da mesma forma que alguns músicos pegam o violino nessa idade para nunca mais largar. Não foi meu caso. Fiquei apaixonado pelas acrobacias dos intrépidos esquiadores aquáticos e maravilhado com a vista da cidade na Space Needle. O melhor de tudo, pelo menos na minha opinião, era a Wild Mouse Ride, uma espécie de montanha-russa com carrinhos de dois lugares que jogavam quem estivesse neles para os lados em curvas abruptas. Lembro-me de grandes sorrisos e muitas risadas. Dava a sensação de ser algo arriscado e despertou minha paixão por montanhas-russas pelo resto da vida.

Mesmo assim, a visão tecno-otimista da feira deve ter me impactado. Naquela idade impressionável, a mensagem em 1962 me parecia bem clara: iríamos explorar o espaço, acabar com as doenças, viajar de forma mais rápida e fácil. A tecnologia, nas mãos certas, era progresso, traria a paz. Minha família viu Kennedy fazendo seu discurso "escolhemos ir à Lua" no outono desse ano, todo mundo reunido diante da TV conforme o presidente dizia ao país que precisávamos aproveitar o melhor de nossas energias e habilidades para um futuro arrojado. Dias depois, assistimos à estreia de *Os Jetsons*, oferecendo uma versão em desenho animado desse futuro, com carros voadores e cães-robôs. Walter Cronkite e a revista *Life* nos apresentavam um fluxo constante de novas maravilhas: o primeiro laser, a primeira fita cassete, o primeiro robô industrial e o primeiro chip de silício. Era impossível ser criança naquela época e não se empolgar com tudo isso.

Essa atmosfera de potencial ilimitado foi o pano de fundo da minha infância e das ambições que minha mãe nutria para nós. Minha criação se deve igualmente aos meus pais, mas era minha mãe que adiantava nossos relógios em oito minutos para que ficássemos sincronizados com sua pontualidade materna.

Desde o início, minha mãe tinha uma visão grandiosa para todos nós. Ela queria que meu pai fosse muito bem-sucedido, com o sucesso definido menos pelo dinheiro do que pela reputação e pelo seu papel em ajudar nossa comunidade e outras organizações civis e sem fins lucrativos. Sonhava com filhos que se destacassem nos estudos e nos esportes, que tivessem uma vida social ativa e que seguissem até o fim em tudo a que se dedicassem. Dava como certo que todos os filhos iriam para a universidade. O papel dela nessa visão era dar seu apoio como companheira e mãe, além de ter um papel tão proeminente na comunidade que acabaria por desenvolver sua própria carreira. Embora nunca o dissesse explicitamente, suspeito que seu modelo para os Gates viesse de uma das famílias mais famosas da época: os Kennedy. No início da década de 1960, antes de toda a tragédia e dos problemas que se abateram sobre o conhecido clã, eles eram o modelo de uma família americana bonita, bem-sucedida, ativa, atlética e com um belo estilo de vida. (Mais de uma amiga sua comparou Mary Maxwell Gates a Jackie Lee Kennedy.)

A vida era ditada pela estrutura das rotinas e tradições, bem como pelas regras determinadas pela minha mãe. Ela tocava, como dizia meu pai, "uma unidade doméstica bem organizada". Tinha uma ideia clara de certo e errado que se aplicava a todas as esferas da vida, dos assuntos mais cotidianos aos maiores planos e decisões. As tarefas domésticas rotineiras — arrumar a cama, limpar o quarto, vestir a roupa e se preparar para o dia — eram rituais sacrossantos. Ninguém saía de casa com a cama bagunçada, o cabelo despenteado ou a camisa amarrotada. Seus decretos, repetidos durante toda a minha juventude, hoje são parte de mim, ainda que eu não os respeite: "Nada de comer na frente da TV", "Tirem os cotovelos de cima da mesa", "Não tragam a bisnaga de ketchup para a mesa". (Seria inapropriado se servir de qualquer condimento que não viesse em um pratinho com uma pequena colher.) Para minha mãe, pequenas coisas como essas eram o fundamento de uma vida bem-ordenada.

No primeiro e depois no segundo ano, em 1962, eu subia com Kristi por uma curta ladeira até a View Ridge Elementary, onde minha irmã impusera as expectativas do que os professores poderiam esperar de mim. Kristi era aferrada a regras. Sentada no banco traseiro do nosso carro, ela monitorava o velocímetro para avisar meu pai sempre que ultrapassasse o limite de velocidade. Na escola era uma aluna aplicada, estimada pelos professores, entregava suas lições no prazo e, mais importante, tirava ótimas notas.

Comigo era diferente, como minha mãe havia previamente alertado meus professores na pré-escola. No início do ensino fundamental, eu lia bastante por conta própria, em casa. Estava aprendendo a aprender sozinho e gostava da sensação de conseguir absorver novos fatos rapidamente e me entreter com livros infantojuvenis. Mas a escola parecia lenta. Eu achava difícil me interessar pelo que ensinavam; ficava viajando em pensamentos. Mas quando algo captava minha atenção, podia pular na carteira, levantando a mão todo enérgico, ou gritar uma resposta. Não era para tentar conturbar o ambiente; minha mente apenas passava com facilidade para esse estado de agitação incontida. Ao mesmo tempo, também sentia que não me dava com as outras crianças. Meu aniversário no fim de outubro significava que era mais novo do que a maioria, e parecia mesmo. Eu era pequeno, magrelo, e tinha uma voz incrivelmente aguda e esganiçada. Ficava acanhado perto das outras crianças. E havia aquele hábito de balançar.

Fiquei com a sensação de que meus pais mantinham contato mais próximo com meus professores, mais do que os outros pais. Alguma outra família convidava os professores dos filhos para jantar no início do ano letivo? Acho que não. No entender dos meus pais, nada mais natural, indicava comprometimento com nossa educação. Para Kristi e eu, era constrangedor. Não parecia normal ver nossa professora jantando conosco. Ao longo dos anos, só uma professora recusou o convite, temendo que se empanturrar de *casserole* de atum configurasse conflito de interesse. (Ela esperou o fim do ano letivo para aceitar.)

Meus pais não cobravam notas de nós e transmitiam expectativas sobretudo pelo modo como minha mãe falava sobre outras famílias. Se o filho ou a filha de uma amiga da família não fossem bem na escola, ou tivessem se metido em algum tipo de encrenca por esse ou aquele motivo, minha mãe especulava sobre a decepção que a mulher estaria sentindo. Nunca dizia "vocês não devem ser como essas crianças". Mas, pelo seu tom trágico ao contar a história, compreendíamos a mensagem implícita: sem vagabundagem, destaquem-se, não nos decepcionem. Também recorriam a um sistema de recompensas: um A valia uma moeda de 25 centavos; um boletim só com notas A garantia um jantar em um restaurante da sua escolha, que geralmente ficava a 180 metros de altura, o Eye of the Needle, restaurante giratório no topo da reluzente Space Needle, novinha em folha. Eram sempre as notas de Kristi que nos conduziam até lá, mas, como seu irmão, eu podia ir junto, independentemente do meu desempenho.

Nessa época, minha mãe tinha começado a passar mais tempo como voluntária nas organizações sem fins lucrativos da comunidade, como a Junior League e o que posteriormente seria chamado de United Way. Muitas vezes ainda estava fora à tarde, assim, ao chegarmos da escola, minha irmã e eu encontrávamos Gami à nossa espera. Eu adorava vê-la à porta. Significava que entraria conosco, prepararia biscoitos Ritz com manteiga de amendoim ou algum outro petisco infantil e perguntaria sobre a escola. Depois, pelo resto do dia, líamos ou jogávamos algo até minha mãe chegar em casa. Gami era uma segunda mãe. Ela nos acompanhava nas férias, nas festas de patinação de Natal, nos refúgios de verão e praticamente em qualquer evento familiar. Outras famílias sabiam que um encontro com os Gates normalmente incluiria a avó, que seria a mais bem-vestida do grupo, com um colar de pérolas e um penteado impecável. Mesmo assim, ela não se via como mãe substituta; era nossa amiga e professora paciente. Queria proporcionar à minha mãe e ao meu pai espaço para nos criarem da maneira como gostariam. Ela respeitava o limite entre esses papéis, desejando-nos boa-noite e voltando para sua casa pouco antes de o meu pai chegar do trabalho.

Pouco depois de ele entrar pela porta, sentávamos para comer. Minha mãe geralmente me dizia para largar o livro: não podíamos ler à mesa. O jantar em família era uma ocasião a ser compartilhada. Minha mãe ouvira que o pai de JFK, Joseph Kennedy, apreciava que, à hora do jantar, todos os filhos estivessem preparados para explicar algum tema que ele lhes pautara. O futuro presidente talvez tivesse de fazer um panorama da Argélia entre uma e outra mordida em suas cenouras. Conversávamos sobre esse ritual dos Kennedy ao jantar e as coisas importantes que poderíamos aprender naquela hora juntos. Meus pais não esperavam que discorrêssemos sobre algum assunto, de forma que falávamos sobre nosso dia, e eles falavam sobre o deles. Por meio dessas conversas, comecei a formar uma imagem mental de como era a vida dos adultos e o que havia naquele mundo que habitavam.

Foi durante o jantar que ouvi pela primeira vez termos como "fundos proporcionais" ou "resolução de conflitos", quando minha mãe descrevia campanhas na Junior League ou algum desafio na United Way. Eu percebia o tom de seriedade em sua voz. Toda pessoa deveria ser tratada com justiça. Toda questão, considerada com cuidado. Todo dólar, sabiamente gasto. Minha mãe sintetizava sua filosofia com uma expressão que ouvíamos com frequência: a pessoa deve ser uma "boa gestora" [*steward*]. Sua definição se alinhava perfeitamente à do dicionário Merriam-Webster: a administração cuidadosa e responsável de algo confiado a seus cuidados. Essa era minha mãe, sem tirar nem pôr.

Meu pai, na época, trabalhava para o Skeel, McKelvey, Henke, Evenson & Uhlmann, um escritório conhecido, acima de tudo, pelos litígios difíceis e minuciosos. Não creio que ser um buldogue dos tribunais combinasse com o temperamento do meu pai, mas, como no caso do Exército, tenho certeza de que via isso como um bom treinamento. Eu não entendia os detalhes dos seus casos, mas tinha a nítida sensação de que as empresas o pagavam para fazer coisas importantes. O nome Van Waters & Rogers, uma empresa química local em crescimento e um dos principais clientes do meu pai, sempre era mencionado.

Antes de ser capaz de dizer o que um advogado realmente fazia, eu já tinha uma ideia, graças ao meu pai, de que o direito era algo a ser tratado com reverência. As histórias que ele contava aludiam a seu alto senso de justiça. Ouvíamos falar do anticomunista Comitê Canwell, uma caça às bruxas que assolou a Universidade de Washington quando meus pais estudavam ali. Albert Canwell — o deputado estadual que presidia o comitê — proibiu acareações e objeções, e desrespeitou outros elementos da imparcialidade da lei. Precursor das audiências de McCarthy em todo o país alguns anos depois, o comitê destruiu a carreira de pessoas inocentes, incluindo dois professores que deram aulas para meu pai. Ele acompanhou com fascínio a cobertura das audiências e abominou o flagrante abuso da justiça perpetrado pelo comitê.

Meus pais ocasionalmente nos deixavam assistir a *Perry Mason*, o popular seriado de TV centrado nos julgamentos de um brilhante advogado criminal. Pouco antes dos créditos finais, os detalhes de algum caso desconcertante se encaixavam magicamente, e tudo era solucionado. Ouvindo meu pai, descobri que o sistema de justiça (e a vida) não funcionava assim. Seus casos pareciam supercomplicados. Depois do jantar, ele costumava ficar acordado até tarde, debruçado sobre uma pilha de papéis à mesa da refeição, preparando-se para o caso do dia seguinte. Era bem menos glamoroso do que o programa de TV, mas, para mim, muito mais interessante.

Se meus pais parecem um pouco moralistas, e irredutíveis acerca do trabalho voluntário e da retribuição à sociedade e tudo mais, não tem muito jeito. Eram assim mesmo. Passavam horas em planejamentos e reuniões, em ligações e campanhas, e no que fosse necessário para ajudar sua comunidade. Meu pai extraía igual prazer de ficar numa esquina durante a manhã, com um cartaz pendurado no corpo, para promover um imposto destinado à educação e de participar, na mesma noite, de uma reunião do conselho da Associação Cristã de Moços da universidade, cuja diretoria havia presidido. Quando eu estava com três anos de idade, minha mãe presidiu um programa da Junior League para exibir artefatos de museu a alunos de quarto ano na sala de aula. Sei disso porque aparecemos no jornal; a legenda sob a foto de nós dois e uma caixa de instrumentos médicos dizia: "A sra. William Gates Jr. observa seu filho de três anos e meio, William Gates III, examinando um antigo kit médico incluído numa 'Caixa de Tillicum'".

O mesmo se dava com os amigos dos meus pais. Não eram pessoas que sonhavam em deixar sua cidade natal para levar uma vida mais empolgante em Nova York ou Los Angeles. Depois de se formarem na Universidade de Washington em áreas como direito, engenharia e negócios, passavam a morar a alguns quilômetros da sua *alma mater* e dos velhos amigos. Tinham filhos, abriam negócios, ingressavam em escritórios, concorriam a cargos públicos e passavam o tempo livre em suas próprias versões de imposto para educação e conselho da ACM. Muitos amigos do meu pai eram membros da Liga Municipal. Não, não se tratava de boliche, mas de uma organização de jovens reformistas apartidários — em sua maioria, como meus pais, na faixa dos trinta anos — determinados a reformarem o que viam como a administração conservadora de Seattle. Meu pai nos explicou que a liga avaliava as qualificações dos candidatos e divulgava seus resultados em anos eleitorais. No início da década de 1960, conversávamos no jantar sobre como a liga esperava despoluir o lago Washington. Anos de esgoto e resíduos industriais tornaram a água do lago tóxica. Em meados dos anos 1960, as placas de "IMPRÓPRIA PARA BANHO" foram removidas.

Até que ponto toda essa exposição a adultos me influenciou?

Com o tempo, isso obviamente influenciaria, mas, quando eu era pequeno, fiquei com a impressão, sobretudo, de que ser adulto significava estar ocupado. Meus pais eram pessoas ocupadas, seus amigos eram pessoas ocupadas.

Quando os amigos dos meus pais nos visitavam, esperava-se que minhas irmãs e eu interagíssemos com eles. Normalmente isso significava que minha mãe nos dava algum trabalho para fazer. O meu era o de servir o café enquanto jogavam bridge. Eu ficava orgulhoso de ser observado pela minha mãe conforme circundava a mesa, inclinando o bule sobre as xícaras de porcelana com todo o cuidado, exatamente como ela me ensinara. É uma memória a que me apego até hoje quando quero sentir minha mãe perto de mim. Eu me sentia importante, incluído nesse ritual adulto, e essencial para a diversão deles.

No mapa, o canal Hood parece um anzol amassado. Não é um canal de fato — não foi construído pelo ser humano —, mas um fiorde formado por geleiras a sudeste de Seattle, na península Olímpica. Quando criança, meu pai pescou seu primeiro peixe ali (um salmão que tinha quase a sua altura) e, nos tempos de escoteiro, acampava nas margens. Minha mãe participara de um acampamento ali pertencente a duas líderes das Soroptimistas, um grupo voluntário de meninas e mulheres. Depois de se casarem, meus pais criaram o hábito de passar um tempo no canal todo verão. Numa das minhas fotos mais antigas, com cerca de nove meses de idade, estou no colo do meu pai, que se espreme num banco com meu avô — os três Bill Gates, canal Hood, 1956.

No início dos anos 1960, meus pais e um grupo de amigos passaram a alugar os chalés Cheerio todo mês de julho. Ainda consigo ver a placa azul e branca — "CHEERIO" — junto à North Shore Road quando chegávamos ao conjunto de chalés que seriam nosso lar pelas duas semanas seguintes. O lugar não era chique, apenas dez pequenos chalés junto a uma quadra de tênis e uma área central com o buraco para a fogueira. Havia, nos arredores, florestas, descampados e praias de seixos. Para uma criança, era o paraíso. Nadávamos, remávamos nossos pequenos botes, pegávamos ostras, corríamos nos bosques e brincávamos de capturar a bandeira. Eu comia hambúrgueres e chupava toneladas de picolé. Quase sempre eram as mesmas dez famílias, o que, entre adultos e crianças, significava cerca de cinquenta outras pessoas. Eram os amigos mais íntimos dos meus pais, muitos deles dos tempos de faculdade. Meu pai abandonava sua postura reservada de advogado sério e se transformava no que chamávamos de "o Prefeito de Cheerio", uma espécie de diretor das diversões e monitor de crianças. Toda noite, quando a fogueira apagava, sabíamos que o momento em que meu pai se levantava era a deixa para irmos atrás, uma fila indiana de crianças que ele conduzia a seus respectivos chalés para dormir. Marchando a suas costas, cantávamos letras inventadas à melodia de "Colonel Bogey March", do filme *A ponte do rio Kwai*. (Só mais tarde, quando vi o filme, percebi que se tratava de uma canção motivacional dos prisioneiros de guerra. Para minhas irmãs e eu, ela é sempre carregada de lembranças do papai dançando, acompanhado por uma fileira de crianças. "Avante, a estrada para Cheerio...")

Como prefeito, meu pai presidia a cerimônia de abertura das Olimpíadas de Cheerio: uma das crianças, usando uma coroa de folhas, corria com uma tocha acesa (estávamos na década de 1960...) para marcar o início da competição de vários dias. As provas eram antes um teste de destreza e determinação do que de atletismo: corrida de saco, corrida normal, corrida de três pernas, corrida de obstáculos passando por câmaras de pneu e corrida do ovo na colher. Lembro-me do meu pai segurando minhas pernas para a corrida de carrinho de mão. Independentemente da prova, eu me esforçava ao máximo para, no fim, tentar ganhar um lugar no pódio. Tinha pouca destreza, mas muita determinação.

Mais ou menos uma semana depois de chegarmos a Cheerio, os adultos escreviam o nome de cada família em um pedaço de papel e o enfiavam em uma pequena caixa azul para ser tirado pelas crianças. Fosse qual fosse o nome sorteado — Baugh, Berg, Capeloto, Merritt ou um dos outros —, você tinha de ir ao chalé dessa família para jantar com outros pais. Os filhos deles, por sua vez, jantavam com os pais que houvessem tirado. Quem bolou o sistema foi minha mãe. Quando relembro minha infância, percebo um padrão de forçar minhas irmãs e eu a participarmos de situações que nos impelissem à socialização, em particular com adultos. Para minha mãe, seus amigos eram exemplos de vida, o tipo de pessoas que viríamos a ser, assim esperava. Todos fizeram faculdade. Todos eram ambiciosos. Os homens tinham cargos de gerência em companhias de seguro, empresas do setor financeiro, madeireiras. Um dos pais trabalhava na Ford, outro era procurador federal. Um era dono de uma grande loja de jardinagem, outro marcara o gol da vitória em uma partida no Rose Bowl. A maioria, como meu pai, tinha servido na Segunda Guerra Mundial. Muitas das mulheres eram como a minha mãe, dividiam o tempo entre a família e o trabalho voluntário em entidades como Planned Parenthood. Quanto a mim, esses jantares me impediam de ficar recluso ou de mergulhar em um livro. Aos seis ou sete anos de idade, ainda era um pouco difícil, mas, com o tempo, o plano da minha mãe funcionaria, e eu me sentiria quase tão à vontade com essas famílias em Cheerio quanto com os Gates.

Os fabricantes japoneses de automóveis são conhecidos pelo *kaizen*, uma filosofia de constante aperfeiçoamento que adotaram depois da Segunda Guerra Mundial para aumentar, ano a ano, a qualidade dos seus veículos. Pelo menos no que dizia respeito aos feriados, minha mãe não ficava devendo nada à Toyota. As festas de fim de ano lá de casa, por exemplo, começavam já em setembro ou outubro. Era quando minha mãe lia suas anotações do Natal anterior para rever o que dera errado e buscar melhorar. Uma delas: "Bill [meu pai] tem sérias dúvidas sobre pôr neve na árvore outra vez — uma furada". Tenho certeza de que não voltamos a cometer esse equívoco. Em algum momento, seu *kaizen* natalino motivou meu pai a se enfiar no porão, onde esculpiu um Papai Noel em tamanho real com serrote e madeira compensada. "Big Santa", como o apelidamos, assumiu seu lugar junto à nossa porta da frente todo Natal por décadas.

Pouco depois do Halloween, requisitando nossa ajuda, minha mãe elaborava o cartão de Natal do ano em questão. Usando canetas, feltro, papel colorido, fotos da família e até uma prensa de serigrafia, e algum poema espirituoso que ela compusera, formávamos uma linha de montagem em uma mesa dobrável, confeccionando à mão centenas de cartões para enviar ao grande número de amigos e familiares dos meus pais. Gami, enquanto isso, fazia os próprios cartões artesanais, uma tradição provavelmente herdada de sua mãe numa época em que comprar cartões em lojas era caro demais. No ano do tornado, 1962, nosso cartão natalino, na forma de uma tira em quadrinhos, satirizava o esforço absurdo que minha família fazia para se superar todo ano, com cenas retratando minha mãe e meu pai tendo as ideias mais mirabolantes para transmitir nossa mensagem de Natal. Um dos seus planos incluía contratar um avião para escrever "BOAS FESTAS" no céu em letras góticas. Numa das imagens, meu pai considerava mandar destroços da nossa garagem com a frase: "Aterrissando apenas para lhes desejar boas festas".

Depois de enviarmos os cartões pelo correio, começávamos a preparar os convites para a festa anual de patinação no gelo que organizávamos com duas outras famílias. Esses cartões sempre incluíam alguma apresentação feita sob medida ou alguma charada: um patim de madeira feito pelo meu pai com sua serra tico-tico ou um jogo de palavras cruzadas em que as respostas revelavam a data e o horário da festa. Os convidados sabiam que, quando chegassem ao Ridge Rink, encontrariam meu pai dando voltas no local, seus dois metros de altura espremidos num traje de Papai Noel alugado, e minha mãe servindo donuts açucarados e taças de sidra, o antigo Wurlitzer do rinque de patinação tocando canções natalinas.

Os dias seguintes se desenrolavam exatamente da mesma forma, ano após ano. Na noite de Natal, minha mãe presenteava todos da família com pijamas combinando que ela havia escolhido para aquele ano. Na manhã seguinte, todos nos reuníamos no corredor usando nossos pijamas novos e então marchávamos para a sala, um de cada vez, por idade. (Fazer as coisas por ordem de idade respeitava uma longa tradição familiar.) A seguir, do mais velho para o mais novo, víamos o que havia em nossas meias penduradas. Sempre sabíamos o que era: para as crianças, uma laranja e um dólar de prata; para minha mãe, um buquê de cravos vermelhos dado pelo meu pai. Depois, mesmo com a pilha de presentes suplicando que fossem abertos, fazíamos uma pausa para o café da manhã: ovos mexidos e presunto com *kringle* dinamarquês de alguma padaria local. Finalmente, era hora de abrir os presentes. Depois de Kristi, eu abria um sob os olhares dos demais, e então seguíamos a ordem inversa, indo de Gami para os mais jovens. Os presentes tendiam a ser coisas práticas ou brincadeiras, e nunca eram caros. Sempre se podia apostar que haveria coisas como meias e camisetas, ou talvez o best-seller mais recente.

À medida que o fim das festas se aproximava, com o último enfeite guardado e o último bilhete de agradecimento despachado, minha mãe pegava caneta e papel e começava os preparativos para o Natal seguinte. Mesmo que, vez ou outra, minhas irmãs e eu revirássemos os olhos para essas tradições — nunca encerrávamos os presentes antes do fim da tarde, ainda de pijama —, deixar de praticar qualquer uma delas teria sido uma perda. Até hoje os natais são uma das coisas que minhas irmãs e eu mais gostamos de relembrar.

3. Racional

Dias depois de eu concluir o segundo ano, minha mãe e minha avó puseram minha irmã e eu no carro, e partimos para nossas primeiras férias prolongadas. Kristi e eu sempre nos referimos a elas como a viagem para a Disney, mas, na verdade, foi muito mais do que isso. Para minha mãe, o percurso de mais de mil quilômetros que estávamos prestes a fazer representava mil oportunidades de aprendizado para seus filhos.

Nessa manhã de junho de 1963, saímos no horário exato marcado pela minha mãe — 8h15 — para cumprir a primeira etapa da viagem, que dali a quatro dias nos levaria a Los Angeles. Papai tinha que trabalhar naquela semana; ele voaria para nos encontrar para também ir à Disney e voltar de carro conosco.

Mamãe havia acabado de comprar o que havia então de mais moderno em tecnologia de máquinas de escrever. Sua IBM Selectric vinha com uma bola de metal do tamanho de uma bola de golfe que podia ser encontrada em diferentes fontes e estilos. A pessoa substituía a bolinha conforme a fonte e a escrita desejadas — até mesmo cursiva, que eu achava o máximo. Antes de partirmos, mamãe preparou para minha irmã e eu um diário de viagem, para registrarmos o que víssemos em duas páginas por dia. Usando a letra cursiva da máquina, ela providenciou cabeçalhos em que listaríamos as cidades pelas quais passássemos e a quantidade aproximada de quilômetros percorridos diariamente. Abaixo disso, datilografou as categorias a serem preenchidas. Algo como:

1. *Formações da paisagem*
2. *Clima*
3. *Distribuição da população*
4. *Uso da terra*
5. *Produtos*
6. *Atrações históricas e outros locais de interesse*
7. *Observações diversas*

Na parte de baixo, criou uma seção de "Descrições" do dia de viagem. Tínhamos dados de sobra para esse exercício. Com sua energia habitual, mamãe estabelecera um itinerário detalhado para cada dia que nos levou a dois capitólios estaduais, à floresta de lava petrificada do Oregon, a algumas universidades, à ponte Golden Gate, ao Castelo Hearst, à prisão de San Quentin, ao zoológico de San Diego, a uma demonstração da fabricação de cera e a vários outros lugares.

Enquanto minha mãe dirigia, Gami lia para nós um romance sobre Man o' War, o cavalo de raça que bateu recordes de velocidade e resistência, e foi um dos cavalos mais vencedores na história. Minha irmã e eu olhávamos pelas janelas do carro ao som da voz de Gami, observando em silêncio coisas para preencher o diário de viagem: pomares de macieiras, casas de adobe, caminhões transportando imensos troncos de pinheiro (abetos-de-douglas), poços de petróleo. Toda noite, no motel, Kristi registrava suas impressões de cada categoria. Ela escrevia com cuidado, sabendo que minha mãe, mais tarde, verificaria para corrigir a gramática e a ortografia com uma caneta vermelha. Em um caderno de anotações menor, eu compilava minhas observações extras, caprichando na letra o máximo que minha mão permitia.

Por meio desses registros, minha mãe se assegurava de que recebêssemos lições de geografia, geologia, economia, história e até matemática... e, na emoção de notar as coisas, da arte de prestar atenção. É por causa desses diários que sei que estalactites apontam para baixo e estalagmites, para cima, e que, caso alguém se interesse, para chegar ao topo da Rotunda do Capitólio estadual de Washington é preciso subir 262 degraus.

Quando meu pai se juntou a nós em Los Angeles, eu e minha irmã o regalamos com a história do livro que acabáramos de ler sobre o incrível cavalo criado e treinado para vencer. Com o tempo, sentíamos como se minha mãe estivesse em uma missão semelhante com seus filhos.

No verão em que fizemos essa viagem, eu tinha uma ideia superficial da dedicação de Gami à Ciência Cristã. Parecia-me que a fé tinha a ver com estrutura e disciplina. Como meus avós pelo lado dos Gates, ela começava cada dia com uma breve lição bíblica da fundadora da igreja, Mary Baker Eddy, preparando-se para uma rotina diária que raramente mudava. Tomar café da manhã às oito, almoçar ao meio-dia, cochilar à uma e meia. Seu jantar era sempre às seis, seguido de um único bombom Dark Maple Walnut, da See's, sua única indulgência diária. Depois do jantar, jogava cartas ou disputava algum jogo e, a seguir, lia sua lição diária outra vez antes de se recolher. No fim da década de 1960, ao comprar uma casa de veraneio no canal Hood, Gami acrescentaria um novo elemento à sua rotina: nadar diariamente, deslizando pela água fria em suaves braçadas, o cabelo penteado à perfeição, em qualquer clima, até mesmo sob o vento e a chuva gelada, enquanto nos preocupávamos de que pudesse ser engolida pela marola espumante.

Eu sabia muito pouco sobre as crenças da Ciência Cristã, mas tudo mudou em um fim de semana em que meus pais estavam fora e Gami ficou em nossa casa. Eu brincava com Kristi e sua amiga Sue, pulando sobre o sprinkler no quintal da frente em nossas roupas de banho. A certa altura, alguém — eu? — teve a ideia de incrementar a brincadeira. Arrastamos o sprinkler até a entrada da garagem e nos revezamos tentando pular sobre os borrifos com nossos patins. Alguns patins nessa época ainda tinham rodinhas metálicas. Não lembro como eram os nossos, mas, seja como for, não combinaram muito bem com o piso molhado, como logo viríamos a descobrir.

Kristi tomou impulso e saltou sobre o jato, mas, ao aterrissar, seus patins escorregaram. Ela caiu com força no asfalto, quebrando o braço direito acima do cotovelo.

Minha lembrança seguinte é de estar encolhido no quarto de Kristi enquanto ela chora de dor e Gami tenta decidir o que fazer. Do ponto de vista da Ciência Cristã, devem-se evitar hospitais, de forma geral. Na verdade, espera-se que os fiéis recorram a "curandeiros espirituais" profissionais da Ciência Cristã, que, segundo sua crença, são capazes de curar por meio da oração. Imagino que, enquanto esperávamos no quarto de Kristi, Gami ligava para sua curandeira, uma mulher que conhecíamos como Pauline, que provavelmente lhe disse que fraturar um osso era real o bastante para receber tratamento. Mais tarde, Kristi ganhava um braço inteiro engessado, cortesia dos médicos de formação do Hospital Ortopédico Infantil, ali nas proximidades.

Um ou dois anos depois, eu estava sobre o balcão da cozinha, tentando alcançar um copo no armário, quando senti uma dor lancinante no abdômen. Caí no chão, onde Gami me encontrou delirando. Desta vez, nada de hesitação. Era uma apendicite, como viríamos a descobrir, e no hospital removeram meu apêndice antes que estourasse.

Além da sensação de que coisas ruins aconteciam quando meus pais estavam fora (algo que para minha irmã e eu seria motivo de piada por anos), esses incidentes atiçaram perguntas que eu me fazia na época sobre o mundo adulto. Era muito confuso para mim que minha avó, racional e educada, nunca fosse ao hospital nem recorresse a medicamentos modernos. Ela lia jornal, viajava de avião e era uma das pessoas mais inteligentes que eu conhecia; mesmo assim, uma parte sua vivia no reino da fé e do que soava a superstição.

A prática religiosa em nossa família estava mais para um exercício social e intelectual. Embora tanto meu pai quanto minha mãe houvessem largado a Ciência Cristã antes de eu nascer, ambos concordavam que frequentássemos a Igreja Congregacional da Universidade. Era uma igreja popular em Seattle, com muito mais de 2 mil paroquianos, graças ao carismático ministro, Dale Turner, uma celebridade menor na cidade. O congregacionalismo dava muita margem à interpretação. O reverendo Turner pendia pelo lado liberal dessa interpretação, fundindo as escrituras com visões progressistas, como apoio aos direitos dos homossexuais e ao movimento de direitos humanos. Ele se tornaria um grande amigo dos meus pais. Mesmo que papai houvesse rejeitado a religião organizada no ensino médio, mamãe queria expor os filhos aos ensinamentos morais da religião. Era um dos compromissos deles.

Para mim, a escola dominical era apenas mais uma numa longa lista de atividades para as quais eu tinha de me vestir bem, mas eu gostava. O reverendo Turner fazia uma oferta permanente: quem fosse capaz de recitar de cabeça o Sermão da Montanha ganhava um jantar no topo da Space Needle. A maioria das crianças mais velhas na turma de confirmação encarava o desafio, mas Kristi ganhou seu jantar bem antes, por volta dos onze anos, e assim, em algum momento depois disso, lá estava eu com uma Bíblia no banco traseiro do carro em uma viagem da família para o litoral de Washington, decorando "Bem-aventurados os pobres de espírito, pois deles é o reino do céu", bem como o resto das lições morais de Cristo no evangelho de Mateus. Quando o reverendo Turner anunciou que eu ganhara o jantar na Space Needle, senti uma onda de orgulho ao ver as outras crianças olhando para mim, surpresas. Tenho certeza de que internalizei um pouco da mensagem de Jesus, mas minha pequena conquista era, na maior parte, um teste cerebral para eu ver se conseguia fazer aquilo. Se o homem sábio de fato construiu sua casa na rocha, como afirmou Jesus, minha rocha nessa idade era o intelecto, uma boa memória e a capacidade de raciocínio.

Ler no banco de trás do carro — ou em qualquer lugar, aliás —, era meu estado *default*. Quando lia, as horas voavam. Eu me desligava do mundo, apenas com a vaga consciência da minha família ao redor, mamãe me pedindo para pôr a mesa, minha irmã brincando com as amigas. Nesse momento, eu estava imerso em meus pensamentos, com a porta do meu quarto fechada, ou na traseira do carro, em um churrasco, na igreja — qualquer lugar onde pudesse arrumar tempo para mergulhar nas páginas de um livro, onde pudesse explorar e absorver fatos novos, por conta própria, sem ajuda de ninguém. Minha avó — meu modelo de uma leitora culta — dava total apoio a meu hábito. Depois da escola, subíamos a curta ladeira até a biblioteca, onde eu enchia seu carro com uma nova pilha de livros para ler durante a semana. Na casa de Gami, eu costumava descer ao seu porão, onde havia uma parede com pilhas de edições da *Life*. Ela devia ter assinado a revista por décadas e sentia que valia a pena manter esse catálogo do mundo. Quando ganhamos um old english sheepdog (a quem demos o nome de Crumpet), vasculhei edições antigas à procura de fotos de cachorros, que cortei e usei para montar um álbum. Posteriormente, qualquer relatório ou projeto escolar começavam com uma busca por ilustrações entre os exemplares da *Life*. Folhear aquelas revistas me dava a oportunidade de seguir qualquer caminho tortuoso que escolhesse: uma viagem aleatória por atualidades, celebridades, guerras, ciência, e um corte transversal dos Estados Unidos e do mundo.

Se havia alguma coisa com que meus pais nunca questionavam gastar dinheiro eram os livros. Um dos nossos maiores tesouros era nossa coleção da *World Book Encyclopedia* de 1962. Eu ficava admirado com a quantidade de coisas que havia naqueles vinte volumes vermelhos e azuis, com suas páginas lustrosas e ilustrações coloridas, especialmente as folhas de plástico transparente detalhadas com ossos, músculos e órgãos que se sobrepunham para compor um corpo humano completo. Os volumes da *World Book* eram uma porta para a natureza, a geografia, a ciência, a política e quase todo o conhecimento do mundo, até onde eu era capaz de dizer. Quando estava com uns nove anos, já tinha lido quase de cabo a rabo todos os volumes, de A a Z. Então, todo mês de janeiro o Livro do Ano da enciclopédia chegava pelo correio como um presente de Natal atrasado, uma cápsula de doze meses da história em formação. Eu também lia todos esses.

Na leitura, eu encontrava respostas para todo tipo de coisas. E, naturalmente, uma resposta muitas vezes suscita ainda mais perguntas; quanto mais nos aprofundamos, mais queremos saber. Interessei-me por pinguins e era capaz de dizer por quanto tempo um pinguim-de-adélia conseguia ficar sem respirar sob a água (seis minutos) ou qual a altura de um pinguim-imperador (1,30 metro). Por um tempo, fui fisgado por foguetes e pontes. Fiz infinitos desenhos de foguetes em todos os formatos e tamanhos, e de pontes longas e altas com treliças intrincadas e torres de aspecto robusto, páginas e mais páginas com o que, para mim, eram lindos designs. A certa altura, eu me dei conta de que, por mais que me parecessem bonitos, eu não fazia ideia de como funcionavam. Como projetar uma ponte que não desabe? Como fazer um foguete que consiga voar? Essa lacuna entre minha imaginação e o real me incomodava. Eu não gostava de sentir que meus projetos eram ideias infantis que nunca poderiam ser concretizadas.

Para as crianças que conhecia na escola, ler muito, ser inteligente, mostrar interesse no que os professores diziam era considerado coisa de menina. É uma péssima generalização, mas era o que sentíamos. Por volta do terceiro ou do quarto ano, percebi que não era descolado ler o *World Book* por diversão, nem jogar copas com sua avó, nem querer conversar sobre as razões de pontes não desabarem. Durante uma programação de leitura no verão em nossa biblioteca, havia apenas eu e algumas garotas. No intervalo, as outras crianças se juntavam a suas turminhas e eu ficava sozinho. As crianças maiores implicavam comigo. Em retrospecto, não posso dizer que me sentisse solitário ou mesmo triste. Mais do que qualquer coisa, eu ficava simplesmente perplexo: por que essas crianças não enxergavam as coisas do meu jeito?

Acho que minha mãe tinha a mesma sensação de perplexidade em relação a mim. *Kristi arruma seu quarto e penteia o cabelo, faz o dever, por que Trey não é assim? As outras crianças deixam a carteira arrumada, não mordem seus lápis, fecham o zíper do casaco, por que Trey não é assim?* Não que eu resistisse de propósito; honestamente, eu apenas não me dava conta de nada disso. Os constantes lembretes da minha mãe talvez me despertassem do meu mundo por um segundo antes de eu voltar ao livro ou ao que quer que fosse que estivesse pensando. Tenho certeza de que minha mãe esperava que eu mudasse, me tornasse responsável da forma como ela queria. No entanto, isso não aconteceu, o que, para ela, era algo tão enlouquecedor quanto preocupante.

Minha falta de interesse na maioria das interações sociais era causa de particular aflição para ela. Mamãe tinha um exemplar surrado de *Como fazer amigos e influenciar pessoas*, de Dale Carnegie, uma versão condensada das relações humanas com truques e dicas. (Ela acabaria dando um exemplar para cada um dos filhos no Natal.) Não sei muito bem o que aprendeu com Carnegie, pois ela parecia ter uma habilidade inata para se conectar às pessoas nesse aspecto emocional. Eu a vi apoiar a carreira do meu pai, assumindo a responsabilidade de organizar eventos na ordem dos advogados e personificando um comitê de boas-vindas de uma só pessoa para os recém-contratados que chegavam a Seattle. Se estivessem à procura de uma casa, ela conhecia o corretor perfeito para indicar. Se a pessoa fosse solteira, ela a apresentava a todo mundo. Hoje percebo que era uma estudiosa das relações humanas, genuinamente interessada em combinar as habilidades da pessoa às funções adequadas e sempre sabendo quem chamar se você precisasse. Mas, na época, esse talento passava batido por mim. Parecia sem importância e meio superficial.

Hoje é evidente para mim que sua expectativa de que eu fosse mais sociável estava por trás de muitas das atividades em que me enfiou, e foi assim que entrei para a Tropa dos Lobinhos 144. Eu tinha oito anos quando me juntei a um grupo de 65 outros meninos liderados por pais que ainda tinham lembranças frescas do Exército, da Marinha e dos fuzileiros durante a Segunda Guerra Mundial. Isso significava que a tropa era conduzida com ordem e organização. Era obrigatório subir na hierarquia. Todo ano passávamos uma semana no acampamento de escoteiros, onde fazíamos testes físicos: salto em distância, flexões, abdominais — basicamente, um minicampo de treinamento militar.

Mas a grande campanha a nos testar era a venda anual de castanhas. Todo outono, a tropa vendia sacos de castanhas, arrecadando dinheiro para as atividades do ano seguinte. Era nossa única fonte de financiamento. A iniciativa anual era tratada como uma missão militar: tínhamos onze dias para vender a máxima quantidade possível de sacos de castanhas de meio quilo, um quilo e meio e dois quilos. A mera sobrevivência do grupo dependia do nosso sucesso — ou assim parecia.

As opções eram avelã, noz-pecã, noz, castanha-do-pará, amêndoa e, a preferida dos clientes, mix de castanhas. Esperava-se que cada um de nós vendesse e entregasse no mínimo 45 quilos, e os prêmios oferecidos dependiam da quantidade vendida.

Era o desafio mais intimidador que eu já enfrentara. Quarenta e cinco quilos de castanhas? Eu mal pesava a metade disso. A planilha de controle do comitê listava o total astronômico de quase 110 quilos. Como eu conseguiria carregar tanta coisa? Mas parecia fora de cogitação para mim ganhar qualquer destaque que fosse por deixar de cumprir minha parte.

O desafio também despertou outra coisa em mim: competitividade. Aquilo era uma gincana, com parâmetros claramente definidos e um objetivo determinado. Assinalei na folha de prêmios o que queria ganhar: a pistola d'água (por vender cinco quilos), a bola de futebol (trinta quilos) e o projetor de slides operado a pilhas Give-A-Show (quarenta quilos). Ótimos prêmios. Mas nem se comparavam à glória de ter vendido a maior quantidade.

Com o cabelo penteado (ao menos uma vez na vida) e o uniforme de escoteiro bem passado, comecei pelo bairro, indo de casa em casa, depois convenci meu pai a me levar para áreas mais ricas, acompanhando-me lentamente no carro conforme eu batia às portas. O comitê de vendas de castanhas nos fornecia um roteiro de como devíamos nos apresentar e fechar a venda. Se alguém reclamasse que 65 centavos por meio quilo de castanhas era caro, deveríamos argumentar que as castanhas vendidas em lojas normalmente eram da colheita do ano anterior, não tão boas quanto as nossas.

E assim foi durante os onze dias de vendas. Era difícil para mim me expor dessa forma, promovendo nosso produto. Mas era uma dinâmica muito parecida à de "travessuras ou gostosuras" do Halloween, e, aos poucos, fui me sentindo mais à vontade, além de adorar a sensação de anotar na planilha toda vez que conseguia uma venda.

Ao final da campanha, consegui vender 81 quilos de castanhas. Fiquei orgulhoso desse total, embora não me lembre de ter ficado em primeiro lugar nesse ano. Isso aconteceria pelo menos em uma ocasião. O vencedor quase sempre era, pelo que me lembro, um menino que recrutava seu pai, um barbeiro, para promover suas vendas a cada corte de cabelo, o que me parecia injusto.

Quando cheguei ao quarto ano, no outono de 1964, era uma criança curiosa e cheia de energia, sem o menor pudor para interromper a aula com perguntas estranhas e tomar o tempo da professora. Essa professora, Hazel Carlson, fazia o melhor que podia. Incapaz de lidar com uma turma de trinta crianças ao mesmo tempo que satisfazia minha necessidade de atenção constante, passava um bom tempo comigo depois da aula ou nos momentos mais tranquilos me explicando sobre o mundo. Eu tinha perguntas sobre livros, sobre ciência — sobre praticamente qualquer tema que me viesse à cabeça. Por ser a professora, era a pessoa mais inteligente ali entre nós, então eu imaginava que tivesse todas as respostas.

A sra. Carlson tinha o hábito de manter o penteado arrumado ao longo do dia com breves borrifadas de spray fixador. Em uma redação escolar, escrevi a história de uma professora cujo fixador fora trocado por uma lata de tinta. No decorrer do dia, suas borrifadas vão deixando seu cabelo cor-de-rosa sem que ela perceba, mas à vista de todos na classe. Felizmente, a sra. Carlson achou a história engraçada, e a turma adorou. Talvez tenha sido aí que comecei a perceber que podia chamar a atenção na escola por meio do humor. Destacar-me por contar piadas ou fazer coisas estranhas que chamavam a atenção passaria cada vez mais a fazer parte da minha identidade escolar.

Algumas regras não faziam sentido para mim. Quando começamos a treinar caligrafia, a sra. Carlson nos passava folhas pautadas com três linhas largas para praticarmos a escrita cursiva. A meu ver, parecia uma competição para ter a letra mais bonita. Mas se escrever servia para transmitir ideias, que diferença fazia ter uma bela letra?

O mesmo se dava com o sistema de avaliação. Ganhávamos o tradicional A pelo melhor trabalho, seguido de B e C. Até aí, por mim, tudo bem. O que não fazia sentido era a necessidade de darem uma nota também pelo esforço. Quem se esforçava muito ganhava 1, esforço mediano, 2, e esforço nenhum, 3. Claro que A1 era considerada a melhor nota. O que, para mim, era errado. Se você fosse inteligente de verdade, tiraria A com o menor esforço possível, de modo que A3 deveria ser a melhor nota. Quando comentei com a sra. Carlson sobre essa otimização da proporção, ela presumiu que eu estivesse brincando. Sempre que entregava um trabalho, eu dizia: "Sra. Carlson, por favor, me dê A3". Ela achava que fosse exibicionismo, e tinha alguma razão, mas a combinação de nota alta e baixo esforço fazia mais sentido para mim.

Em algum momento, fiquei interessado pelo funcionamento do corpo humano. Talvez tenham sido as ilustrações de plástico no *World Book*. Para a apresentação diante da turma, quis preparar algo sobre fisiologia. Acho que uma garota levou sua flauta, outras crianças levaram lembrancinhas de viagens com a família. Eu queria mostrar algo incrível e educativo. Como obviamente não conseguiria um órgão humano, consultei meu pai. Ele sugeriu que talvez um órgão de animal servisse para o que eu pretendia demonstrar. Então se ofereceu para passar em um matadouro.

Foi assim que, certa manhã, apareci com um pulmão de vaca na aula da sra. Carlson. Quando cheguei à escola, um pouco de sangue vazava pela embalagem de papel.

Eu o desembrulhei sob reações que iam do fascínio ao nojo. Pressionei-o para mostrar que o ar ainda era capaz de entrar e sair — transferência de oxigênio! Uma menina desmaiou. Mais tarde, alguém contou que ela era da Ciência Cristã e que tinha ficado horrorizada com o pulmão por motivos religiosos. Lembro-me de pensar que os pulmões de cientistas cristãos eram iguais aos pulmões de qualquer um, e não tão diferentes assim dos pulmões de uma vaca, então por que tanto alvoroço? (No fim, a sra. Carlson ordenou que eu levasse aquilo para fora, onde o pulmão permaneceu em sua embalagem de papel ensanguentada, até meus pais me buscarem no fim do dia. Não lembro o que fizemos com ele.)

A sra. Carlson punha um toca-discos na frente da sala para sabatinar multiplicações. Sentados à carteira, com a cabeça curvada e lápis na mão, ouvíamos um homem recitar as operações. "Nove vezes doze", estalava sua voz no alto-falante. Todos escreviam a resposta. Alguns instantes depois, "onze vezes seis". Mais respostas. Não demorei a perceber que eu terminava cada operação mais rápido do que os demais. Eu escrevia a resposta, erguia o rosto e via que o resto da classe continuava escrevendo. Algumas crianças até ficavam para trás, reclamando, "Espera, não terminei", quando a voz no vinil passava à operação seguinte.

Foi a primeira vez que me achei melhor do que meus colegas

em alguma coisa. A matemática para mim era fácil, até mesmo divertida. Eu gostava daquela certeza inabalável. A matemática seguia regras básicas; tudo o que você precisava fazer era lembrá--las. Para mim era confuso perceber que alguns outros alunos pareciam não assimilar isso. Quatro vezes quatro sempre dava dezesseis.

A matemática apelava à minha crescente sensação de que grande parte do mundo era um lugar racional. Comecei a compreender que muitas questões complexas — sobre pontes, jogos de cartas, o corpo humano e assim por diante — tinham respostas que eu poderia encontrar se pusesse minha mente a serviço da solução. Não posso dizer que tenha sido um despertar. Sempre fui um pensador ávido por novas informações. Mas agora tinha uma confiança cada vez maior na capacidade do meu intelecto. Com essa confiança veio a sensação de que a distância intelectual entre os adultos e eu havia se dissipado. Meu pai diria, mais tarde, que a mudança se deu de forma abrupta, que me tornei um adulto da noite para o dia — um adulto contestador, intelectualmente persuasivo e às vezes não muito agradável. A maioria passa por uma fase rebelde ao alcançar a adolescência. Cheguei a ela bem antes da maioria. Tinha mais ou menos nove anos.

Nessa idade, as crianças esperam que seus pais e professores tenham todas as respostas. Cada vez mais eu achava que não tinham — ou, ao menos, que eram incapazes de fornecer respostas que me satisfizessem.

Minha percepção das limitações dos adultos minou o pacto familiar. Se eu era capaz de pensar por mim mesmo, raciocinava, para que precisava da opinião dos meus pais? Talvez nem mesmo precisasse deles. Passei a questionar toda essa questão envolvendo pais e filhos. Por que eram eles que ditavam as regras? Quem eram eles para decidir minha hora de dormir, dizer o que eu deveria comer ou me mandar arrumar o quarto? Por que eu precisava fazer coisas com as quais não me importava? Independentemente de os meus pais me proverem de tudo que eu tinha ou necessitasse em termos materiais e também emocionais, eu simplesmente não entendia por que estavam no comando. Seu poder parecia arbitrário.

O impacto dessa mudança recaiu sobre minha mãe. Como responsável por estabelecer e fazer cumprir as regras, ela costumava ser o alvo da minha revolta. Eu me rebelava contra o que eu entedia ser sua necessidade de me controlar.

Meu pai foi pego no meio do fogo cruzado. Se surgia um impasse com minha mãe, ela acabava recuando e esperava papai chegar em casa. O advogado durante o dia virava o juiz da família à noite. Numa dessas conversas do tipo "espera só até seu pai chegar" por alguma transgressão da qual não me lembro, meu pai falou com todas as letras: "Você precisa nos respeitar". Não concordei. O que é respeito, afinal? E por que tinham tanta necessidade disso? No tom mais sarcástico de que fui capaz, retruquei: "Não, não preciso!". Hoje, relembrando esse momento, sinto um nó no estômago. Eu sabia que estava bancando o insolente. Mas me recusei a ceder. Em vez disso, mergulhei ainda mais em meu próprio mundo.

Na escola, virei uma criança fechada. Passei a reprimir minha personalidade na sala de aula. Parei de fazer perguntas. Fiquei menos envolvido. Refletia minuciosamente sobre onde deveria gastar minha energia e o que deixar de lado. Continuei a me destacar em matemática e leitura, e não fazia praticamente nenhum esforço nas matérias que considerava desinteressantes. Quando a sra. Carlson punha as fitas de espanhol para escutarmos, eu me desligava. Não estava claro como podiam esperar que aprendêssemos com uma gravação. Quase nunca éramos testados. A ideia de não estarmos sendo avaliados não combinava com minha percepção de que a matemática era verdadeiramente superior. Você sempre podia dizer se estava certo ou errado.

Um dia, a sra. Carlson foi comigo até a biblioteca e disse à bibliotecária que eu precisava de um desafio. Será que ela não teria alguma coisa para mim?

A biblioteca era pequena, típica do que se encontraria em qualquer escola primária dos anos 1960, ou seja, nada de computadores, só livros e periódicos. Havia várias edições da *National Geographic*, séries populares como *O corcel negro*, uma antiga coleção de enciclopédias, livros básicos de ciências. Aquele lugar, com cerca de trinta estantes até o teto e um catálogo de fichas batendo na altura do peito, era nossa internet. A bibliotecária, Blanche Caffiere, tinha sido minha professora no primeiro ano e era famosa pelo dinamismo com que contava histórias. Fazia grandes quadros de feltro para usar como cenário e animar as peripécias da Toupeira e do sr. Sapo em *O vento nos salgueiros* ou qualquer história que estivesse lendo no momento.

A sra. Caffiere já lecionava na escola havia muitos anos na época em que nos conhecemos. Vira todo tipo de aluno que se pode imaginar e era conhecida em View Ridge por ajudar as crianças nos dois extremos: as que tinham mais dificuldade e as que mais se destacavam. Professores avaliavam e diretores puniam. A sra. Caffiere arrumava algo para você fazer. Na cabeça dela, uma atividade era a solução para qualquer problema que o aluno tivesse.

Ela me pôs para trabalhar na mesma hora. Disse que havia vários livros faltando, mas que provavelmente estavam alocados em alguma prateleira errada. Será que eu conseguiria encontrá-los? Era o tipo de tarefa que alguém dá a uma criança para mantê-la ocupada. Mas pus mãos à obra. "O que a senhora está precisando é de uma espécie de detetive", falei. É exatamente o que preciso, respondeu ela. Peguei os cartões dos livros desaparecidos e percorri as estantes até encontrar todos eles.

Onde vão estes?, perguntei, fitando a pilha de livros que havia localizado. Ela explicou que os livros de não ficção eram organizados segundo uma numeração que ia de 000 a 900. Para guardar a Classificação Decimal de Dewey, ela me disse para memorizar uma simples história sobre um homem das cavernas fazendo perguntas cada vez mais sofisticadas, começando por "Quem sou eu?" (isso é 100: filosofia e psicologia) e chegando a "Como deixar um registro para outras pessoas?" (900: história, geografia e biografia).

Quando a sra. Carlson veio me buscar para o intervalo, pedi a ela que me deixasse ficar ali. Gostei da minha tarefa. Estava certo de que esse negócio de assistente de biblioteca era trabalho de um dia. Mas gostei tanto que apareci cedo no dia seguinte. A sra. Caffiere pareceu surpresa, mas concordou quando perguntei se poderia me tornar um assistente bibliotecário regular.

Para uma criança que amava tanto livros quanto números, era um trabalho dos sonhos. A biblioteca não era apenas um lugar de aleatoriedade. Havia um sistema lógico, uma ordem ditada pelos números. E se você aprendesse esse sistema, poderia ser um especialista, capaz de encontrar instantaneamente o que quisesse em qualquer biblioteca do mundo. Saberia que um livro de não ficção sobre cães e gatos estaria sob o 636 (criação de animais) e nunca confundiria isso com *A incrível jornada* (sobre dois cães e um gato), que estaria em outro lugar, em ordem alfabética, por ser uma obra de ficção.

Trabalhei na biblioteca pelo resto do ano, muitas vezes permanecendo durante o intervalo concentrado em encontrar e reordenar os livros, sem perceber a presença dos outros alunos ou que era hora do almoço. Tratava isso como um jogo que disputava comigo mesmo. Em quanto tempo eu conseguia devolver um livro ao seu devido lugar? A sra. Caffiere tinha um jeito de expressar sua avaliação que fazia com que eu me sentisse valorizado. Ela recorria a frases como: "Não sei como teria encontrado esses livros sem sua investigação, Bill". Hoje percebo que ela procedia como os bons professores: dando um feedback positivo para aumentar minha confiança. Na época, levei ao pé da letra. Eu estava ajudando a biblioteca e a escola. Eu era imprescindível.

Quando terminava de pôr os livros no lugar, a sra. Caffiere me incentivava perguntando sobre o que eu estava lendo ou achava interessante. Nisso também ela me encorajava, sugerindo obras com um grau de dificuldade acima das que eu conhecia, biografias de personalidades famosas e ideias que não me haviam ocorrido. Outras crianças teriam preferido brincar lá fora. Mas meu tempo na biblioteca era especial, e eu considerava a sra. Caffiere minha amiga.

Mais para o começo desse ano, depois de um jantar de domingo na casa de Gami, meus pais chamaram Kristi e eu para jogarmos forca na sala. Não era algo que costumávamos fazer, assim percebemos que alguma coisa estava acontecendo. Minha mãe desenhou a forca, e rapidamente encontramos a resposta: "Um pequeno visitante está a caminho". Se havia uma mensagem maior aí, não captamos. Minha mãe explicou: ela estava grávida. Meus pais não haviam planejado ter outro filho e não sabiam se seria menina ou menino. Não lembro o que eu teria preferido, mas imagino ter ficado feliz com a notícia. Seria interessante ter mais uma criança em casa. Para estragar um pouco a boa notícia, porém, houve outro anúncio: como cachorros muito agitados não ornavam com bebês frágeis, afirmou mamãe, teríamos de encontrar outro lar para Crumpet.

A combinação de boas e más notícias continuou. Agora que

seríamos uma família de cinco pessoas, precisávamos de mais espaço. Meus pais tinham um terreno onde planejavam, um dia, construir uma casa. E haviam decidido que esse dia chegara. Ficava a poucos quilômetros, numa área chamada Laurelhurst, mas, com isso, teríamos de trocar de escola. Fiquei transtornado. Eu tinha um trabalho na biblioteca, protestei. A sra. Caffiere precisava de mim. "Quem vai encontrar os livros perdidos?", perguntei a mamãe, ansioso. Ela disse que poderíamos agradecer a sra. Caffiere a convidando para jantar em nossa casa. Ajudou-me a escrever um convite formal, que nervosamente entreguei no dia seguinte. Durante o jantar, protestei contra a mudança. A sra. Caffiere sugeriu que eu fosse assistente bibliotecário na minha próxima escola.

Cerca de seis meses depois que minha irmã Libby nasceu, em junho de 1964, nossa família se mudou para a nova casa. A essa altura, havíamos sido informados de que Crumpet estava vivendo feliz para sempre em uma fazenda próxima.

A bibliotecária da minha nova escola disse que não precisava de um assistente. No fim, meus pais decidiram que o caminho menos problemático seria terminar o quarto ano em minha antiga escola e seguir frequentando aquela biblioteca. Com tantas mudanças na família, tenho certeza de que sabiam ser mais sensato permitir que eu permanecesse um pouco mais no conforto dos livros.

4. Menino de sorte

"Bom dia pra vocês, bom dia pra vocês, bom dia, bom dia, bom dia pra vocês." A partir do quinto ano, essa foi a canção que minha mãe entoou todas as manhãs da minha infância e que pipocava pelo interfone que conectava os nossos quartos no andar de baixo à cozinha onde ela preparava o café da manhã. Não sei se o tamanho da nossa nova casa justificava esse sistema de comunicação, mas, para minha mãe, era uma ferramenta de produtividade, permitindo que ela nos acordasse de manhã, nos preparasse para a igreja, nos chamasse para jantar, tudo isso sem interromper o que estava fazendo. Um chamado pelo interfone significava ir lá para cima, já.

Depois que nos mudamos para Laurelhurst, minha mãe começou sua ascensão constante de voluntária a membro do conselho de grandes empresas de capital aberto, muitas vezes sendo a primeira mulher a desempenhar a função. Ela saía em disparada pela porta da frente, pasta na mão, rumo a alguma reunião vestida impecavelmente. Ou estava ao telefone resolvendo os detalhes de uma arrecadação de fundos. Muito depois de nós todos termos ido dormir, permanecia na sua máquina de escrever batendo cartas de agradecimento relativas à última campanha de financiamento ou uma proposta para a próxima.

Minha mãe nunca se descreveria como pioneira, mas estava bem na vanguarda do que uma mulher poderia alcançar no tímido mundo do trabalho da época. Hoje seria considerada feminista, mas não teria apreciado o rótulo, preferindo simplesmente se concentrar no que era necessário, encontrando formas cada vez melhores de empreender as mudanças que julgava importantes. Fez tudo isso enquanto se envolvia de corpo e alma no papel de mãe. Minha avó, claro, estava sempre lá para apoiá-la.

Minhas irmãs e eu tínhamos plena consciência de termos uma mãe nada convencional. Nenhuma mãe dos nossos amigos ia a reuniões de terno ou dava opiniões sobre advogados, políticos e empresários no círculo social dos meus pais. Estávamos em meados da década de 1960, dois ou três anos depois de Betty Friedan afirmar em *A mística feminina* que as mulheres precisavam de mais do que tarefas domésticas, mas antes de as mulheres americanas começarem a trilhar seu caminho no duro mundo corporativo. Minha mãe queria ambas as coisas. Mais tarde, minhas irmãs e eu falávamos do orgulho que sentíamos da capacidade que ela tinha de equilibrar aspirações com o papel de mãe — apesar da agitação que isso significava. Quando tinha dez anos, Libby inscreveu mamãe num concurso de "Mãe do Ano". Na inscrição, registrou que, além de "costumar estar de bom humor", minha mãe sempre se dispunha a jogar boliche ou tênis, e a assistir a uma partida de futebol das arquibancadas. Vencedora do concurso, mamãe, claro, colou o artigo no seu álbum de recortes.

Meu pai, por sua vez, apoiava as ambições da minha mãe num grau que me parece raro para a época, quando os papéis — pelo menos nas famílias de classe média — eram muito bem definidos: o homem era o provedor, a mulher, a dona de casa. Tenho certeza de que papai queria evitar o erro cometido pelo pai dele de restringir a mãe e a irmã àqueles estritos papéis de gênero. Nas caixas de recordações que minha mãe guardou, encontrei um texto escrito pelo meu pai na faculdade imaginando o mundo perfeito, ao qual deu o nome de Gateslândia: "Em Gateslândia, todos entenderiam que não existem diferenças entre homens e mulheres, a não ser nos atributos físicos. Máximas como 'lugar de mulher é em casa' e expressões como 'superioridade masculina' e 'homem, o provedor', 'sexo frágil' não significariam nada. Homens e mulheres competiriam em condições exatamente iguais em todas as atividades... a presença da mulher nas profissões e nos negócios seria tão comum quanto a do homem, e o homem aceitaria a participação feminina nesses campos como um fato normal e não anormal".

Na Gateslândia real, uma casa moderna de quatro quartos, ouvir o toque de despertar da minha mãe pelo interfone significava levantar, arrumar a cama e ir para o andar de cima, onde nosso café da manhã estava servido na bancada da cozinha, sempre nos mesmos lugares, sempre na mesma ordem, do mais velho para o mais novo. Minha mãe se sentava de frente para nós, usando uma tábua de cortar retrátil como mesa do café da manhã. Naquela altura, meu pai já estava no escritório. Ele gostava de ser o primeiro a chegar, ler o jornal na sala ainda silenciosa e cumprimentar cada um à medida que os demais iam chegando.

No começo do quinto ano na Laurelhurst Elementary, vivi todos os medos e inseguranças de um aluno novo. Não conhecia ninguém. Será que sou capaz de fazer amigos? Será que outros meninos vão tirar sarro de mim? Considerando tudo, mudar para um lugar a poucos quilômetros de distância pode parecer insignificante, mas éramos novatos numa comunidade fechada de famílias cujos filhos tinham passado a curta vida juntos. Dois meninos da minha turma brincavam que tinham se conhecido no útero.

Uma das minhas primeiras impressões me causou uma mistura de medo e encantamento. A escola tinha uma passarela que levava a um playground do outro lado da 45st Street. Brigas que haviam começado na escola eram resolvidas depois no chão do playground, longe da vigilância dos professores. Certa tarde, ao atravessar uma passarela, fiquei estupefato. Na minha frente, dois meninos se esmurravam, um festival de socos na cabeça e na cara. Ambos estavam no mesmo ano que eu, mas eram muito maiores do que o resto de nós. Um era musculoso, o outro era só muito grande. Eu nunca tinha visto nada parecido com aquela briga. E nunca tinha imaginado uma agressividade tão brutal na escola. Dois professores correram, apartaram os meninos, e a briga acabou.

Meu primeiro pensamento foi: *melhor ficar longe desses dois*. Eu pesava 27 quilos, e, apesar de não ser o mais magro da turma, era quase. E, com meu cabelo louro de Barbie e voz estridente, chamava a atenção: era um alvo fácil.

Outra coisa me intrigou naqueles brigões: eles tinham uma identidade social. Ser durão, ser mau, lhes conferia um status especial na escola. Não era um status que eu e a maioria dos meninos quiséssemos, mas aqueles marmanjos tinham marcado posição na ordem social dos 140 alunos do nosso quinto ano. No alto da hierarquia social ficavam os filhos das famílias importantes de Laurelhurst, os Timberlake, os Story, e outros, conhecidos e respeitados por todos. Eram uma classe à parte. Em algum ponto abaixo dessa camada estavam os meninos bons nos esportes, os inteligentes e um ou dois nerds. Eu não era durão, nem atleta, portanto essas categorias não me diziam respeito. Eu não me identificava como nerd nem sabia se era visto como estudioso. Ser aplicado na aula não me parecia uma coisa que os meninos legais almejassem, e eu seria zoado por isso.

Eu achava que tinha um diferencial: o humor. Na minha escola antiga, descobri que o palhaço da turma ocupava uma posição especial em meio às outras crianças. Levantar a mão para fazer um comentário engraçado angariava mais popularidade do que levantar a mão com a resposta certa. Todos riam. Esperando a mesma reação da nova plateia, esforcei-me para conquistar o lugar de palhaço na Laurelhurst Elementary. Fingia não dar importância à escola. Eu me sentia confortável na mesa bagunçada e deixava para fazer o dever no último minuto. Exagerava nas leituras em voz alta; ria fora de hora quando o professor falava. Se me dedicasse a alguma coisa, disfarçava meu esforço com humor. Nossa professora, a sra. Hopkins, mandou escrever um texto de uma página sobre um tema livre. Não lembro qual assunto escolhi, mas sei que gastei um bom tempo para redigi-lo usando apenas uma frase que se estendesse pelas quarenta linhas da página. Eu me vangloriava em silêncio quando a sra. Hopkins me pediu para comentar a façanha, observando que a frase, longa e sinuosa como uma cobra, apesar de irritante, tinha uma pontuação perfeita.

    Minha professora, meus pais e o diretor da escola não sabiam bem o que fazer comigo. Minhas notas variavam muito, meu comportamento dependia do dia e da matéria. Não bastasse, alguém decidiu que minha voz estridente precisava ser corrigida. No início do quinto ano, comecei a frequentar a fonoaudióloga da escola. Algumas vezes por semana, ia à sua sala para trabalhar a minha "voz convincente e respeitável" (putz) e praticar a pronúncia da letra "r" lambendo manteiga de amendoim na ponta de um palito de pão. Aquilo me parecia idiotice, mas esquisito o bastante para que eu concordasse. O resultado dessas sessões foi que a especialista em fala recomendou a meus pais que me mantivessem no mesmo ano — repetisse a quinta série. Acho que ela disse que eu era "retardado", hoje um termo anacrônico e ofensivo, mas naquela época atribuído a crianças que não se encaixavam na sala de aula. Felizmente meus pais ignoraram o conselho. Aquele veredito veio um ano depois de outro educador recomendar que eu pulasse um ano. Pensei comigo: *se esses supostos especialistas não sabem o que fazer comigo, por que eu deveria me importar com o que acham de mim?*

Na maior parte do tempo, eu estava feliz por fazer as coisas do meu jeito. Comecei a fazer amigos e encontrei pelo menos uma alma gêmea no jeito de encarar a escola. Seu nome era Stan Youngs, mas todos o chamavam de Boomer, apelido dado pelo pai por causa do seu choro de buzina de neblina quando era bebê. Boomer era inteligente e tinha uma tendência a ser "do contra" que combinava bem com a minha persona de palhaço.

Conhecemo-nos em 1965, e, pelos dois anos seguintes, ficaríamos muito próximos. Boomer pertencia a um tipo de gente que me atrairia pelo resto da vida. Tinha um nível de confiança surpreendente para a idade e uma inteligência que todo mundo logo notava. Disposto e apto a discutir qualquer coisa, a qualquer momento, ainda que fosse só pelo exercício mental de testar a si mesmo — como explicar por que o Green Bay Packers era o melhor time de futebol americano da história.

No porão da minha casa, nós nos enfrentávamos em partidas épicas de Risco, tentando dominar o mundo. Suas qualidades físicas também eram admiráveis. Embora fosse um menino franzino e louro como eu, não tinha medo de encontrar-se com ninguém do outro lado da passarela da 45th Street para acertar contas — mesmo ciente de que apanharia. Minha mãe é que me inscreveu no futebol, mas foi por causa de Boomer que fiquei durante toda uma temporada. Ser pequeno era de fato uma vantagem, significando não ser *lineman*, que me parecia bem menos interessante do que a minha posição de *center linebacker*. Do meu lugar, dava para ver todo o movimento, o ataque completo, o início da jogada, e até o cara passando por mim para marcar um *touchdown*.

Um dia na escola, nossa professora anunciou que a classe seria dividida em dois grupos para debater a guerra no Vietnã. Todos queriam argumentar contra a guerra. Então, como era de esperar, Boomer se posicionou a favor da guerra, só pelo desafio. Juntei-me a ele. O grupo éramos só nós dois. Ele era mais conservador, politicamente, do que eu, e até lia a *National Review*. (Ao fazer a assinatura como presente de Dia dos Pais, escreveu à revista uma carta de agradecimento e ficou emocionado quando William F. Buckley Jr. respondeu, elogiando o meu amigo por ser um menino tão inteligente.) Graças à familiaridade de Boomer com a posição a favor da guerra e às mil informações que obtive com minhas pesquisas, municiamo-nos com argumentos sobre a teoria do dominó e a ameaça comunista. Vencemos fácil.

Nossa nova casa em Laurelhurst tinha dois andares e ficava numa colina com vista para o monte Rainier do terraço dos fundos. A porta da frente dava para o andar principal, com a sala de estar, a cozinha e o quarto dos meus pais. No andar de baixo, na verdade o porão, Kristi e eu tínhamos nossos quartos, e Libby, quando cresceu um pouco, veio para um terceiro quarto ao lado dos nossos.

Graças à disposição dos cômodos da casa, com o porão e o andar de cima, eu me refugiava no meu quarto evitando a movimentação diária da vida da família. Eu tinha minha cama e minha mesa, quase sempre as únicas coisas visíveis num mar de livros e roupas espalhados. Uma bela bagunça. Minha mãe odiava. A certa altura, ela começou a confiscar qualquer roupa deixada no chão e a me cobrar vinte centavos para devolver. Passei a usar menos roupas.

Sozinho na minha caverna, eu lia ou ficava sentado pensando. Podia me deitar na cama e me pôr a trabalhar num problema qualquer. Ouvia o motor de um carro acelerando, o sussurro de folhas ao vento, passos no andar de cima, e me perguntava como aqueles sons chegavam aos meus ouvidos. Esses mistérios ocupavam a minha atenção durante horas. Mais tarde, encontrei um artigo sobre sons na revista *Life*, consultei a *World Book Encyclopedia* e li livros da biblioteca sobre o assunto. Fiquei maravilhado ao aprender que o som é propagação de energia feita por vibrações afetada por muitas coisas, como a densidade e a rigidez do material em que se propaga. Acabei transformando meu conhecimento num artigo de ciência para a escola. "O que é som?" O professor me deu uma nota baixa porque estourei as margens e escrevi até o finzinho da página. Achei aquilo uma maluquice. Havia tanta coisa a dizer sobre o assunto para nos preocuparmos com detalhes irrelevantes como aquele.

Aprofundei-me em matemática e, de noite, quase sempre, me juntava a Kristi para fazer seu dever de casa do sétimo ano. Foi quando fiquei obcecado em melhorar nos jogos de cartas, esforçando-me ao máximo para ganhar algumas partidas contra minha avó.

Em algum momento daquele primeiro ano em Laurelhurst, a sra. Hopkins mandou alunos sortearem números num chapéu. Dependendo do número sorteado, você escolhia um estado americano para pesquisar. Todo mundo queria Califórnia, Flórida ou algum outro lugar interessante. Minha colega Leslie tirou o número um. Escolheu Havaí. Quando o meu número saiu, escolhi o pequeno estado de Delaware. Era uma opção "do contra" que eu tinha certeza de que ninguém mais iria querer. Uma coisa eu sabia sobre Delaware graças ao meu pai: era um ambiente favorável para as empresas.

Consumi tudo que consegui achar sobre Delaware. Vasculhei as estantes da biblioteca, procurei o *Delaware, um guia do primeiro estado*, e livros sobre a história de Delaware, o papel do estado na Ferrovia Subterrânea. Escrevi para o governo de Delaware pedindo folhetos sobre turismo e história. Em casa, Gami me ajudou a escolher artigos de veículos como *The Christian Science Monitor*, *Life*, *National Geographic* e *The Seattle Times*. Escrevi para empresas de Delaware, juntando às cartas envelopes já endereçados e selados, e pedi relatórios anuais.

Eu ia pesquisando e escrevendo. Escrevi sobre a história do estado, desde os Lenni Lenape até o presente, incluindo uma cronologia de quatrocentos anos. Compilei um guia turístico de Wilmington e uma história da pitoresca cidade histórica de Arden. Juntei relatos fictícios da vida de um pescador de ostras e de um minerador de granito de Delaware. Para completar, escrevi uma resenha do livro *Elin's Amerika*, a história de uma jovem garota em Delaware no século XVII.

Passei um bom tempo pesquisando sobre a empresa DuPont, de Delaware. Escrevi sobre sua estrutura administrativa; comentei que o conselho era formado apenas por homens, e majoritariamente de dentro da empresa. Detalhei os produtos da DuPont, suas operações no exterior e sua pesquisa e desenvolvimento, e resumi a história da invenção do náilon, com as melhores descrições que pude preparar sobre a química da polimerização. Escrevi o obituário de um membro do conselho que tinha começado como vendedor e chegado a membro do comitê executivo.

Quando terminei, tinha gerado 177 páginas sobre o pequenino Delaware. Difícil descrever o orgulho que me deu aquele relatório imensamente longo. Cheguei a preparar uma capa de madeira. Era, em todos os sentidos, um trabalho dos sonhos. Na privacidade do meu quarto, longe dos olhares de julgamento de outros meninos, pude fazer aquilo de que mais gostava: ler, coletar fatos e sintetizar informações. Ninguém esperava que o palhaço da turma produzisse um tratado. Gostei de ver a confusão e a admiração dos outros alunos. A professora adorou.

Em retrospecto, consigo ver naquele relatório sinais do adulto que eu viria a ser, com meus interesses intelectuais começando a criar raízes. Com algum esforço, eu conseguiria — para minha surpresa — montar na cabeça modelos de como o mundo funcionava, fosse a maneira como o som se propagava, ou os mecanismos internos do governo canadense (outro relatório). Cada porção de conhecimento acumulado aumentava o meu senso de capacitação e controle, a sensação de que, aplicando a minha mente, eu era capaz de resolver os mistérios mais complexos do mundo.

Naquele ano letivo, preenchi um formulário de uma página indicando meus interesses e minhas matérias favoritas. Era uma coisa que minha mãe nos mandava fazer todos os anos. Na linha que dizia "Quando crescer, quero ser...", pulei respostas sugeridas, como caubói, bombeiro (as meninas tinham uma lista separada, ainda mais limitada e machista: aeromoça, modelo ou secretária); escolhi astronauta e escrevi a lápis o que eu realmente me via fazendo: "cientista". Eu queria ser uma dessas pessoas que passam a vida tentando entender coisas que outras pessoas não entendem.

Minha mãe tinha ambições variadas a meu respeito e insistia teimosamente em tentar me oferecer uma formação completa, inscrevendo-me em todas as atividades mais comuns. Joguei beisebol, mas ficava tão nervoso com a possibilidade de ser atingido por um *wild pitch* (o que não era raro nos jogos em que meninos ainda estavam descobrindo o que seu braço era capaz de fazer) que desisti. Vesti o uniforme e participei de jogos para aquela única temporada de futebol americano com Boomer. Mas os esportes organizados não eram para mim. Eu ainda era pequeno demais para a minha idade, um boneco-palito de peito estreito mesmo quando comparado a outras crianças a anos de distância da fase de crescimento rápido. Eu geralmente me sentia inferior aos outros meninos nos times e tinha vergonha de tentar me passar por valente e, assim, parecer ridículo. Eu não era tão habilidoso como eles. Meio que galopava, num ritmo que não era mais uma caminhada, mas nem chegava perto de ser uma corrida.

O esqui e o tênis foram essenciais para o amadurecimento da minha mãe, assim como seriam para seus filhos. Ela começou me ensinando a esquiar bem cedo, em passeios da família na região; mais tarde, entrei no ônibus que levava crianças de Seattle para uma montanha próxima nos fins de semana. Eu gostava da velocidade e da emoção de saltar, mas, sobretudo, de brincar com as outras crianças no fundo do ônibus. Tive uma breve passagem pela Equipe de Esqui de Crystal Mountain, porém nunca levei muito a sério. O mesmo se deu com as aulas de tênis.

Minha carreira musical começou com o piano, passou para o violão e empacou na seção de metais. Não tenho a menor ideia de como se decidiu que eu deveria tocar trombone, mas carreguei aquele pobre instrumento de um lado para outro em seu grande estojo preto, praticando minha quarta posição durante dois anos antes de desistir.

A certa altura, decidiu-se que eu deveria assumir a responsabilidade de entregar meu próprio jornal. Ganhava um dinheirinho, mas era um trabalho ingrato distribuir um folheto gratuito que ninguém assinava e poucos queriam. Minha maior lembrança dessa empreitada é a dificuldade de manobrar minha bicicleta carregada de jornais. Mais de uma vez precisei ser resgatado por Gami, que me levava pela minha rota de entrega enquanto eu jogava jornais nas varandas.

A verdade é que eu me sentia mais à vontade quando estava imerso nos meus próprios pensamentos.

E, apesar das minhas aspirações, minhas notas continuavam ruins, e as brigas em casa se agravaram. Nesse período, eu passava dias sem falar, saindo do quarto só para comer e ir à escola. Se me chamassem para o jantar, eu ignorava. Se me pedissem para recolher minha roupa, nem pensar. Tirar a mesa, nada feito. Entrar no carro para jantar fora: silêncio. Anos depois, meus pais contaram a jornalistas que, certa vez, quando minha mãe tentou me obrigar a sair, eu gritei: "Estou pensando! Você nunca pensa? Devia tentar de vez em quando". Por mais que me doa admitir, a história é verdadeira.

Havia dias em que eu tinha medo de ouvir os passos pesados do meu pai quando ele voltava do trabalho para cumprimentar minha mãe. Eu escutava o murmúrio da conversa dos dois, mamãe lhe contando a briga que tivemos naquele dia, ou algum problema que eu tinha arrumado na escola. Não demorava para que papai estivesse no porão à minha porta. Às vezes me batia. Era raro, mas dava para sentir que ele não gostava disso. Acho também que nem sempre concordava com a abordagem disciplinar da minha mãe. Mas eram parceiros na tarefa de criar filhos e se apoiavam mutuamente. O normal era ele ter uma conversa comigo. Não precisava dizer muita coisa para causar um efeito. Sua presença, sua cuidadosa escolha de palavras, sua voz profunda já bastavam para me fazer sentar ereto e ouvir. Ele era intimidador, mas não de um jeito físico, apesar da estatura imponente. Era mais sua mente de todo racional. "Filho, sua mãe me contou que você respondeu a ela quando ela estava no telefone. Na nossa casa, como você sabe, ninguém faz isso. Acho justo que você suba agora e peça desculpas", diria ele, com um distanciamento emocional que mostrava que aquilo era sério e era melhor eu prestar atenção. Não admira que todos nós achássemos que sua verdadeira vocação era para juiz.

Por um breve período, meus pais me matricularam num curso de Treinamento de Eficácia Parental na nossa igreja. Inventado no começo dos anos 1960, o PET, na sigla em inglês, propunha que os pais ouvissem as necessidades dos filhos e jamais recorressem a castigo para impor disciplina. Foi um precursor das abordagens modernas de criação de filhos, que punham os pais num nível mais colaborativo, ou mesmo em pé de igualdade, com os filhos. Olhando para trás, percebo quão frustrante deve ter sido para eles recorrerem a uma medida assim, e como deve ter sido difícil para mamãe reconhecer que precisava de ajuda externa. Também me envergonho, ouvindo as lembranças de Kristi dessa época, de o meu comportamento ter consumido tanta energia da minha mãe, pouco restando para ela.

Não sei por quanto tempo meus pais insistiram nas aulas, mas o certo é que o que tentaram comigo não funcionou.

A tensão entre nós chegou ao ponto máximo numa noite à hora do jantar. Tive outra discussão com minha mãe. Não lembro o motivo, mas lembro que, como de hábito, agi de forma ofensiva e com um sarcasmo desdenhoso. E, a julgar pelo que aconteceu em seguida, fui especialmente cruel: do outro lado da mesa, meu pai esvaziou um copo de água na minha cara. Parei, de olhos grudados no prato. "Obrigado pelo banho", retruquei. Depus lentamente o garfo, levantei-me e desci para o meu quarto.

Eu nunca tinha visto papai, tão manso, perder a paciência. Saber que eu o levara a esse extremo foi um choque.

Naquela época, eu estava provocando tanto tumulto que meus pais buscaram a ajuda do dr. Charles Cressey, assistente social que tinha um consultório terapêutico. Era conhecido por aconselhar estudantes de medicina sobre interação com pacientes e casais que enfrentavam dificuldades. Toda a família foi comigo à primeira consulta, mas todos sabíamos que estávamos lá por minha causa.

"Estou em guerra com meus pais", contei ao dr. Cressey.

Todo sábado de manhã meus pais me deixavam numa casa vitoriana dourada perto da unidade do Jack in the Box no Distrito Universitário de Seattle. Eu entrava sozinho e me sentava na sala de espera enquanto o dr. Cressey atendia outros clientes. Durante a espera, através das paredes de gesso, eu escutava as vozes tensas de casais tentando resolver suas dificuldades no casamento. Nas primeiras visitas, eu me perguntava: *Essas pessoas têm problemas de verdade, mas o que é que eu estou fazendo aqui?*

Nas nossas sessões, o dr. Cressey e eu nos sentávamos perto de uma janela ensolarada e conversávamos mais ou menos por uma hora. Aquele espaço parecia projetado para acalmar, lembrando mais uma sala de estar de família do que a imagem que eu tinha de um consultório de terapeuta. A janela dava para um jardim com uma árvore enorme, repleta de flores brancas na primavera.

Seria difícil achar alguém mais cativante, agradável, compreensivo. Tinha um jeito de me fazer falar, com perguntas inteligentes e argutas sobre como foi minha semana, como iam as coisas da escola, como eu estava lidando com minha mãe. Minha tendência era, na maioria das vezes, ignorar perguntas desse tipo. Mas ele parecia genuinamente interessado no que eu tinha a dizer, em vez de querer me dar uma lição ou me convencer a fazer alguma coisa. E ele mesmo era interessante. Antes de se tornar assistente social, o dr. Cressey havia sido piloto de caça na Segunda Guerra Mundial e tivera uma breve carreira como vendedor de produtos farmacêuticos, durante a qual juntou dinheiro suficiente para abrir um consultório terapêutico. Esses detalhes pessoais surgiam aos poucos. Ele não falava muito de si mesmo. Concentrava-se em mim. Limitava-se a fazer suas perguntas. Nunca me dizia o que pensar ou se o meu comportamento era certo ou errado. "Você vai vencer", ele me garantiu, sem maiores explicações. Com o tempo, percebi que ele estava me ajudando a tirar minhas próprias conclusões.

Era insaciável ao estudar os temas do seu interesse, sempre lendo sobre psicologia e terapia à procura de ideias que pudesse incorporar à sua atividade. Compartilhou muitos desses livros, indicando-me Jung ou Freud, e outros especialistas sobre os quais conversávamos. Achei fascinante haver pessoas que tentavam entender o cérebro e o comportamento humano.

Por essas conversas, comecei a ver que ele estava certo: eu venceria minha guerra imaginária com meus pais. A cada ano, eu me tornaria mais independente e, com o passar do tempo, estaria vivendo por conta própria. Enquanto isso — naquela época e no futuro —, minha mãe e meu pai me amariam. Não era uma maravilha ganhar a guerra sem perder o amor deles? Sem ser prescritivo, o dr. Cressey me ajudou a ver que: a) meus pais me amavam; b) eu não moraria na casa deles para sempre; c) na verdade, eles eram meus aliados nas coisas que realmente importavam; d) era um absurdo pensar que tinham cometido algum erro.

Em vez de desperdiçar minhas energias lutando contra meus pais, eu as concentraria em adquirir as habilidades necessárias para o mundo lá fora.

Depois descobri que o dr. Cressey tivera uma infância difícil, de abusos físicos que lhe causaram muita raiva. Após a guerra, resolveu livrar-se da raiva e dedicar a vida ao que chamava de disseminar amor. Obviamente ele sabia que meus problemas eram bem menores comparados aos que enfrentou quando criança e decerto aos de muitos dos seus pacientes. No entanto, jamais fez pouco-caso das minhas dificuldades. Um dia me disse: "Você é um garoto de sorte". Olhando pela janela, não respondi, mas sabia que ele tinha razão.

Dava para ouvir o murmúrio de vozes através da parede, mas não os detalhes da conversa. O dr. Cressey estava com meus pais; eu tinha saído da sala para que os adultos pudessem ter uma conversa particular. Depois meu pai me contou o que o dr. Cressey tinha dito: "Desistam, ele vai ganhar". Tenho certeza de que não foi só isso, mas essa era a essência. Peguem leve, não forcem a barra, deixem o menino mais solto.

Quando me relatou a visita anos depois, meu pai disse que ele e minha mãe ficaram atônitos. O conselho desfez suas esperanças de que o dr. Cressey ditasse os passos práticos que me enquadrariam. Pegar leve deve ter parecido uma derrota, coisa que se faz quando não há escolha. Deve ter sido especialmente difícil para mamãe, cuja solução para qualquer problema era endurecer. Embora os meus pais sempre mantivessem uma parceria, papai tinha uma concepção mais relaxada da criação dos filhos. Independente desde muito cedo, creio que ele entendia intuitivamente a importância de um jovem seguir o próprio caminho. No caso do seu filho, porém, isso ocorreu muito antes do que esperava.

Aos poucos, o nosso relacionamento melhorou. Não porque os meus pais de repente desistiram e me deixaram fazer tudo o que queria, mas porque a nova perspectiva entreaberta pelo dr. Cressey permitiu que eu me descontraísse e mudasse. Mudei o foco da minha energia.

Muitos anos depois — em 1980, para ser exato — assisti ao filme *Gente como a gente* assim que foi lançado. Desde então já o vi várias vezes, e em quase todas fico muito emocionado. É um filmaço, quase perfeito. Tirando os extremos — o trauma pela morte do irmão, a mãe incapaz de amar e um filho cujo esforço o leva ao limite —, há nessa obra muitos elementos que reconheço em minha própria criação. Eu era muito novo e confuso e me confrontei com uma mãe para quem tudo precisava ser perfeito, sobretudo aos olhos do mundo exterior. Já o meu pai — como o personagem de Donald Sutherland, também um advogado — empenhava-se ao máximo para manter o equilíbrio familiar. E assim como Conrad, o filho no filme, eu contava com a orientação de um terapeuta talentoso, que me ajudou a analisar a situação e chegar, por conta própria, a conclusões sobre como poderia mudar. Com o tempo eu teria de aceitar a minha mãe tal como era, enquanto ela se dava conta de que eu jamais corresponderia a todas as suas expectativas. E, cada vez mais, redirecionei a minha energia e, em vez de resistir à vontade dela, passei a me preparar para o momento em que seria de fato independente. Essa mudança de perspectiva ocorreu no melhor momento possível. Eu estava cada vez mais atento ao mundo mais amplo dos adultos. E tive a sorte de viver numa família em que era natural, e até esperado, que me relacionasse com esse mundo.

Naquela época, eu visitava com frequência o meu pai em seu escritório de advocacia, no movimentado centro de Seattle. Pegava o elevador até o décimo andar do Norton Building, o primeiro arranha-céu comercial moderno da cidade, com apenas 21 andares. Esperando no escritório que ele encerrasse a jornada de trabalho, eu olhava intrigado para todos aqueles homens de terno e gravata passando por mim enquanto eu lia um livro. Andavam concentrados e em silêncio ou conversando animadamente sobre um caso a caminho de reuniões. Aquilo tinha um nível impressionante de seriedade, e eu imaginava que tudo o que discutiam também era de extrema importância.

Aos sábados, o escritório ficava vazio, e eu podia explorar as estantes com livros de direito e as máquinas de ditado Dictaphone. Folheava cópias xerocadas de processos judiciais e tentava decifrar as anotações rabiscadas nas margens. Espiava os registros em papel que os advogados mantinham em suas mesas; o meu pai explicou que, para serem pagos, todos tinham de manter um registro preciso dos minutos e horas que haviam trabalhado. Aprendi também que havia algo chamado "acareação", durante a qual testemunhas faziam depoimentos minuciosos. Para isso serviam os Dictaphones.

Essas visitas reforçaram em mim a impressão de que o meu pai, como sócio graduado do escritório, era responsável por supervisionar assuntos complexos e importantes. Então me dei conta de que o sereno senso de ordem e a inabalável estabilidade que trazia para a nossa família também contribuía para o seu êxito ali naquele escritório do décimo andar, rodeado por aquelas pessoas trajadas com elegância. Para mim, aquelas visitas deram corpo a um modelo mental de vida profissional e fixaram os padrões pelos quais eu viria a avaliar o sucesso.

As histórias de sucesso que ouvia em casa não apresentavam heróis dos esportes ou estrelas de cinema, mas pessoas fazendo coisas — produtos e políticas, até mesmo edifícios, como foi o caso de um amigo da família, um engenheiro civil que era dono de uma construtora local. Em meados da década de 1960, meus pais e seus amigos estavam na casa dos trinta e poucos anos e início dos quarenta e haviam passado anos trabalhando para chegar a cargos influentes no governo e nos negócios. Quando eu estava no ensino médio, o parceiro de bridge dos meus pais, Dan Evans, era governador do nosso estado. (Mais adiante, serviria no Senado dos Estados Unidos.) A participação ativa do meu pai em associações jurídicas locais, estaduais e nacionais e o envolvimento da minha mãe em trabalhos locais sem fins lucrativos ampliaram o círculo social do casal, com profissionais em ascensão que compartilhavam objetivos, caracteristicamente ambiciosos, para Seattle, o estado de Washington e todo o país.

Essas pessoas e suas histórias me interessavam, e meu acesso a elas não poderia ter sido mais fácil. Eu só precisava largar qualquer livro que estivesse lendo e subir as escadas, onde quase toda semana eu as encontrava.

Meus pais organizavam muitos jantares e festas. (Assim como acontecia com seus cartões de Natal e convites, nessas ocasiões minha mãe e meu pai também bolavam convites engenhosos, com um quebra-cabeça que o destinatário precisava resolver se quisesse descobrir para o que estava sendo convidado, e quando e onde aquilo aconteceria. Nessa época, já tínhamos nossa própria serigrafia no porão.) Quase sempre os encontros se centravam em discutir um assunto qualquer ou recrutar gente para uma nova causa. Não havia chance de ser convidado à casa dos Gates apenas para sentar e bater papo. Toda festa, todo coquetel eram eventos orquestrados. Meus pais podiam, por exemplo, convidar membros da Ordem dos Advogados de Seattle para descobrir um jeito de dar mais poder aos jovens profissionais na secional do estado, ou financiar uma bolsa para estudantes de direito negros na Universidade de Washington. Antes da reunião, mudávamos a disposição dos móveis e armávamos mesas dobráveis para acomodar pequenos grupos. Minha mãe descrevia a questão a ser discutida durante o jantar. Na sobremesa, mandava todos olharem debaixo da xícara de café para saberem onde sentariam nas outras mesas. O truque da xícara era um jeito de mamãe incentivar a polinização cruzada de ideias e ajudar as pessoas a fazerem novos contatos. Era mestra em engenharia social.

Antes de a festa começar, minha mãe acomodava minhas irmãs e eu no sofá para um briefing. Enquanto Libby e eu brigávamos e brincávamos, ela fazia uma análise minuciosa da lista de convidados, pessoa por pessoa. Municiando-nos com essas informações, ela esperava que interagíssemos com os convidados. Kristi talvez tivesse que tocar qualquer coisa ao piano; em anos posteriores, minha mãe recrutaria o grupo de coral de Libby para cantar. Eu costumava ficar apenas com a tarefa de servir bebidas, ouvindo conversas sobre como limpar o lago Washington, encontrar mais doadores importantes para a United Way ou ajudar a candidatura de Joel Pritchard para o Senado estadual. Eu adorava a sensação de fazer perguntas inteligentes a um convidado e ser capaz de participar ativamente de uma conversa.

Um cardiologista chamado Karl Edmark, cliente do meu pai, era um visitante regular. Além de ter realizado uma das primeiras cirurgias de coração em Seattle, o dr. Edmark tinha inventado um desfibrilador revolucionário, a máquina que reinicia o coração com um choque elétrico. (Os primeiros desfibriladores utilizavam corrente alternada — pense na eletricidade de uma tomada de parede —, que não só dava um choque no coração, como também fazia o paciente sofrer espasmos violentos. O dr. Edmark inventou um aparelho que funcionava com corrente contínua de menor intensidade, mais gentil com os pacientes, e portátil.) Desenvolveu e comercializou a invenção através de uma empresa chamada Physio-Control.

Eu soube dessa história aos poucos, em conversas e jantares de família, à medida que se desenrolava ao longo do tempo. Meu pai me contou que o dr. Edmark tinha sustentado a empresa durante anos, quase sem lucro nenhum, até, finalmente, deparar com a possibilidade de ter que desistir. Com a ajuda do meu pai, contratou um gerente profissional, que introduziu na empresa uma mentalidade de marketing. Pediram a meu pai que abordasse investidores externos. Pouco a pouco, as vendas aumentaram, o lucro subiu e o negócio deu certo. Fiquei encantado com essa história de médico-inventor criando uma máquina para salvar vidas, mas também pelo que o meu cérebro de sexto ano conseguiu assimilar sobre recursos financeiros, patentes e lucros, pesquisa e desenvolvimento.

Não demorou para que eu me visse no escritório da Physio-Control no centro de Seattle, entrando em contato com engenheiros e entrevistando o novo presidente, Hunter Simpson. Ele morava no nosso bairro, e eu o conheci numa das reuniões oferecidas pelos meus pais.

Peguei o que tinha aprendido e o transformei num trabalho escolar sobre uma empresa fictícia — chamei-a de Gatesway —

que fabricava um sistema que eu havia inventado para tratamento coronariano. O trabalho detalhava fatores de produção e explicava como eu esperava levantar capital com investidores para construir meus produtos. "Se a minha ideia for boa e eu conseguir contratar gente competente e levantar dinheiro suficiente, devo ter sucesso", escrevi. O professor me deu um A1, a nota máxima por esforço máximo. Por mais que eu reclamasse do sistema de notas, dessa vez concordei.

Um sinal de que eu me sentia muito mais à vontade socialmente foi ter começado a formar um clube naquele ano, basicamente uma versão júnior dos encontros dos meus pais. Batizei-o de Clube Contemporâneo e convidei um grupo de estudantes do meu ano para discutirmos os problemas do dia. O Clube Contemp, como o apelidamos, tinha seis membros: três meninas e três meninos, incluindo meu amigo Boomer. Uma ou duas vezes por mês, reuníamo-nos na casa de um de nós, revezando o papel de anfitrião. Tomando suco e comendo biscoitos, debatíamos — esqueço os assuntos, mas decerto discutíamos a Guerra do Vietnã, direitos civis e outras questões urgentes do momento. (Também fizemos nossa festa de Halloween, com a peculiaridade, bem ao estilo da minha mãe, de que você tinha que trazer uma fantasia para outra pessoa usar, o que me permite dizer que, uma vez na vida, me vesti de gondoleiro veneziano, de camisa listrada azul e chapéu de palha de aba larga.)

Com a ajuda dos pais, o Clube Contemp organizava excursões a organizações sem fins lucrativos locais e à Universidade de Washington. Também conseguimos doações para o Head Start, o programa de educação infantil. Nossa maior conquista, ou pelo menos era o que nos parecia na época, foi visitar um centro de pesquisas local de propriedade da Battelle, a grande empresa de pesquisa e desenvolvimento sem fins lucrativos, cujo escritório ficava no nosso bairro. Jogando futebol no seu campo gramado, eu ficava imaginando o que se passava dentro daqueles prédios chiques. De alguma forma, entramos em contato com eles, e o mais incrível foi terem nos convidado para passar uma tarde conhecendo o lugar. Battelle era famosa, sobretudo, por inventar a cópia em papel seco, tecnologia que deu origem à Xerox. Aprendemos sobre a história dessa tecnologia, então revolucionária, a copiadora de escritório, e sobre como a Battelle investiu dinheiro em suas patentes de cópia. Surpreendeu-me que nos levassem a sério e nos dessem tanta atenção. Ao sair da Battelle, pensei comigo: *É isto que as pessoas inteligentes fazem. Juntam-se a outras pessoas inteligentes e resolvem problemas difíceis. O que me parece perfeito.*

Continuei frequentando o dr. Cressey por mais ou menos dois anos e meio. A certa altura, nossas sessões de sábado chegaram ao fim. Havia paz em casa. Não que eu fosse o filho ideal, mas estava me esforçando mais. Enquanto isso, orientados pelo dr. Cressey, meus pais também me deixaram mais à vontade para ser eu mesmo. Percebi, com grande alegria, que mamãe tentava me dar mais espaço; ao mesmo tempo, sua carreira decolava, e agora ela tinha uma criança pequena para cuidar. Olhando em retrospecto, penso que, embora tenha levado tempo para se acostumarem à ideia, meus pais aceitaram o fato de que seu filho fugisse um pouco do que muitos outros pais consideravam o padrão de normalidade. Como disse o dr. Cressey, nunca faltou amor por mim. E ele tinha razão.

Meus pais também continuaram a alimentar minha necessidade constante de estímulo intelectual. No verão seguinte ao sexto ano, eles nos levaram, Kristi e eu (Libby, com três anos, ficou em casa com Gami), numa viagem ao leste, começando pela Expo 67 de Montreal, uma espécie de Exposição Mundial do Canadá. De lá, visitamos Boston, Nova York, Washington D.C. e a colonial Williamsburg. Cada dia era repleto de experiências, uma mistura de conhecimento e diversão, uma lista de lugares educativos, a réplica do *Mayflower*, a Broadway para ver *Um violinista no telhado* e a Bolsa de Valores de Nova York. No Capitólio, assistimos a uma sessão do Senado, fizemos um tour pela Casa Branca, pelo cemitério nacional de Arlington, perambulamos pelos museus da Smithsonian e visitamos praticamente todos os pontos turísticos importantes da capital do país.

A viagem ao leste foi uma espécie de celebração, um presente para Kristi e para mim. Minha irmã começava a frequentar a Roosevelt High School no outono, e eu também estava indo para uma nova escola. Meus pais decidiram me botar na Lakeside, uma escola particular exclusiva no norte de Seattle. Tomar essa decisão não foi fácil. Ambos tinham frequentado escolas públicas e achavam importante dar força ao sistema de escolas públicas. E a anuidade de 1400 dólares seria puxada mesmo com o salário do meu pai. Mas percebiam que eu precisava de mais desafios e estava desmotivado. Talvez Lakeside me estimulasse. De início, odiei a ideia. Tinha ouvido falar que os alunos mais velhos eram obrigados a usar paletó e gravata, e a se dirigir aos professores pelo título de "mestre". Quando estive na escola para fazer o exame de admissão, considerei desistir. Mas assim que comecei a analisar as perguntas, não me contive. O orgulho prevaleceu, e eu passei.

5. Lakeside

A primeira coisa que mexeu com a sensibilidade do aluno do sétimo ano que eu era na Lakeside School foi que o nome da instituição não fazia o menor sentido. Não ficava nem perto de um lago. Ficava na floresta, ao lado da Interstate 5, no extremo norte de Seattle, a vinte minutos de carro do meu bairro. Indo para lá na caminhonete Ford da minha mãe naquele primeiro dia, pareceu muito longe de casa.

Lakeside foi fundada em 1919, como uma escola preparatória para meninos de algumas das famílias mais ricas de Seattle. Originalmente, ficava no lago Washington — daí o nome —, mas, nos anos 1930, foi transferida para um terreno onde construíram um campus maior, parecido com o de uma faculdade. Nos seis anos que passei lá, a instituição se livraria das últimas tradições conservadoras de escola preparatória, acabaria com as regras de vestimenta, contrataria professoras e se fundiria com uma escola para meninas — mas, quando entrei, no outono de 1967, todos os professores eram homens, à exceção da bibliotecária, e brancos. Tínhamos que nos sentar sempre nos mesmos lugares no almoço.

Enquanto estava na escola, eu me apaixonei pelos clássicos adolescentes *O apanhador no campo de centeio* e *A Separate Peace* [Uma paz separada], livros que descrevem escolas preparatórias icônicas da Costa Leste. Lakeside foi construída à imagem e semelhança desses lugares, com gramados verdes bem aparados e prédios de tijolo com colunas. Tinha até campanário.

A escola era dividida entre os dois últimos anos do ensino fundamental e os anos do ensino médio. Nós, do fundamental, passávamos a maior parte do dia no Moore Hall, um dos prédios mais antigos do campus, enquanto os alunos do ensino médio tinham liberdade para andar à vontade, e eles, sem dúvida, mandavam no lugar. Os esportes eram assunto importante, e má notícia para mim, pensei. O time de futebol americano tinha uma longa sequência de vitórias, e o de remo trouxe fama à Lakeside por vencer uma escola mais conhecida da Costa Leste num campeonato nacional.

Minha turma tinha uns cinquenta meninos, quase todos brancos. Os pais tinham os empregos que se espera numa escola particular no noroeste do Pacífico da época. Advogados, médicos, banqueiros, executivos de produtos florestais, engenheiros da Boeing — membros da elite de Seattle. Um deles tinha aberto um restaurante de carnes que se tornaria uma rede nacional. Outro viria a fundar uma grande companhia de seguros de saúde. Estávamos muito longe de ser um grupo diversificado, mas eu ainda me sentia diferente de outros meninos. Muitos eram tão confiantes, em especial os que tinham irmãos mais velhos na Lakeside, e já pareciam conhecer o caminho das pedras. Nas primeiras semanas, vi os outros logo encontrarem seus lugares, inscrevendo-se para o futebol, o jornal escolar, o grupo de teatro, o coral e outras atividades. Diferentemente de mim, muitos chegavam com redes sociais já estabelecidas. Conheciam-se do clube de esqui ou do clube de tênis, ou por conexões familiares.

Perdido no novo ambiente, recorri à velha estratégia de bancar o palhaço da turma. Essa postura havia funcionado bem na escola antiga e resolvi manter o personagem. Uma das mais altas honrarias que se poderia conquistar na Lakeside era a Gold Star, uma medalha concedida a alunos que se destacavam nas "cinco pontas" da estrela — esportes, desempenho acadêmico e intelectual, companheirismo, caráter e esforço. Nos primeiros dois anos, não havia a menor chance de alguém me confundir com esse tipo de gente.

Li descrições minhas na Lakeside daquele tempo. Eu era chamado de solitário, nerd, um pouco desagradável. Provavelmente era tudo isso mesmo. Com a distância dos anos e a perspectiva da idade, vejo que eu buscava uma identidade. Todo o progresso que julgava ter feito na escola anterior de nada servia ali. Eu era um não atleta numa escola notória pelos esportes. Num lugar onde as pessoas eram focadas, eu era um ávido generalista. Não me encaixava nem tinha ideia de como resolver isso. Fingi, portanto, que não ligava.

Meu fracasso foi quase instantâneo.

O professor de geografia do sétimo ano era o sr. Anderson, o chefe de esportes, mais conhecido por treinar o time de futebol americano da Lakeside durante a sequência de vitórias. Sua aparência era exatamente a esperada, com queixo quadrado, cabelo em estilo militar e uma bola de futebol sobre a mesa. Às vezes conduzia a aula como se estivéssemos no campo. Tirar uma nota ruim podia significar ter que fazer dez flexões. Se você desse uma resposta errada, ele fingia lançar a bola de futebol em sua direção. Embora eu gostasse de geografia e de mapas, e tivesse alguma noção de que o sr. Anderson era boa gente, eu me comportava mal na aula, não fazia as tarefas, participava pouco e recebia a minha cota de flexões.

Eu estava muito satisfeito no papel de palhaço até o momento em que precisei participar de um trabalho em grupo. O sr. Anderson reuniu os melhores alunos e me botou para trabalhar com o menino que, sabidamente, tirava as piores notas da turma. Bastou essa ação simples para eu me ver através dos olhos de um professor: esse Gates não é inteligente. Aquilo doeu.

Minha única tentativa de me redimir foi um trabalho sobre o mar Negro. Para mostrar ao sr. Anderson que merecia reconhecimento, fui até a biblioteca de Seattle e enchi páginas e páginas com fatos e dados históricos extraídos de fontes como a *Encyclopaedia Britannica*, que eu via como o tio erudito em comparação com o *World Book* mais acessível a crianças que tínhamos em casa. Mas, apesar de a abordagem "dilúvio de conteúdo" ter funcionado com minha obra sobre Delaware no quinto ano, dois anos depois as expectativas eram diferentes. O sr. Anderson me deu uma nota baixa (não me lembro exatamente o quão baixa, mas foi ruim o suficiente para me marcar). Apesar de ter a mim mesmo em alta conta, na análise objetiva do sr. Anderson — e de outros professores — eu estava abaixo da média.

Quando o ano letivo terminou, pedi a todos os professores que assinassem o meu anuário, indicando o espaço onde queria que assinassem — e onde também incluí a exortação: "Me dê um A+!". Claro, ninguém atendeu ao pedido. Eu não merecia. Em casa, peguei um lápis e escrevi no fim da página em letras arredondadas e cheias de curvas: "Uau! Melhor mesmo é não ligar pra vocês, professores! Adeus!".

Até aquele momento, eu tinha, por assim dizer, surfado pela vida escolar graças a professores que viam algum potencial por trás da minha máscara de indiferença. Na Lakeside, parece que só viam a máscara. Tenho certeza de que, ao fim daquele primeiro ano na nova escola, meus pais se perguntaram se haviam tomado a decisão correta. Eu, sem dúvida, me perguntei.

Mas, se eu tivesse prestado atenção no último número do

jornal da Lakeside naquela primavera, teria notado uma reportagem de dois parágrafos no pé da segunda página. Dizia que, a partir do outono, o Departamento de Matemática estaria conectado a um computador. "Esperamos que alguns alunos o utilizem para trabalhar em projetos em grande escala", dizia o texto.

No começo do oitavo ano, comecei a notar a presença de um menino que estava no mesmo ano que eu. Era difícil que ele passasse despercebido. Alto, cabelos castanhos despenteados, Kent Evans tinha uma tremenda fenda labial e falava com certa dificuldade. Depois eu soube que, quando bebê, seu lábio e seu palato eram tão deformados que os pais o alimentavam a conta-gotas. Quando o conheci no nosso segundo ano na Lakeside, Kent tinha passado por uma série de dolorosas cirurgias que o deixaram com a boca cheia de aparelhos ortodônticos, e meio aberta o tempo todo. Pensando bem, acho que esses desafios iniciais ajudaram a semear um destemor que se manifestaria repetidamente no nosso curto período de convivência.

Kent e eu estávamos ambos na aula de matemática do oitavo ano com o sr. Stocklin. Kent era quieto, raramente participava, mas dava para perceber que sabia o que estava acontecendo. Parecia bom em matemática, pelo que eu podia observar do outro lado da sala. Eu o achava o menino mais sério da turma.

Eu soube que era novo em Seattle. A família tinha se mudado apenas um ano antes, a tempo de ele ingressar no sétimo ano. Por causa do trabalho do pai, que era ministro unitarista, eles sempre mudavam de cidade, tendo morado em Victoria, na Colúmbia Britânica, antes de irem para Seattle. Como eu, Kent não conseguiu se encaixar com facilidade nos grupos já formados na Lakeside. Estava longe de ser atlético e não era um desses meninos descolados de quem todos procuram se aproximar. Diferente de mim, ele não dava a mínima. A posição social, e até o que os outros pensavam dele, não parecia afetá-lo. Ele vivia para si mesmo, mergulhado nos seus próprios interesses, aos quais se dedicava intensamente, muito além do que seria de esperar num menino de doze anos. No oitavo ano, um desses interesses era a política nacional.

Estávamos no outono de 1968, fim de um ano que seria lembrado como um dos mais turbulentos da história americana. Em poucos meses, Martin Luther King Jr. e Robert Kennedy foram assassinados, manifestantes apanharam diante das câmeras de TV na Convenção Nacional Democrata em Chicago, e tumultos ocorreram de Baltimore a Boston. A oposição à Guerra do Vietnã passou de acalorada a fervorosa. O presidente Johnson desistiu de tentar a reeleição, abrindo caminho para que candidatos democratas disputassem entre si para impedir que o republicano Richard Nixon chegasse à Casa Branca.

Kent tinha opiniões fortes e fundamentadas sobre todas essas questões. Posicionava-se com veemência contra a Guerra do Vietnã, odiava Nixon, adorava Ted Kennedy (devorou o livro do senador sobre política democrata). Estudava os casos mais recentes defendidos pela União Americana pelas Liberdades Civis e denunciava o avanço da teoria conspiratória que negava a ciência alegando que a fluoretação da água era um plano comunista para envenenar todo mundo. Idolatrava Eugene McCarthy, o senador por Minnesota que disputava a candidatura democrata com Lyndon B. Johnson. Tenho certeza de que Kent se via um pouco na imagem de McCarthy como intelectual liberal, chegando a conquistar uma cadeira no Senado estudantil da Lakeside (depois de perder a disputa para secretário-tesoureiro).

Quando McCarthy perdeu a candidatura democrata em 1968, Kent foi com tudo para a campanha presidencial de Hubert Humphrey. Cobriu o jardim da sua casa com placas vermelhas e azuis de Humphrey, bateu de porta em porta e distribuiu panfletos no centro da cidade para Humphrey e os democratas que concorriam ao governo estadual e ao Senado dos Estados Unidos. Quando Humphrey visitou Seattle, Kent o tocaiou na frente do Olympic Hotel na esperança de falar com o candidato (não conseguiu, mas, um mês depois, informou, com orgulho, ter apertado a mão do companheiro de chapa de Humphrey, Edmund Muskie). Se estava na ativa no Partido Democrata em Seattle naquele tempo, é bem provável que você tenha visto o adolescente meio gordo em comícios e na sede da Union Street, único menino no meio de manipuladores e repórteres políticos.

Um dos professores da Lakeside contava a história da surpresa que teve ao esbarrar com Kent numa reunião de partido e depois ao ouvir o próprio Kent falar sobre as maquinações do grupo e as brigas pelo poder nos bastidores. "Ele sabia mais sobre política do que eu jamais conseguiria saber", dizia o professor. Kent ficou tão obcecado pela corrida presidencial naquele ano que usava as iniciais dos candidatos para marcar seus testes na aula de francês: as iniciais de Nixon para as respostas erradas e as iniciais de Humphrey para as certas. Na eleição presidencial de 1968, Nixon saiu vitorioso, claro. A decepção de Kent foi um pouco atenuada pela convicção de que tinha ajudado Humphrey a garantir uma vitória apertada em nosso estado, Washington.

Essa intensidade me intrigava. Se gostava de uma coisa, Kent mergulhava nela de cabeça. Como autor de uma dissertação de 177 páginas, encadernada em madeira, sobre o estado de Delaware, eu sabia apreciar isso. Um professor de inglês o criticou justamente pela intensidade. "Seu único defeito agora é o excesso de preparação", escreveu o professor no boletim de Kent no seu primeiro ano. "Há pouco tempo, para um trabalho de quarenta minutos, ele produziu o esboço de uma tese de mestrado." Diferentemente de mim, ele tirava notas boas.

Kent e eu logo nos tornamos amigos. Não muito tempo depois de nos conhecermos, participamos de uma viagem de camping com um professor da Lakeside conhecido por conduzir os alunos em longas andanças pelo mato debaixo de chuva. Ele nos levou para uma caminhada ao longo da acidentada costa de Washington. À noite, Kent e eu armamos nossa barraca na praia, ignorando quão próximos estávamos do oceano Pacífico. Mais tarde, naquela noite, acordei com Kent me sacudindo enquanto a água do mar entrava na barraca inundando os sacos de dormir. Rindo histericamente, fugimos dali, arrastando a barraca para um lugar mais alto.

Já mais próximos, a partir daquele momento nos tornamos inseparáveis. As conversas iniciadas na escola continuavam à noite por telefone. Eu esticava o fio do aparelho escada abaixo até meu quarto e ficávamos horas conversando. Ainda me lembro do número do seu telefone.

Como a maioria dos meninos, eu quase não pensava no futuro, apesar de ter uma leve noção de que queria ser cientista, ou quem sabe advogado, como meu pai. Mas, nessa idade, é difícil entender como dar as respostas certas nas provas se traduz numa vida fora da escola, quanto mais no distante horizonte de uma carreira. Kent estava muitos passos à nossa frente. Falava sempre sobre onde queria estar em dez anos, vinte anos, e planejando como chegar lá. Parecia ter certeza de que seu futuro lhe reservava grandes conquistas e só precisava descobrir a melhor das muitas maneiras de alcançá-las.

Juntos, lemos um monte de biografias de gente famosa, de líderes como Franklin D. Roosevelt e Douglas MacArthur. Passávamos horas ao telefone dissecando suas vidas. Analisávamos os caminhos que seguiram para alcançar o sucesso com a mesma intensidade adolescente que outros meninos na época dedicavam a decifrar "Lucy in the Sky with Diamonds". Que tal irmos para

West Point ser generais? Descobrimos que MacArthur havia sido programado desde cedo para a carreira militar. Comparávamos essa trajetória com a do general Patton, que caiu meio de paraquedas na vida de soldado e líder brilhante. Para adquirirmos uma perspectiva histórica, lemos livros sobre Napoleão, espantados com sua genialidade e suas falhas terríveis. Decidimos que o único jeito de alguém se destacar era ser herói de guerra. Mas não queríamos ir para a guerra. Riscamos general da lista. E que tal o Serviço Externo dos Estados Unidos? Descobrimos que só por indicação política se conseguia um bom cargo e que, com base num relatório que Kent tinha encomendado a alguma repartição do governo, o salário do pessoal de embaixada era baixo. Fora da lista. Que tal ser professor? Os professores tinham influência e liberdade para pesquisar coisas interessantes, mas Kent se preocupava que o salário também pudesse ser baixo. Ou ser um político? Talvez um advogado como meu pai?

Eu era um menino do tipo que queria vencer todos os jogos em que se envolvia, mas não tinha nenhum objetivo especial além da vitória. Era uma inteligência bruta, um onívoro da informação, mas não pensava na direção que a minha vida deveria tomar no longo prazo. A ambição de Kent ajudou a despertar a minha e a canalizar meu prodigioso espírito competitivo.

Mesmo enquanto pensávamos no futuro, o caminho que acabaríamos seguindo estava bem diante de nós.

Certa manhã, naquele outono do oitavo ano, o sr. Stocklin levou nossa turma à McAllister House, um prédio de tábuas brancas que sediava o Departamento de Matemática. Dentro ouvimos um "chug-chug-chug" no corredor, como de um trem de cremalheira subindo a encosta de uma montanha. Mais adiante no corredor, havia um grupo de alunos de ensino médio num antigo escritório debruçado sobre o que parecia ser uma máquina de escrever com um disco de telefone num dos lados.

O sr. Stocklin explicou que era uma máquina de teletipo. Por ela, poderíamos nos conectar a um computador para jogar e até mesmo escrever nossos próprios programas de computador. O computador, em si, não estava na Lakeside, explicou ele, mas em outro lugar — na Califórnia —, e nós nos conectávamos a ele através de uma linha telefônica. Era por isso que o teletipo tinha um disco de telefone. O que o professor descreveu, como aprendi mais tarde, chamava-se time-sharing, um método de compartilhar um computador entre vários usuários ao mesmo tempo. Eu sempre tinha pensado em computadores como grandes caixas operadas por especialistas em laboratórios de universidade, porões de banco e outros lugares que a maioria das pessoas jamais visitava. Na Feira Mundial, eu tinha visto um computador Univac, uma série de caixas do tamanho de refrigeradores, mais altas do que uma pessoa e do comprimento de um caminhão pequeno. A máquina, chamada de "biblioteca do futuro", era operada por um homem que recebia perguntas do público e as inseria no computador, o qual dava as respostas.

Era difícil imaginar que eu seria capaz de jogar em um computador.

Dan Ayrault, que viria a ser diretor dentro de um ano, descreveu Lakeside certa vez como "uma escola de muito poucas regras". Se um aluno se interessasse muito por um assunto, o professor podia abandonar o que quer que tivesse planejado ensinar e recalcular a rota. Em suas contratações, a escola dava atenção especial a professores profundamente interessados em suas áreas e com verdadeira expertise. Alguns tinham trabalhado na indústria, em lugares como a Boeing. Um era astrofísico. Havia advogados. Outro, que seria meu professor de química no último ano, patenteara um método para isolar o aminoácido triptofano.

O pressuposto era de que esse tipo de educador teria confiança suficiente para dar aos alunos espaço para explorarem —

ainda que isso significasse extrapolarem limites. Robert Fulghum, que lecionava arte, era um pastor ordenado que se tornaria famoso pelo best-seller *Tudo que eu devia saber na vida aprendi no jardim de infância*. Isso ocorreu alguns anos depois que Fulghum testou o espírito liberal da Lakeside contratando modelos nus para suas aulas de arte. O equivalente a esses modelos nus no Departamento de Matemática era aquele terminal de computador.

Nós o obtivemos graças, em parte, a Bill Dougall, chefe do Departamento de Matemática da Lakeside. Como boa parcela do corpo docente, Bill adotava uma definição de educação mais ampla do que simplesmente a de ficar sentado numa sala de aula ouvindo de forma passiva. Tinha sido piloto da Marinha durante a Segunda Guerra Mundial e trabalhado como engenheiro aeronáutico na Boeing. Em algum momento, estudou literatura francesa na Sorbonne em Paris e fez pós-graduação em engenharia e educação. Montanhista e explorador fanático, tendo tirado um ano sabático para construir um moinho de vento em Katmandu, foi o professor que comandou a viagem encharcada pela água do mar na qual Kent e eu nos tornamos mais próximos. Suas excursões de camping eram tradição sagrada na Lakeside, caminhadas infames em qualquer clima que o noroeste do Pacífico pudesse jogar em cima de quarenta meninos e alguns professores intrépidos.

Depois que fizeram um curso de verão sobre computadores, Bill Dougall e outros membros do corpo docente começaram a exercer pressão para que Lakeside tivesse acesso a computadores. Em 1968, isso significava pagar o aluguel mensal do teletipo e a tarifa horária para se conectar a um computador no sistema de time-sharing. O terminal poderia custar mais de mil dólares anuais, e a despesa com o tempo do computador, a cerca de oito dólares por hora, milhares a mais. Dougall contava com o apoio do diretor, mas era difícil justificar tamanho gasto; escolas secundárias e casas simplesmente não dispunham de computadores. O sr. Dougall entrou em contato com um grupo de pais da Lakeside que organizava uma venda anual de coisas usadas com o objetivo de arrecadar fundos para atividades escolares. Em março de 1967, o Clube das Mães de Lakeside, como a organização oficial era conhecida, tomou emprestado um espaço num edifício de escritórios no centro da cidade e, em três dias, arrecadou cerca de 3 mil dólares, o bastante para alugar um teletipo ASR-33, de última geração, e pagar por tempo de computador suficiente para começar.

O curioso desse milagre é que ninguém sabia usar o troço. O sr. Dougall esgotou seus conhecimentos de programação em uma semana. Um professor de matemática chamado Fred Wright estudara as linguagens de programação, mas não tinha experiência prática com computadores. Mesmo assim, pressentindo que o terminal era algo bom, a escola apostou que alguém acabaria descobrindo como usá-lo.

Até hoje, passados tantos anos, ainda me surpreende que tantas coisas díspares se juntassem para que eu pudesse usar um computador em 1968. Além do voto de confiança, digamos assim, da parte daqueles professores e pais que conseguiram o terminal, e do golpe de sorte de as pessoas estarem compartilhando computadores através de linhas telefônicas, o que completou o milagre foi a decisão de dois professores de Dartmouth de criarem a linguagem de programação Basic. Com apenas quatro anos naquela época, o "Beginners' All-purpose Symbolic Instruction Code" [Código de Instrução Simbólica para Todos os Fins para Iniciantes] foi criado para ajudar estudantes de áreas não técnicas a iniciarem na programação de computadores. Uma de suas características era usar comandos como GOTO, IF, THEN e RUN, que faziam sentido para seres humanos. Foi o Basic que me fisgou e me fez querer voltar.

Na parede ao lado do terminal, um professor prendeu meia folha de papel com as instruções mais rudimentares, incluindo como fazer o login, e que teclas pressionar em caso de erro. Também incluía o alerta ameaçador de que digitar "'PRINT' SEM UM NÚMERO DE REFERÊNCIA PODE LEVAR À PERDA DE CONTROLE".

A página incluía um exemplo de programa escrito em Basic instruindo o computador a somar dois números.

```
Ready...
10 INPUT X, Y
20 LET A=X+Y
30 PRINT A
40 END
```

Foi provavelmente o primeiro programa de computador que digitei. A elegância das quatro linhas de código apelava para o meu senso de ordem. A resposta instantânea foi como um choque elétrico. A partir de então, escrevi meu primeiro programa de computador — um jogo da velha. Fazer aquilo funcionar me obrigou a pensar pela primeira vez nos elementos mais básicos das regras do jogo. De cara, aprendi que o computador era uma máquina burra, que só dava um passo se recebesse uma instrução, independentemente das circunstâncias. Quando eu escrevia um código impreciso, o computador não conseguia inferir ou adivinhar o que eu queria dizer. Só depois de cometer muitos erros é que entendi isso. Quando finalmente acertei, a sensação de realização superou em muito o resultado. Um jogo da velha é tão simples que até crianças aprendem na hora. Mas foi uma vitória fazer uma máquina executá-lo.

Eu adorava o fato de o computador me obrigar a pensar. Era

totalmente implacável com a falta de rigor mental. Exigia que eu fosse consistente em termos lógicos e que prestasse atenção nos detalhes. Uma vírgula ou um ponto e vírgula fora do lugar bastavam para que ele não funcionasse.

Para mim, era como resolver os problemas de uma prova de matemática. Programar não exige habilidades matemáticas (além do básico), mas demanda a mesma rigorosa abordagem lógica necessária para resolver problemas, decompondo-os em partes menores e mais manejáveis. E, assim como na solução de um problema de álgebra, há diferentes maneiras de escrever programas que funcionem — alguns são mais elegantes e eficientes do que outros —, mas infinitas maneiras de escrever um programa que falhe. E os meus falhavam o tempo todo. Só com muita perseverança, obrigando-me a pensar de maneira inteligente, é que eu conseguia convencer um programa a funcionar à perfeição.

Outro programa que escrevi nessa época foi um jogo de pouso lunar. Eis o problema: pousar com segurança um módulo na Lua sem arrebentá-lo e antes de acabar o combustível. A partir disso, precisei decompor o problema em etapas. Tinha que resolver como o jogador movimentava o módulo para a esquerda e para a direita, para cima e para baixo, de quanto combustível dispunha, a rapidez com que queimava. Também precisava descrever sua aparência e exibir a nave com traços e asteriscos na tela.

Não muito tempo depois que a Lakeside instalou o terminal, o sr. Stocklin escreveu um programa que continha um loop infinito, ou seja, ficou rodando continuamente até alguém, afinal, pará-lo — mas não antes de ter gastado nosso precioso orçamento de mais de cem dólares conquistados com a venda de coisas usadas. Não sei se teve coragem de voltar a aparecer naquela sala. Foi uma lição para todos nós.

Para evitar o acúmulo de gastos, eu escrevia o máximo possível do meu programa com caneta e papel antes de disputar um lugar na máquina. Com a máquina offline para evitar cobrança pelo tempo de uso, eu digitava, e o programa era impresso num rolo de fita de papel de dois centímetros e meio de largura. Era o primeiro passo. Depois eu discava o telefone — usando o disco giratório ao lado do terminal — e esperava o zumbido do modem confirmar que eu estava conectado. Em seguida, inseria minha fita, e "chug-chug-chug", o programa processava à impressionante velocidade de dez caracteres por segundo. Finalmente eu digitava "RUN". Em geral, havia um grupo de meninos aguardando para usar o computador, de forma que, se meu programa não funcionasse, eu tinha que fazer logoff e achar um lugar para descobrir onde tinha errado, e aguardar minha vez de voltar ao teletipo.

Esse ciclo de feedback viciava. A sensação de ficar cada vez melhor era uma injeção de adrenalina. Escrever programas era resultado de uma combinação de habilidades que eram fáceis para mim: o pensamento lógico e uma capacidade de concentração por longos períodos. Programar também alimentava a necessidade persistente que eu tinha de estar sempre me pondo à prova.

A atmosfera daquela sala de computadores era uma mistura (quase sempre) saudável de cooperação e competição. Éramos uma espécie de *mosh pit* de adolescentes tentando superar uns aos outros. Uma diferença de dois ou três anos é irrisória na ordem do universo, mas parece muito se você tem treze anos, é franzino para a sua idade e falta um tempo indefinido para ser atingido pelo surto de crescimento da adolescência. Kent e eu estávamos entre os mais novos do grupo. O ar de superioridade de alguns dos meninos mais velhos nos irritava.

Eu era um aluno do oitavo ano muito confiante nos meus poderes cerebrais e convencido de que minha intensidade me permitia fazer qualquer coisa que os mais velhos fizessem — e ainda melhor, ou pelo menos mais rápido. Eu estava decidido a não deixar ninguém passar na minha frente. Kent também odiava que tentassem deixá-lo para trás, talvez até mais do que eu.

Um aluno do segundo ano do ensino médio chamado Paul Allen percebeu isso de imediato e soube explorá-lo muito bem. "Bill, você que se acha tão esperto, veja se descobre como isto funciona." Foram algumas das primeiras palavras que ouvi da pessoa com quem eu viria a fundar a Microsoft anos depois. Isso se passou poucas semanas depois que a Lakeside abriu a sala de computadores e um grupo de meninos disputava tempo na máquina. Sem instruções além de alguns livros usados dos professores, todo mundo tentava descobrir como escrever seus primeiros programas.

Com quinze anos, Paul era dois anos mais velho do que nós e se achava muito mais descolado. A posição social que cavou para si mesmo era a de Homem do Renascimento, capaz tanto de dizer qual era o peso de lançamento de um ICBM [míssil balístico intercontinental] quanto de identificar as mudanças de acorde numa música de Jimi Hendrix. Era um guitarrista de respeito e encarnava aquele estilo; era o único que ostentava costeletas. Diferentemente de muitos de nós, Paul já se interessava por computadores havia um bom tempo, inspirado pelo que tinha visto na Feira Mundial e pelo que lera em volumes e mais volumes de ficção científica. Dois anos antes, no oitavo ano na Lakeside, Paul aproveitou seu discurso de formatura para traçar um futuro brilhante de uma teia de computadores interligando nossa sociedade e até previu que, em algumas décadas, os computadores seriam capazes de pensar.

O que ele ainda não tinha feito até aquele outono na sala de computadores era de fato usar um computador. Claro, com Paul me espicaçando, lancei-me à tarefa de descobrir como usar a máquina, disposto a ser o primeiro a escrever programas mais complexos do que os outros meninos.

Uma forma qualquer desse cenário se repetiu muitas vezes até fora do terminal. O padrão era este: Paul me provocava. "E aí, Bill, acho que você não vai dar conta de resolver este problema de matemática", e então eu quebrava cabeça com o problema para provar que dava. Outras vezes o desafio era: "E aí, Bill, aposto que você não consegue vencer — preencha o nome de qualquer um dos presentes ali na sala — no xadrez". Eu sempre mordia a isca. E topava qualquer desafio lançado por Paul, até resolver/vencer/terminar. De forma geral, essa dinâmica viria a definir as relações entre mim e Kent, de um lado, e entre Paul e seu amigo, também aluno do segundo ano, Ric Weiland, do outro. Paul e Ric compartilhavam o interesse por dispositivos eletrônicos, um hobby que, no caso de Ric, deve ter sido despertado pelo pai, engenheiro da Boeing que inventara um componente essencial para a montagem das asas. Anos antes, Ric tinha montado com relés elétricos um computador muito simples, mas capaz de rodar o jogo da velha. Ric era mais reservado e cerebral, menos competitivo do que Paul. Separados pela diferença de idade, éramos rivais; como um grupo de quatro, Paul, Ric, Kent e eu nos tornamos amigos.

    Com o passar das semanas, muitos daqueles que tinham brincado no terminal iam perdendo o interesse e se afastavam, deixando o terreno para um grupo menor e mais dedicado. A escrita de códigos era um nivelador social. Idade não tinha importância se você pudesse escrever bons programas e resolver problemas interessantes. Um aluno do último ano chamado Bob McCaw criou um programa de cassino do zero. Seu colega de classe Harvey Motulsky tentou ensinar o computador a jogar Banco Imobiliário. Eu me empenhava em expandir o programa de Banco Imobiliário para que o computador pudesse jogar sozinho. Kent modificou programas de matemática copiados de um livro da Rand Corporation. Juntos, descobrimos como combinar substantivos, verbos, adjetivos e sintaxes para criar um gerador de frases aleatórias, uma versão muito primitiva dos chatbots de IA que apareceriam décadas depois. Ele juntava frases, e ríamos muito das histórias malucas que contava.

Em retrospecto, percebo que esse surto de criatividade foi o resultado intencional de uma orientação brilhante — ou talvez deva dizer falta de orientação. Fred Wright, o professor de matemática, era o supervisor da sala de computadores. Jovem, com menos de trinta, havia sido contratado pela Lakeside dois anos antes. Encaixava-se perfeitamente na escola, um professor que ficava maravilhado quando os alunos desbravavam caminhos próprios para encontrar uma resposta. Mais tarde, tive Fred como professor, e ele observava, com ar divertido, enquanto eu me esforçava para resolver problemas de geometria usando álgebra, feliz da vida por me deixar explorar uma trilha menos eficiente, sabendo, intuitivamente, que eu acabaria descobrindo uma outra, mais fácil e melhor.

Fred empregava a mesma filosofia para administrar a sala de computadores. Nada de ficha de inscrição, de porta trancada, de instrução formal (Lakeside ainda não oferecia aulas de informática). Ele mantinha a sala aberta, para que entrássemos quando quiséssemos, certo de que, sem limites, teríamos de ser criativos para descobrir como aprender. De vez em quando, Fred aparecia para separar uma briga ou ouvir um aluno explicar, com grande empolgação, o programa que estava escrevendo. Um aluno chegou a colar um cartaz acima da porta com os dizeres: "Cuidado com a ira de Fred Wright", alusão irônica à supervisão liberal de Fred. Alguns professores achavam que deveria haver uma regulamentação mais rígida sobre o uso da sala de computadores (*O que esses meninos andam aprontando?*). Fred sempre os refutava. Aquilo criava um vácuo de poder que nós, meninos, logo preenchíamos. Desde o início era nosso território, nosso clube. Naquele outono, praticamente vivíamos na sala, num ciclo de escrever programas, ver esses programas darem errado e tentar de novo. Nossas notas foram prejudicadas, os pais ficaram preocupados. Mas aprendíamos, e aprendíamos rápido. Foi a maior alegria que tive numa escola.

Todas as manhãs eu ia para a Lakeside num sistema de caronas organizado pelas mães das crianças dos vizinhos. A viagem de vinte minutos costumava ser silenciosa, todo mundo ainda meio sonolento, ou tentando terminar um dever deixado para a última hora. Minha mãe dividia o volante com outras mães, cada uma dirigindo um ou dois dias por semana. Toda segunda e terça-feira, eu sabia que entraria num Chevelle azul conversível no qual, infalivelmente, a mãe de Tom Rona demonstraria muito mais energia do que qualquer pessoa deveria demonstrar de manhã tão cedo, salvo minha própria mãe. Monique Rona era francesa e, com seu inglês de sotaque carregado, puxava conversa com os sonolentos passageiros. No outono de 1968, falávamos de computadores. Na Lakeside, o dinheiro para pagar pelo nosso tempo de uso do computador minguava. A sra. Rona viria a ser nossa improvável redentora. Em breve, nosso pequeno grupo receberia o mais raro dos presentes: acesso gratuito a um dos mais poderosos computadores disponíveis.

Quando criança na França da Segunda Guerra Mundial, Monique Rona desempenhou um papel na Resistência Francesa, servindo como isca para desviar os soldados alemães das casas nas quais judeus se escondiam. Mais tarde, estudante da Sorbonne, em Paris, casou-se com um estudante de engenharia, e depois da guerra o casal emigrou para os Estados Unidos, onde ele se formou pelo MIT e ela estudou matemática. Uma oferta de emprego na Boeing os trouxe para Seattle, onde o marido veio a ser cientista sênior; a sra. Rona conseguiu emprego como vice-diretora do laboratório de informática da Universidade de Washington. (Naquela época, era raro esse tipo de cargo ser ocupado por mulheres.)

A sra. Rona percebeu meu entusiasmo pelo novo hobby e me fazia perguntas sobre o que eu estava fazendo, arrancando-me do intrigante mutismo em que eu ficava quando refletia sobre algum problema de programação. Com pouco mais de um mês de experiência, eu decerto parecia mais confiante do que deveria. Mesmo assim, ela era curiosa e demonstrava interesse pelo que eu dizia, e nunca me menosprezou.

Por coincidência, naquele outono a sra. Rona estava estabelecendo em Seattle uma das primeiras empresas de time-sharing de computador. Por meio do laboratório de informática da universidade, ela entrou em contato com um vendedor da Digital Equipment Corp., empresa da área de Boston pioneira na fabricação de minicomputadores. A DEC se estabeleceu no início dos anos 1960 vendendo pequenos computadores potentes — eles eram chamados de minicomputadores — para instituições de pesquisa e laboratórios universitários que não precisavam dos mainframes caros da IBM ou de outros grandes fabricantes. Com o tempo, a DEC se tornou mais sofisticada e, em 1966, começou a vender um computador chamado PDP-10, que era muito mais potente do que seus primos minicomputadores, mas ainda mais acessível do que os principais mainframes. E era voltado para o time-sharing.

A sra. Rona, o representante da Digital e os outros cofundadores (também do laboratório de informática da Universidade de Washington) identificaram uma oportunidade na área de Seattle, onde grandes companhias como a Boeing vinham ampliando o uso de computadores, e empreendimentos menores poderiam ser incentivados a também se informatizarem. A equipe alugou a máquina PDP-10 de última geração e deu à empresa o nome de

Computer Center Corp., ou CCC. Como nerd de matemática, eu não poderia deixar de chamá-la de "C ao Cubo".

Enquanto isso, na Lakeside, nosso novo hobby ia ficando cada vez mais caro. Os minutos se acumulavam. Ciente disso, a sra. Rona escreveu uma carta para a Lakeside com uma proposta inesperada: se alguns dos jovens programadores da escola a ajudassem com o CCC, a empresa nos daria — e esta é a parte maluca da história — *acesso gratuito* ao seu novo computador DEC.

Num sábado de novembro de 1968, meu pai me deixou na nova sede da C ao Cubo, onde encontrei o sr. Wright, Paul, Kent, Ric e alguns alunos do último ano da Lakeside. O escritório ficava perto da Universidade de Washington numa antiga concessionária Buick, de onde dava para ouvir o trânsito da Interstate 5. Do outro lado da rua, um camarada que se dizia anarquista logo abriria o Morningtown Café, um ponto de encontro de hippies, onde, pelos doze meses seguintes, eu comeria centenas de fatias de pizza de peperoni.

Por fora, a C ao Cubo parecia mesmo a concessionária de carros que tinha sido, com uma diferença: através das enormes janelas que antes certamente exibiam Electras e Skylarks, via-se uma longa fila de terminais de teletipo iguais aos que tínhamos na Lakeside. Um engenheiro da C ao Cubo nos mostrou todo o lugar. Explicou que a empresa planejava iniciar suas atividades no fim do ano. Isso lhes dava dois meses para garantir que o novo computador ficasse pronto para o desafio de gerenciar talvez centenas de usuários ao mesmo tempo.

Algum contexto: hoje, qualquer empresa que adquira um sistema de computador espera que ele execute um software completamente testado para confiabilidade, segurança e estabilidade. Não era assim em 1968. Empresas como a DEC e a concorrência, incluindo IBM e GE, ganhavam dinheiro com hardware — os chips, as unidades de armazenamento em fita e os processadores que compunham o computador propriamente dito, tudo aquilo que ficava dentro da caixa do tamanho de uma geladeira e nos dispositivos conectados. O software foi uma reflexão tardia, uma ideia que ocorreu depois, de valor tão baixo que era oferecido de graça. Mesmo quando um cliente alugava ou comprava um computador, seu sistema operacional (o software que controla as principais funções do computador) muitas vezes exigia uma quantidade imensa de testes e muita depuração antes de ficar pronto para intenso uso diário.

Foi aí que nós entramos. Para ajudar a melhorar seu software, a DEC fez um acordo com a C ao Cubo. Enquanto a nova empresa encontrasse e relatasse erros, a DEC abriria mão da taxa mensal de aluguel. Em termos de indústria, isso se chama "teste de garantia" — e costuma envolver um determinado período para o cliente ter certeza de que seu novo sistema de computador funciona como prometido. A C ao Cubo viu nisso uma oportunidade para protelar ao máximo o pagamento pelo uso do sistema.

O acordo firmado pela sra. Rona nos dava livre acesso ao sistema deles, com a única condição de que, quando a máquina pifasse ou fizesse alguma coisa estranha, nós documentássemos o ocorrido. Paradoxalmente, "quebrar" a máquina era uma coisa positiva. Preferiam que os adolescentes encontrassem um problema antes dos clientes pagantes. Além disso, quanto mais erros registrados, mais tempo sem pagar aluguel. A C ao Cubo precisava de macacos. Macacos com martelos.

6. Tempo livre

Depois que Monique Rona recrutou ajuda, a antiga revendedora de carros que abrigava sua empresa se tornou nossa segunda casa. Em dezembro de 1968, Kent, Paul, Ric e eu passamos horas intermináveis na C ao Cubo, codificando, depurando programas e compondo relatórios de bugs. O ano-novo chegou e passou, e os sábados viraram tardes de dias normais, que por sua vez avançavam noites adentro. Enquanto os outros garotos da Lakeside estudavam, praticavam esportes, frequentavam a igreja ou dormiam, nós estávamos na C ao Cubo, brincando com um computador caro e avançado, a custo zero. Por sorte, aquele foi um dos invernos com mais neve da história de Seattle — mais de um metro e meio —, o que para nós foi uma dádiva, pois as aulas foram suspensas na escola, e eu passava esses dias na C ao Cubo.

Sabíamos que uma hora seríamos expulsos de lá. Como crianças se atirando ao chão para pegar os doces de uma *piñata* arrebentada, era preciso aproveitar ao máximo antes que aquilo acabasse. Era isso que, numa noite daquele inverno, eu remoía no meu quarto. *Por que estou perdendo tempo aqui quando poderia estar usando o computador?*

Era por volta das dez horas. Meus pais estavam no andar de cima. Kristi estudava no seu quarto. Abri silenciosamente a janela do meu, pulei para fora e me esgueirei por baixo do deque e pela lateral da casa. Em poucos minutos cheguei ao Hospital Infantil, onde tomei o ônibus nº 30, de Laurelhurst-Ballard à Roosevelt Way. Caminhei quatro quadras pela avenida e cheguei à C ao Cubo. Vinte minutos de casa até lá.

Essa foi a primeira de incontáveis noites em que saí sorrateiramente naquele inverno e nos anos seguintes. Eu voltava para casa com os funcionários do hospital que tomavam a linha noturna nº 30. Quando perdia o último ônibus, às duas da manhã, voltava a pé, uma caminhada de 45 minutos, durante a qual repassava mentalmente os códigos, ignorando os estudantes que saíam dos bares e cafeterias. Ninguém parecia se importar com o fato de um garoto estar sozinho tão tarde da noite. Olhando o chão diante de mim, eu virava à direita na 45th Street e, em seguida, percorria um longo caminho em direção ao meu bairro. Se quisesse tomar a rota mais pitoresca, atravessava o campus da Universidade de Washington e passava pelo enorme aterro perto da casa de Boomer, então era só subir a colina até minha casa. Entrava pelo quintal e pela janela do quarto. Algumas horas de sono e então: "Bom dia pra vocês, bom dia pra vocês, bom dia, bom dia, bom dia pra vocês".

Como meus pais e eu havíamos chegado a uma trégua, eles estavam mais tolerantes. Mesmo assim, não teriam permitido que o filho de treze anos saísse de madrugada. Kristi sabia das minhas escapadas, e sou grato a ela por jamais me ter delatado. Nunca fui uma pessoa matinal, mas acho incrível que minha mãe não tenha notado que eu andava mais sonolento do que de costume.

É impossível exagerar o quão excepcional foi para nós quatro essa época de uso grátis do computador. Ainda éramos garotos: Kent e eu estávamos no oitavo ano, e Paul e Ric, com quinze anos, já estavam no segundo ano do ensino médio. Não tínhamos nenhuma experiência concreta com computadores. O filho de Monique Rona acreditava que a mãe, com seu inusitado passado de militante infantil nos tempos de guerra, tinha uma confiança inabalável nas crianças, ciente de que seriam capazes de lidar com a responsabilidade. Imagino que, sendo uma mulher na área de tecnologia na década de 1960, vivera a experiência de terem passado por cima dela inúmeras vezes, sendo desconsiderada, desvalorizada. Gosto de pensar que o apoio dela era motivado pela vontade de garantir que aquilo não se repetisse conosco.

Conheci muita gente bem-sucedida que me contou como, depois de se apaixonar por seu campo profissional, teve de se dedicar por um tempo com foco e empenho. Nesse período é que o interesse bruto se transforma em habilidade real. No livro *Fora de série: Outliers*, Malcolm Gladwell menciona que são necessárias 10 mil horas de prática deliberada para se atingir um alto nível de habilidade — seja compondo música, seja jogando tênis. E ele me inclui como exemplo no caso da programação de computadores. Acrescento um comentário a essa regra: sem a sorte do tempo grátis de uso do computador — das minhas primeiras quinhentas horas, digamos —, as 9,5 mil horas restantes talvez nem sequer tivessem ocorrido.

No início, o que a C ao Cubo ganhou com esse esquema foi, tenho certeza, bem decepcionante. Ficávamos brincando à toa com o poderoso computador para ver o que acontecia se fizéssemos algo idiota. Nossos primeiros relatórios de bugs costumavam ser algo do tipo: "Se você gira todos os cinco rolos de fita ao mesmo tempo, alguma coisa estranha acontece. Quando se programa o computador para fazer dez tarefas, cada qual buscando alocar memória o mais rápido possível, o computador congela". Macacos empunhando martelos.

Mas aprendemos.

Com frequência, muito depois de Kent e Ric terem ido para casa, Paul e eu continuávamos diante dos terminais, parando apenas para comer algo ou assistir a um filme no Neptune Theatre, que ficava na mesma rua. Esse período, que na verdade só durou uns quatro meses, forjou um estilo de trabalho que eu manteria por décadas. Sem me preocupar com o custo ou com o tempo, eu mergulhava em um momento de foco total. Assim que terminava parte de um programa, podia testá-la no computador, que imediatamente mostrava se eu estava certo ou errado. Tente algo; veja se funciona. Se não funcionar, tente de novo com algo diferente. O computador funcionava um pouco como uma máquina caça-níqueis que nos mantém presos por meio de pequenos pagamentos a intervalos aleatórios. Em vez de moedas, o computador me mantinha interessado ao confirmar que partes do meu programa poderiam funcionar. E eu adorava o desafio mental de tentar ver se conseguia aumentar a frequência desses pagamentos.

Esse mecanismo que se retroalimentava só aumentou a nossa sede de aprender mais. Não tínhamos como assistir a tutoriais do YouTube — não existia internet. E os manuais eram raros. Do manual de computação da Rand Corporation mencionado anteriormente que Kent conseguiu emprestado, ele copiou à mão programas de matemática e uma maneira de calcular as populações dos estados. Depois que arrumei um exemplar de uma brochura fina intitulada *Introdução à programação*, fiquei tão preocupado com a possibilidade de perdê-la que enfiei a capa dela no rolo da máquina de escrever da minha mãe e datilografei: "Bill Gates é o dono deste Livro. Ele precisa dele. Devolva-o para ele!".

A escassez de manuais se devia ao simples fato de que não existiam muitos especialistas. A maioria dos melhores programadores trabalhava para o governo, muitas vezes em projetos secretos, ou em algumas poucas universidades de ponta, como Dartmouth, MIT e Stanford. Havia um punhado de nomes conhecidos, em geral chefes de laboratórios em cursos universitários de alto nível. Um deles, John McCarthy, um professor na Stanford, havia inventado o time-sharing, o sistema que estávamos usando, e era um pioneiro no campo da inteligência artificial. Seus alunos, por sua vez, criaram as primeiras técnicas, linguagens e ferramentas de programação. Por sorte, alguns desses brilhantes discípulos acabaram em Seattle e na C ao Cubo, onde faziam parte da equipe técnica da empresa.

Na época, não atentei ao fato de estar a apenas um ou dois graus do pioneiro em time-sharing e inteligência artificial. Mas essa proximidade acabou nos beneficiando. Vez ou outra, os programadores da C ao Cubo nos mostravam fragmentos dos seus programas, sugestões fascinantes do que poderiam nos ensinar. Queríamos ver muito mais, porém a timidez nos impedia de pedir.

Acabamos encontrando outra solução. Ao fim de cada jornada, o lixo da empresa era levado para fora. E no meio desse lixo havia folhas descartadas do formulário contínuo usado no computador — de 38 centímetros de largura, com perfurações em ambos os lados, e impressas com linhas de código, referentes aos programas nos quais os engenheiros da C ao Cubo haviam trabalhado durante o dia. O código era incompleto, apenas fragmentos do pensamento deles capturados pelas impressoras matriciais em folhas por vezes amassadas, por vezes rasgadas. Certa noite, quando todos os funcionários tinham ido embora, Paul e eu fomos até os fundos do prédio para ver o que havia na caçamba de lixo. Paul me ergueu e me segurou pelas pernas enquanto eu vasculhava os descartes do dia — copos de isopor e restos de comida, em meio a tiras retorcidas de papel como uma hélice dupla que se tivesse desfeito. Essa primeira tentativa não resultou em nada proveitoso, mas voltamos lá muitas outras vezes. Paul era mais alto e mais forte, então sempre me levantava. Mais leve e ágil, eu cuidava da busca em si.

Vasculhando a caçamba do lixo certa noite, encontramos um monte de formulários recobertos com colunas de números e comandos concisos como ADD, SUB, PUSH e POP. Depois de levá-los para dentro, espalhamos tudo sobre uma mesa. Bingo! Eram instruções para porções do sistema operacional do PDP-10. Essas instruções — o código-fonte — eram algo que extrapolava nosso conhecimento. E eram também completamente enigmáticas, apenas linhas de código que teríamos de descobrir, por meio de engenharia reversa, para que serviam. Mas aquelas folhas amassadas e manchadas de café eram a coisa mais estimulante que já tínhamos visto.

A impressão fora escrita em linguagem de máquina, o código mais fundamental que um programador pode usar. O código de máquina permite que você escreva programas que rodam muito mais rápido do que qualquer coisa que você possa criar em uma linguagem de alto nível como Basic, mas é trabalhoso, exigindo que os usuários definam explicitamente cada passo que o computador deve dar para executar uma tarefa. Por exemplo, em Basic, instruir o computador a exibir "Olá" requer apenas um único comando (PRINT "Olá"), enquanto em código de máquina esse mesmo trabalho pode exigir 25 linhas de instruções caractere por caractere. Para um novato, o código era quase impenetrável, uma linguagem secreta falada apenas por verdadeiros especialistas — e por essa razão eu queria aprendê-la.

Mais ou menos na mesma época, Paul quebrou o gelo com Steve Russell, um dos programadores da C ao Cubo que viera do MIT e era famoso por ter criado um video game antigo e viciante chamado *Spacewar!*, no qual dois usuários tentam abater espaçonaves com torpedos de fótons. Quando Paul comentou que queríamos aprender linguagens mais avançadas, Steve nos emprestou os manuais do PDP-10, com detalhes sobre o código de máquina e o funcionamento interno do seu sistema operacional — chamado TOPS-10 —, que estávamos tentando decifrar a partir da nossa coleta no lixo.

Os manuais eram tão preciosos que só tínhamos permissão para examiná-los à noite. Paul e eu ficávamos então esparramados no chão da C ao Cubo, lendo e memorizando juntos noite adentro.

Quanto mais aprendia a codificar, mais eu queria fazer algo real — escrever um programa que pudesse ser de fato útil a alguém. Senti a mesma urgência de alguns anos antes quando me dei conta de que, por mais interessante que fosse meu desenho de uma ponte ou de um foguete, jamais conseguiria reproduzi-lo no mundo real. Mas agora era diferente. Com um computador, eu intuía que tudo o que imaginasse poderia ser concretizado. Em casa, mamãe guardava suas receitas culinárias em fichas, divididas por categorias precisas, numa pequena caixa de madeira. Eu levei emprestadas quatro ou cinco daquelas fichas para a C ao Cubo e criei um programa simples em Basic que, ao receber a instrução "bolo de carne", imprimia a receita do bolo de carne da minha mãe. Na linguagem dos programadores, esse era um programa trivial, mas com ele aprendi as expressões "data" e o comando "read".

A guerra fazia parte do nosso cotidiano. Os noticiários na TV e as capas da *Life* sempre nos informavam sobre as baixas de ambos os lados no Vietnã. Provavelmente me veio daí a ideia de escrever um programa que simulasse uma guerra. O que imaginei nada tinha a ver com *Spacewar!*, um jogo pré-programado cujo objetivo era acumular pontos. Eu queria algo que fosse uma ferramenta, um jeito de simular o mundo real e testar diferentes estratégias e táticas, como se o jogador fosse um general no comando de um dos lados beligerantes. Minha ideia era incluir no código todos os fatores imagináveis que poderiam ser relevantes numa batalha importante. Comecei a fazer isso no papel, criando um mundo virtual numa região litorânea e atribuindo aos lados opostos um exército, uma marinha e uma força aérea. Cada lado tinha o seu quartel-general e campos de aviação, além de tropas, peças de artilharia, carros de combate e canhões antiaéreos para a defesa, bem como caças, bombardeiros, destróieres e porta-aviões para o lançamento de ataques ofensivos.

Durante a coleta de dados, assisti a velhos filmes de guerra, para avaliar a rapidez dos disparos de um canhão antiaéreo, consultei livros na biblioteca para entender as táticas no campo de batalha, e voltei às histórias militares que Kent e eu havíamos lido. Queria que tudo fosse o mais realista possível — não como um jogo, mas como um dos modelos computadorizados que as pessoas já começavam a usar para prever o tempo e antecipar tendências na economia.

Enquanto tentava entender como todas essas peças podiam interagir, percebi que não poderia simplesmente dizer ao computador: "Se isso acontecer, sempre proceda dessa forma". Para torná-lo realista, eu teria de atribuir a cada resultado uma certa probabilidade de que ocorresse. Se um jogador enviava caças contra o quartel-general do adversário, cada jato teria alguma chance de ser abatido por canhões antiaéreos, por exemplo. Mas qual probabilidade? Como não havia nada nos livros da biblioteca, tive de me virar com base no que vira nos filmes e em algumas estatísticas grosseiras que encontrei sobre a quantidade de aviões atingidos ou derrubados durante a Segunda Guerra Mundial.

Semana após semana, meus planos foram ficando cada vez mais complexos. Passei a me concentrar em ajustes na eficácia das tropas em função do tempo que tinham para se recuperar entre os combates, no número de caças necessário para a escolta de cada bombardeiro, na maior probabilidade de os bombardeiros serem atingidos por fogo antiaéreo por serem maiores e mais lentos, nos efeitos das condições meteorológicas em aviões, navios e infantaria... e assim por diante.

Depois desse delineamento geral, passei a traduzir esses cenários na linguagem Basic, linha por linha, no computador PDP-10 da C ao Cubo. Muitas vezes, Ric e depois Kent acabavam indo para casa — seus pais eram mais rígidos quanto aos horários —, enquanto Paul e eu continuávamos a trabalhar em nossos projetos, ele aprendendo o código de máquina e escrevendo seus programas, e eu me dedicando ao programa de guerra.

Eu conseguia vislumbrar com clareza o que queria construir. E tinha convicção de que poderia alcançar esse resultado, mesmo sabendo que estava além das minhas possibilidades naquele momento. Afinal, eu tinha apenas treze anos e estava aprendendo sozinho, ainda que tivesse uma máquina de 500 mil dólares como professora.

Então nossa sorte acabou. No final da primavera, a DEC começou a cobrar o aluguel do computador da C ao Cubo, que por sua vez decidiu que não éramos mais necessários. Ao mesmo tempo, a Lakeside começou a pagar à C ao Cubo pelo uso do computador. A partir desse momento, nós quatro deixamos de ser macacos de teste e passamos a ser clientes. Na escola, o sr. Wright mantinha nossas contas sob estrito controle e, ao fim de cada mês, apresentava uma papeleta listando, numa caligrafia extraordinariamente nítida, quanto cada um de nós devia à escola. Era um privilégio ambíguo ficar no topo da lista — de um lado, dava o direito de nos gabar por sermos os mais radicais; de outro, esse status nos custava dinheiro de verdade.

Quando se é expulso de um castelo, ajuda muito ter passado algum tempo lá dentro, explorando e descobrindo suas passagens secretas. Durante o tempo em que usamos o PDP-10 da C ao

Cubo, eu havia descoberto uma falha importante. Quando fazíamos login no sistema, havia um intervalo de tempo em que, se você digitasse "Ctrl-C" duas vezes, o computador permitia sua entrada como administrador. Ter acesso a um computador como administrador é o mesmo que ter uma chave mestra, um livre acesso a todas as partes do sistema. É possível examinar a conta de cada cliente, ler seus arquivos, ver suas senhas, e até apagar essas contas. Dá para reiniciar todo o sistema ou desligá-lo. Mas não fizemos nada disso. Na verdade, Paul usou o truque para achar algumas senhas, que pretendíamos usar para acessar de graça o computador. Infelizmente, fomos flagrados antes mesmo de pôr o plano em prática. Quando soube que havíamos encontrado um modo de acessar o computador, o sr. Wright avisou à C ao Cubo, que por sua vez informou à DEC. Logo veio uma nova versão corrigida para o login de usuário.

Contudo, não demorou para que conseguíssemos achar uma entrada alternativa também nesse novo sistema.

Por mais leniente e confiante que o sr. Wright fosse, havia algo que não tolerava: a desonestidade. Ele nos convocou ao seu gabinete no prédio McAllister, onde um homem altíssimo com uma barbicha nos aguardava. Achei ter ouvido alguém apresentá-lo como sr. Fulano de Tal, do Departamento Federal de Investigação. Anos depois, Paul diria que o fulano era um representante da C ao Cubo, mas, na hora, com aquele terno escuro, ele parecia mesmo um agente do FBI, falava como um agente do FBI, de forma que não tive dúvidas de que era um agente do FBI. Seja como for, fiquei apavorado. Enfático, ele nos advertiu de que, ao entrarmos ilegalmente no sistema da C ao Cubo, havíamos cometido um crime.

Eu não era um garoto-problema. Nunca roubei nem destruí nada. Nunca me metera em nenhuma confusão nem estava acostumado a ser confrontado por adultos. Essa foi a primeira vez que me senti um tanto envergonhado, para não dizer apavorado. Mais tarde, ao repassar mentalmente a situação, vi as coisas de outro ângulo. Todo nosso trabalho consistia em encontrar falhas no sistema deles. Bem, havíamos achado uma falha importante. Na época, me preocupava a possibilidade de ser suspenso. O que não ocorreu, mas a punição que recebemos acabou me parecendo ainda pior: todos fomos proibidos de acessar os computadores da C ao Cubo.

Oito meses depois de ter acessado pela primeira vez um computador, eles agora estavam fora do meu alcance.

Nesse verão, não me encontrei muito com Paul ou Ric e passei menos tempo ainda com Kent. Sua família foi com seu veleiro num longo cruzeiro pela costa oeste do Canadá durante parte do verão e depois Kent passou um tempo em Washington D.C. visitando outro amigo da Lakeside. Distante dos computadores, Kent deu vazão ao seu interesse pela política.

No ano anterior, mamãe aliviara a pressão para que me dedicasse a atividades extracurriculares, embora a cada quinzena eu fosse de carro com outros garotos até a igreja da Epifania para aulas de dança de salão. (As aulas eram estranhas, mas tinham o benefício de me colocar cara a cara com as meninas quando eu estava começando a achá-las interessantes.) E eu não precisei de persuasão para continuar com o escotismo, algo de que sempre gostei. Com doze anos, juntei-me ao Grupo 186, um dos maiores e mais organizados da minha área. Na época, as caminhadas, os acampamentos e o montanhismo estavam em alta nos Estados Unidos, e Seattle vinha ganhando fama como a meca dos esportes ao ar livre. A rede local de lojas de equipamentos Recreational Equipment Inc. (mais conhecida como REI) estava ampliando rapidamente sua linha de produtos, e o chefe da empresa, Jim Whittaker, tinha sido, poucos anos antes, o primeiro americano a chegar ao topo do monte Everest. Meu novo grupo escoteiro estava afinado com a onda de esportes ao ar livre e tinha como principal razão de ser as excursões para as montanhas. No nosso grupo, havia todo um sistema de atividades, recompensas e progressão na hierarquia como você faria em qualquer outro lugar, mas o interesse maior dos que se tornavam membros do 186 eram as caminhadas e os acampamentos.

Eu participara de uma excursão à praia em que havíamos ficado encharcados no oitavo ano, e de caminhadas mais curtas quando era lobinho, mas não tinha muita experiência de sobreviver na natureza quando fiz minha primeira caminhada de oitenta quilômetros. Logo antes dessa excursão, fomos à REI, e papai comprou para mim uma mochila vermelha Cruiser e caras botas de couro italianas. Na metade do primeiro dia, depois de percorrer uns seis quilômetros, senti os calcanhares ardendo, mas segui em frente. À noite, quando tirei as botas e as meias, os calcanhares estavam tão esfolados que outro escoteiro, mais tarde, comentou que mais pareciam o recheio de um donut de geleia. Um dos pais que nos acompanhavam, um cirurgião otorrino, me deu alguns comprimidos de codeína (as coisas eram mais relaxadas na década de 1960). Anestesiado pelos narcóticos e com a ajuda de outros escoteiros que aliviaram o peso da minha mochila, avancei mancando por mais dois dias e pouco, até o ponto que assinalava a metade do caminho, onde fui resgatado pelo meu pai.

Foi uma humilhação para mim, convencido de que todos me viam como um fracote, o único que não conseguira concluir a caminhada, e o único burro demais para não ter lasseado antes as botas. Para mim, essa caminhada foi um desastre absoluto, sem nenhum atenuante.

Um dos líderes nessa excursão era um garoto chamado Mike Collier, um escoteiro sênior uns cinco anos mais velho do que eu. Todos sabiam que ele tinha muito mais experiência ao ar livre do que até mesmo os adultos do grupo. Seus pais eram entusiastas das caminhadas, e Mike era membro dos Mountaineers, um antigo clube que promovia caminhadas e proporcionava aulas técnicas de montanhismo e de outras habilidades afins. Na altura em que me juntei ao grupo de escotismo, ele e seus pais haviam começado a convidar alguns escoteiros selecionados para acompanhá-los em excursões familiares. Elas sempre envolviam trilhas bem mais difíceis do que as percorridas pelo nosso grupo.

Apesar do meu fracasso na caminhada dos oitenta quilômetros — ou talvez justamente por isso —, Mike e os pais me convidaram para acompanhá-los na trilha que fariam em seguida, durante as férias escolares de junho. Os outros escoteiros que se juntariam a nós, Rocky, Reilly e Danny, tinham treze anos como eu, e estavam loucos para enfrentar as caminhadas. Eu estava feliz por ser incluído e animado com a chance de me testar. Além disso, o convite veio em boa hora, pois a C ao Cubo havia acabado de vetar nosso acesso aos seus computadores, e tudo o que eu tinha era tempo de sobra.

Mike nos contou ter visto um programa de TV sobre a trilha Lifesaving, na costa do Pacífico da ilha de Vancouver, uma área isolada conhecida pelas tempestades, recifes e correntes traiçoeiras — e também como o cemitério de milhares de barcos. No início do século XX, o governo canadense abriu essa trilha de modo que os marinheiros naufragados que chegassem à costa pudessem caminhar até a civilização. Ao longo dos anos, porém, a trilha havia caído em desuso. No programa, uma naturalista local e seu marido percorreram todos os oitenta quilômetros da trilha Lifesaving, e Mike queria refazer esse caminho. Vai ser uma aventura, disse ele: vamos voar de hidroavião, vadear rios e escalar penhascos. Há cavernas para explorar e pequenas enseadas onde podemos nadar.

Ao descarregarmos as mochilas do hidroavião no primeiro

dia, a minha caiu na água. Um começo pouco auspicioso. Assim que começamos a andar, ficou óbvio o motivo pelo qual haviam aberto aquela trilha para marinheiros perdidos. Mesmo que conseguissem chegar à terra, o litoral era tão acidentado e remoto que as dificuldades mal haviam ficado para trás. Rumando para o norte nesse primeiro dia, avançamos pela trilha tomada por espessa vegetação e pântanos lamacentos. De repente a trilha acabava num penhasco, obrigando-nos a descer por longas escadas ou cordas. Em seguida, muito lentamente, retomávamos o caminho por uma praia rochosa antes de subir por outra sequência de escadas ou cordas até a trilha tomada pela vegetação, esgueirando-nos por baixo de enormes árvores tombadas e cobertas de musgo.

Um dos trechos da excursão que mais preocupavam Mike era o da travessia do rio Klanawa. Embora não tivesse uma correnteza rápida, sua profundidade variava de um dia para o outro, dependendo das condições climáticas: chuvas fortes e o escoamento de água das montanhas podiam torná-lo intransponível. Mike então nos enviou pela margem pedregosa para que recolhêssemos galhos flutuantes, em seguida cortou pedaços de corda vermelha de sinalização e mostrou como usá-los para amarrar os galhos e montar pequenas jangadas com as quais nos transportaríamos até o outro lado.

No dia seguinte, encerramos a excursão no pequeno vilarejo de pescadores de Bamfield. Assim que entramos ali, uma mulher idosa nos perguntou: "De onde vocês vieram?". De Seattle, respondemos orgulhosos; acabamos de percorrer a trilha Lifesaving. "Santo Deus!", exclamou ela e nos convidou para sua casa, oferecendo-nos camarões frescos que o marido pescara naquela manhã.

Mais tarde, enquanto esperávamos por uma carona até a balsa, outro morador local se aproximou de nós.

"Algum de vocês é Bill Gates?", perguntou.

Precisando nos avisar de uma mudança nos planos para mais tarde naquele dia, meu pai tinha ligado para uma pessoa qualquer no vilarejo e lhe pedido que transmitisse a mensagem. Achamos aquilo incrível. Era o mais próximo que chegaríamos de Stanley encontrando o dr. Livingstone na margem do lago Tanganica.*

Fiquei viciado em trilhas. Depois dessa primeira excursão, Mike persuadiu os pais a deixá-lo conduzir sozinho outros grupos de caminhada. Por vezes, o grupo incluía mais gente, mas em geral éramos cinco — Mike, Rocky, Reilly, Danny e eu. O jeito natural e leve do Mike me deixava admirado. Embora passasse a impressão de saber tudo o que precisávamos saber nas montanhas, ele nunca era professoral nem impositivo. Preferia conduzir em silêncio, por meio do exemplo, e toda vez que tínhamos de tomar uma decisão importante fazia questão que votássemos. Eu apreciava essa abordagem democrática, mesmo que em geral frustrasse minha esperança de seguirmos pela rota mais curta — como ocorreria dois anos depois na Trilha da Expedição de Imprensa.

Quando voltei para casa depois da caminhada na trilha Lifesaving naquele verão de 1969, minha família e eu seguimos de carro até o canal Hood, onde retomamos as tradições de Cheer io — as mesmas famílias, as mesmas competições, meu pai como prefeito —, que haviam marcado todos os nossos verões até en-

---

* Referência à expedição do jornalista e explorador Henry Morton Stanley, que foi enviado em 1869 para encontrar o missionário e explorador David Livingstone, que estava desaparecido no continente africano. Stanley finalmente encontrou Livingstone em 1871 na Tanzânia, no vilarejo de Ujiji, quando proferiu a frase "Dr. Livingstone, suponho?". (N. E.)

tão. Esse ano, porém, foi especial. Minha avó anunciou que havia comprado uma pequena casa de veraneio no canal. Depois de décadas como visitantes, agora teríamos um lugar para chamar de nosso, uma base na qual minha mãe e minha avó esperavam que continuássemos a nos reunir à medida que envelhecêssemos e nossas vidas ficassem inevitavelmente mais ocupadas. Nesse verão, levamos um aparelho de TV para o canal e o instalamos no alojamento principal para acompanharmos, juntamente com 125 milhões de outros americanos, o pouso da Apollo 11 na Lua. Não costumávamos permitir que o mundo exterior interferisse na vida no canal, mas testemunhar o gigantesco salto para a humanidade dado por Neil Armstrong era algo irrecusável.

Além da caminhada na Lua, esse verão perdurou na minha memória como um período de transição pessoal. Como muitos garotos nessa fase da vida, eu experimentava diversas identidades. Lembro-me de ter a nítida percepção de que o modo como era visto pelos outros mudava segundo as circunstâncias. Em esportes organizados, eu era sofrível. Na caminhada daquele verão, vi que podia ser resistente, era capaz de me arriscar e de me esforçar fisicamente de um modo que ninguém que jogava futebol comigo teria reconhecido. E era um respeitado membro da equipe no nosso pequeno grupo, em que a única recompensa era o companheirismo.

Em Cheerio, os adultos me viam como um deles. Eu organizava atividades para outros garotos, jovens e mais velhos, num grupo que tinha uma bandeira e era apelidado de Clube Cheerio. Sob a minha liderança, nosso pequeno clube não fazia muita coisa além de missões exploratórias nos bosques vizinhos, mas ele despertou uma espécie de entusiasmo e espírito de equipe nas crianças. Isso valia, sobretudo, no caso de Libby, cujo quinto aniversário comemoramos nesse verão. Assumi totalmente o papel de seu protetor e parceiro em brincadeiras; para ela, eu era o irmão mais velho infalível. Eu adorava isso.

Na escola, porém, era outra história. Durante as aulas, concentrava quase toda a minha atenção em buscar oportunidades de fazer piadas, assumir o papel de antagonista a seja lá o que estivéssemos fazendo e dizer algo que eu achava que poderia render risadas, mesmo sendo grosseiro. No ano letivo recém-terminado, havíamos estudado uma peça grega, *Lisístrata*, sobre a qual tivemos de escrever redações, e até mesmo tivemos atores visitantes que a encenaram para os alunos. Como demonstrei meu reconhecimento? Tive a petulância de dizer à mulher que fez o papel principal que aquela não passava de uma peça estúpida, um dos meus vários comentários grosseiros que revelavam mais a meu respeito do que qualquer outra coisa. Eu sempre acabava me remoendo mais tarde por esse tipo de comportamento lamentável.

Na Lakeside, depois do almoço, todos os alunos do ensino fundamental tinham uma hora de estudo antes do início das aulas vespertinas. Para a maioria, isso significava ir até o auditório no segundo piso do Salão Moore e lá permanecer em silêncio estudando sob o olhar atento de um professor. O Salão de Estudos era para as massas, aqueles com notas medianas ou medíocres, ou então os que não prestavam atenção nas aulas. Por outro lado, um pequeno grupo de estudantes com as melhores notas, aqueles que faziam parte da lista de honra, estava dispensado de frequentar o Salão de Estudos e era recompensado com o que se conhecia como Estudo Livre.

Eles dispunham de uma sala própria no primeiro andar, onde, sem nenhuma supervisão, podiam fazer seus deveres ou comparar notas em projeto ou apenas ficar conversando. Se quisessem, tinham permissão até mesmo para sair e ler no pátio ou perambular pelo campus. O Estudo Livre era um direito conquistado, mas que podia ser revogado caso suas notas baixassem. Todos sabiam que os garotos do Estudo Livre eram os melhores alunos de suas turmas.

Para surpresa de ninguém, acabei relegado ao Salão de Estudos. Com notas variadas e péssimo comportamento, era algo que eu merecia. E por um tempo, para ser sincero, eu não estava nem aí.

Claro que Kent logo conquistou um lugar entre a elite do Estudo Livre. Enquanto se afastava com os outros "garotos inteligentes", eu ficava escarrapachado no salão. Mas eu não tinha dúvida de que meu lugar era ao lado de Kent. Se o projeto do mar Negro foi minha primeira grande sacada, a segunda foi que a escola Lakeside não era um local para o piadista. Comecei a perceber que a Lakeside proporcionava liberdade para aqueles que a mereciam. Para quem tinha boas notas ou demonstrava um genuíno interesse por algo, a escola abria espaço para o aluno aprender e crescer. E provavelmente haveria um professor mais entusiasmado disposto a ajudar. Kent entendeu isso de maneira instintiva. Eu, contudo, demorei para me dar conta disso.

Houve outra experiência escolar que ficou na minha cabeça nesse verão. Na Lakeside, os alunos do ensino médio tinham uma equipe de matemática que, todos os anos, participava de uma competição regional que abrangia quatro estados e ganhou alguns anos consecutivos. Ainda que não se comparasse com a nossa glória passada como potência do futebol americano, essa equipe alcançou certo prestígio em determinado grupo da Lakeside. Em 1969, alguns dos melhores estudantes de matemática do ensino fundamental puderam participar da competição. Eu fui um deles. E me saí muito bem, obtendo mais pontos do que quase todos os outros na equipe, o que me alçou, um aluno do oitavo ano, aos melhores estudantes de matemática de todo o ensino médio da região. Claro que isso foi um bálsamo para meu ego. Ainda mais importante, porém, foi o reconhecimento de um membro mais velho da equipe, que havia sido o campeão da disputa. Sem contar a sala de computação, onde os alunos mais velhos toleravam os mais jovens, não havia muita interação entre as faixas etárias; simplesmente não era de bom-tom elogiar garotos quatro anos mais novos. Mesmo assim, o pequeno gênio de matemática mais velho se deu ao trabalho de vir até minha ala e me encontrou. Talvez, como um esquisitão de matemática, ele quisesse apenas conhecer outro esquisitão de matemática promissor. Fosse qual fosse o motivo, fiquei emocionado. Ele foi supersimpático. Parabéns, disse, é muito raro alguém novo ir tão bem.

E logo correu a notícia, para além dos interessados em matemática, que um aluno do oitavo ano havia superado quase todo mundo na escola. Não só isso, mas — surpresa — justamente Gates, que vivia fazendo piadas e não era considerado um estudante superior por ninguém. Refleti bastante sobre tal percepção. E ela começou a me incomodar.

Pela minha emergente visão de mundo, a lógica e o pensamento racional exigidos pela matemática eram habilidades que poderiam ser empregadas para dominar qualquer assunto. Havia uma hierarquia da inteligência: o nível que você alcançasse em matemática era o mesmo que obteria em outras disciplinas — biologia, química, história e mesmo línguas. Esse meu modelo, por mais simplista que fosse, parecia ter se originado na escola, onde senti que poderia traduzir minha habilidade em matemática em outras realizações acadêmicas.

Nesse mesmo verão, no canal Hood, decidi testar essa teoria em mim mesmo. Pela primeira vez na vida, eu me empenharia na escola.

7. Meros garotos?

A Lakeside exigia que os alunos comprassem todos os livros didáticos. Havia na escola um posto bancário no andar inferior, no Salão Bliss, onde os pais tinham conta e depositavam dinheiro. Ao longo do ano letivo, a aquisição de livros e outras despesas (como o nosso tempo de uso dos computadores) eram pagas com cheques. Na livraria — uma mesa instalada diante de uma das salas no subsolo —, o aluno dizia a Joe Nix quais eram suas aulas, ele sumia por alguns minutos atrás das estantes, voltava com uma pilha de livros, e aí a conta era paga com um cheque. Joe era o vigia noturno — uma figura querida, sempre acompanhada de seu pastor-alemão — que também cuidava da venda dos livros. Ele me recebeu com um grande sorriso quando mostrei a ele meus horários na primeira semana de volta às aulas. Todo animado com a minha nova decisão, bolei um esquema que, tinha certeza, seria um enorme sucesso.

Enquanto ele examinava meu calendário de aulas — história antiga e medieval, inglês, latim, biologia e álgebra avançada — eu lhe disse que queria dois exemplares de cada livro. Ele hesitou por um segundo, claramente perplexo com aquele pedido, mas se virou sem falar nada e foi buscá-los. Até hoje não sei se meus pais notaram que, nesse ano, pagaram o valor dobrado.

Meu plano era deixar um exemplar em casa e o outro na escola. Não era tanto pela inconveniência de carregar os livros para todo lado, mas para dar a impressão a todos de que eu não precisava estudar em casa. Eu queria me tornar parte da elite acadêmica — mas não estava disposto a abandonar minha máscara de alguém muito esperto que não precisava se esforçar. Enquanto todo mundo vergava sob o peso de seus livros didáticos, eu voltava para casa todos os dias visivelmente de mãos vazias. À noite, enfurnado no quarto, solucionava e repassava todas as equações de segundo grau, memorizava as declinações latinas e revisava os nomes, as datas e as histórias de todas aquelas batalhas e guerras, deuses e deusas da Grécia antiga. No dia seguinte, chegava à escola fortalecido com tudo o que havia aprendido, mas sem dar nenhuma bandeira de haver estudado. Duvido muito que alguém tenha notado ou se importado com isso, mas, na minha imaginação, todos ficavam perplexos: *Sem livros! Como ele consegue? Deve ser muito inteligente!* Assim era a insegurança de que não conseguia me livrar.

Eu sempre tive a habilidade de hiperfoco. Agora estava me conscientizando de como poderia aproveitar essa habilidade para ter vantagem na escola. Se me concentrasse para valer num tema, absorvendo os fatos, teoremas, datas, nomes, ideias e o que quer que fosse, meu intelecto automaticamente distribuía a informação num quadro estruturado e lógico. E com essa estrutura vinha uma sensação de controle: eu sabia exatamente onde acessar os fatos e como sintetizar o que havia armazenado. De cara, conseguia identificar padrões e formular as questões mais relevantes; quaisquer outros dados que surgissem em seguida, eu conseguia encaixar com facilidade no quadro já existente. Embora soe bizarro, isso me parecia a revelação de um superpoder. Por outro lado, meus poderes não estavam plenamente desenvolvidos. Aos catorze anos, eu ainda não tinha a disciplina necessária para deixar de lado a leitura de mais um livro do Tarzan a fim de tentar entender melhor alguma lição de história.

E eu ainda lutava para focar em assuntos que não pareciam relevantes para minha visão de mundo. Em biologia naquele ano, nós tivemos de dissecar uma planária, um verme platelminto, mas o professor não nos deu nenhuma indicação de por que isso poderia ser importante. Que lugar as planárias ocupavam na hierarquia dos seres vivos? O que supostamente deveríamos aprender neste ou naquele fragmento do verme? Tudo soava muito aleatório. Ele ministrava uma disciplina que poderia ser considerada a mais relevante de todas: a ciência da vida, os sistemas que determinavam a saúde, as doenças, a diversidade das espécies, os bilhões de anos da evolução, e até mesmo as raízes da consciência. Quando mais velho, descobri o que estava faltando e mergulhei de cabeça na beleza e nas maravilhas da biologia. Meu eu do nono ano, no entanto, encarou os fragmentos da planária e pensou que, se é apenas disso que trata a biologia, não entendo sua relevância. E, naquele ano, foi em biologia que tive as piores notas. (Por acaso, o mesmo professor nos dava aulas de educação sexual, que, da forma como foi apresentada por ele, parecia algo tão interessante quanto as planárias.)

Sempre me lembrei do nono ano como aquele em que tirei nota máxima. Mas recentemente me deparei com minha transcrição e fiquei surpreso ao ver uma mistura de notas máximas e mínimas (incluindo uma em biologia). Claramente, a lembrança da minha descoberta havia apagado o fato de que o trabalho com minha disciplina mental ainda estava em andamento. De qualquer forma, minha mãe, que durante anos se preocupou com o tempo que eu passava isolado no quarto, agora, pelo menos, conseguia ver resultado. Aquelas foram as melhores notas que eu já havia conseguido, e elas me deram ânimo para tentar ainda mais. Também fui liberado da sala de estudos.

Assim que decidi baixar a guarda e mostrar aos professores que era curioso e tinha interesse em aprender, comecei a florescer. Uma raiz da palavra "educação" é o termo latino "educere", que significa "liderar" ou "extrair". A maioria dos meus professores da Lakeside intuiu que poderia extrair mais de mim desafiando-me. Eles perceberam que era importante para mim provar que eu era inteligente, capaz de fazer um comentário perspicaz em sala de aula ou entender leituras extras que eles me davam.

Devorei todos os livros recomendados pelo meu professor de física, Gary Maestretti. Nas muitas conversas que tivemos fora das aulas, ele sabia como direcionar a minha energia frenética para questões capazes de ampliar a minha perspectiva. Ele dinamitou a noção da ciência como uma coleção de fatos comprovados, a serem memorizados mecanicamente; em vez disso, apresentava a ciência como uma maneira de pensar o mundo, um esforço permanente para se contestar fatos e teorias consolidadas. Ao longo da história, os pesquisadores que se tornaram famosos foram aqueles que haviam comprovado que os "fatos" aceitos durante gerações ou séculos estavam errados e propuseram ideias melhores.

O exemplo citado pelo professor Maestretti que mais me impressionou foi o de que, no início do século XX, muitos físicos estavam convencidos de que a maioria das grandes questões em sua área haviam sido solucionadas. Graças a Newton, Maxwell e tantos outros pioneiros, podíamos calcular como atuavam as forças da gravidade, da eletricidade e do magnetismo. Os cientistas também tinham uma explicação decente para a composição dos átomos.

Mesmo nessa época, porém, os físicos já constatavam fenômenos que não conseguiam explicar completamente, como os raios X e a radioatividade descoberta por Marie Curie. Então, menos de uma década depois, Einstein mostrou que as leis de Newton proporcionam as respostas corretas para as situações mais comuns, mas por razões erradas. Na realidade, o universo é muito mais estranho do que haviam imaginado os cientistas até então. A matéria pode curvar o espaço e a luz. O movimento e a gravidade podem ambos retardar o tempo. A luz comporta-se como partícula e também como onda. As novas teorias da relatividade e da mecânica quântica viravam de ponta-cabeça até mesmo o entendimento que os cientistas tinham da história, do funcionamento e do futuro do universo.

Após estudar física na Lakeside, foi a vez da química e do laboratório de Daniel Morris. O dr. Morris, como era chamado por todos na escola, era um ex-engenheiro químico que obtivera seu doutorado em química orgânica na Universidade de Yale. Era o professor que havia patenteado um método aperfeiçoado de isolar o aminoácido triptofano. Com seu jaleco branco característico, tomando café em um bécher, o dr. Morris combinava perfeitamente com a imagem que eu tinha de um cientista. Algo escrito por ele na introdução de seu livro didático dá bem uma ideia do que procurava transmitir a todos seus alunos na sala de aula: "Parece que esquecemos qual é a verdadeira pedra fundamental da ciência: a crença de que o mundo faz sentido".

Lembro de ficar fascinado com os anúncios de que uma supercola era capaz de consertar qualquer coisa. "O que faz dela tão incrivelmente adesiva?", perguntei ao dr. Morris. Ele encorajava questões motivadas pela curiosidade como essa e as aproveitava como um momento de aprendizado. A cola, explicou, é composta de pequenas moléculas que tentam se ligar entre si, mas que são impedidas por aditivos que a mantêm no estado líquido. Quando comprimida entre duas superfícies — inclusive seus dedos, se você não tomar cuidado —, a presença da umidade neutraliza os inibidores, liberando a cola para se solidificar quase instantaneamente.

Como o sr. Maestretti, o dr. Morris enfatizava a sobreposição de disciplinas que permite ao conhecimento científico se expandir e se aprofundar ao longo do tempo. Sua figura histórica favorita era um químico francês do século XIX chamado Henry Louis Le Châtelier, que formulou um princípio sobre mudanças no equilíbrio de um sistema. O dr. Morris procurava exemplos do dia a dia para ilustrar isso, como explicar por que o refrigerante continuava com gás se a garrafa fosse esvaziada até a metade e voltasse a ser tampada. (Nunca esqueci a resposta: o gás efervescente de fato escapa do líquido para o espaço vazio, mas a pressão dentro da garrafa acaba voltando a aumentar o suficiente para o gás se dissolver outra vez no refrigerante tão rapidamente quanto saiu.)

Para o dr. Morris, o princípio do "equilíbrio dinâmico" era um modo elegante de organizar a maior parte da disciplina em termos gerais, e de compreender inúmeras reações químicas mais especificamente. A química pode ser um tanto quanto maçante de estudar, uma arrastada série de tarefas de memorização. O talento do dr. Morris era despojá-la de complexidades e revelar modelos simples que fizessem sentido para seus jovens alunos.

O dr. Morris mudou minha visão de como poderia ser uma vida alicerçada na ciência. O estereótipo na época era de uma pessoa com monomania devotada a uma questão muito restrita e esotérica que praticamente ninguém mais conseguia — nem sequer queria — compreender. Mas o dr. Morris era profundamente dedicado a uma vasta gama de interesses. Ele tocava clarinete, regia um coral, pesquisava geometria quadridimensional e — para particular deleite de seus jovens alunos — era um profissional licenciado de pirotecnia. Com sua ajuda, produzimos um líquido que explodia ao ser tocado; alguns alunos o passaram em grampeadores e até no assento de privadas. (Minha versão dos fatos na época era que eu não estava entre eles, e sustento a alegação.)

A ciência me arrebatou em parte porque atendia à minha necessidade de ordem e organização, e porque oferecia o tipo de enquadramento reconfortante e satisfatório que eu já havia encontrado na matemática. Também era algo empolgante para o modo altamente racional com que eu via o mundo. Em resumo, a ciência requer um intelecto extremamente curioso e que seja capaz de se controlar por meio da disciplina e do ceticismo. Eu era atraído pela maneira como pensavam os cientistas, constantemente indagando a si mesmos "Como sei isso?" e "Como poderia estar equivocado?".

Os professores na Lakeside me proporcionaram a dádiva de uma outra perspectiva: questionar o que se sabe — o que se acha que é verdade — é a maneira de o mundo progredir. Essa era uma mensagem intrinsecamente otimista numa época impressionável da minha vida.

Depois que fomos banidos do castelo da C ao Cubo, Paul conseguiu autorização para frequentar uma sala de computação da Universidade de Washington, onde passou todo o verão aperfeiçoando suas habilidades como programador. Ele não contou nada a esse respeito para Kent ou para mim porque, confessou mais tarde, nós parecíamos jovens demais para passar por universitários e ele temia que, se aparecêssemos por lá, acabaria perdendo seu acesso. Na metade do ano letivo, ele nos compensou conseguindo que fôssemos de novo aceitos na C ao Cubo. Nessa altura, as relações com a empresa tinham melhorado, e eles haviam pedido a Paul que os ajudasse na programação.

Assim, depois de seis meses afastado dos computadores, voltei a frequentar a C ao Cubo com Paul e retomei o trabalho na minha simulação de guerra. Pouco a pouco, consegui que partes dela funcionassem. Eu imprimia o programa, assinalava os trechos problemáticos, introduzia o novo código e imprimia tudo de novo. No final, a tira de papel de computador se estendia por mais de quinze metros. Algumas partes do programa rodavam muito bem quando vieram más notícias: a C ao Cubo iria fechar. Com pouco mais de um ano de existência, a empresa não havia atraído uma quantidade suficiente de clientes importantes. A demanda por tempo de computador ficara abaixo do previsto. Além disso, a Boeing, o maior empregador de Seattle, enfrentava sérios problemas. As encomendas das companhias de aviação haviam diminuído e a Boeing havia contraído grandes empréstimos para desenvolver seu primeiro avião de grande porte (o 747), de forma que a Boeing se viu obrigada a demitir dezenas de milhares de funcionários. Em consequência, a economia de Seattle entrou em declínio, prejudicando muitas empresas. (No ano seguinte, alguém mandaria instalar na rodovia 99 um outdoor que se notabilizaria com os dizeres: "O último que sair de SEATTLE apague a luz".)

Num sábado de março, Paul e eu estávamos na C ao Cubo trabalhando freneticamente nos nossos projetos enquanto o pessoal da mudança embalava tudo o que não estava parafusado no piso. Em certo momento, levaram até mesmo nossas cadeiras. Paul e eu fomos para o chão e continuamos a digitar ajoelhados diante dos terminais. Minutos depois vimos uma das cadeiras rolando pela Roosevelt Way na direção do lago, como se tentasse escapar do pessoal da mudança, e não pudemos conter o riso.

A perda do acesso grátis era um problema para mim. Eu havia proposto o programa de guerra como projeto final da disciplina de história. Agora, sem os meios para levá-lo adiante, teria de inventar outra proposta. No início dessa primavera, eu decidira ler o Novo Testamento. Depois de frequentar a escola dominical desde a primeira série, no ano anterior eu havia sido crismado, o ritual pelo qual passam os jovens que querem confirmar seu compromisso com uma vida cristã. Mas, sem ter certeza da minha fé, e como fazia toda vez que tinha de esclarecer algo, recorri à leitura. Calculei que, se lesse cinco capítulos por noite, daria conta dos restantes 252 capítulos do Novo Testamento em cerca de cinquenta dias. No final, terminei um pouco antes e aproveitei para ler obras sobre o cristianismo, entre as quais *Dear Mr. Brown*, um conjunto de cartas fictícias endereçadas a um jovem empenhado em "desenvolver seriamente uma filosofia inteligente de vida", segundo o autor, Harry Emerson Fosdick. Essa era uma boa descrição de mim, e ainda que não me tenha convencido de todas as conclusões de Fosdick, elas foram levadas em conta nas minhas reflexões.

O trabalho que entreguei acabou sendo, em parte, um relato da simulação de guerra e, em parte, minha análise do Novo Testamento. Em alguns trechos, tentei expressar o que sentia em relação a Deus e à minha fé. (Em seu comentário, o professor de história escreveu: "Projeto bem ambicioso + bem realizado, embora, vez ou outra, não tenha conseguido decifrar sua caligrafia".)

"Caro Paul, imagino que você deva estar se sentindo solitário sem nós, por isso decidi escrever", assim começa uma carta não enviada que escrevi algumas semanas depois do fim daquele ano letivo. Eu acabara de voltar de outra aventura com Mike Collier e três escoteiros mais jovens. Havíamos percorrido de novo a trilha Lifesaving, desta vez na direção oposta àquela do ano anterior. A carta me lembrou da diversão inocente e livre daquelas viagens. Nós cinco nos apertamos no fusca de Mike, as mochilas amarradas no bagageiro do teto. Em algum ponto durante a viagem de quatro horas, enfrentei um garoto chamado Phil numa competição para ver quem conseguia prender a respiração por mais tempo. Perdi. Seu tempo extraordinário de dois minutos e dez segundos superou em muito o meu, de um minuto e quarenta segundos, conforme escrevi a Paul, a quem também informei do relevante fato de que o irmão mais novo de Phil devorou meu saco de cookies em forma de animais já nos cinco primeiros minutos da viagem.

Na balsa que tomamos à noite, os garotos mais jovens não puderam conter um ataque de riso constrangido ao espiar sobre os ombros de um sujeito que folheava uma *Playboy* enquanto Mike se debruçava sobre mapas e eu lia um livro — provavelmente Robert Heinlein ou algum outro autor de ficção científica. Em Port Alberni, pegamos uma carona numa barcaça que levava toneladas e toneladas de gelo, e contemplamos de queixo caído um grupo de homens e mulheres que esvaziaram incontáveis garrafas de vinho. Ficamos acordados até tarde, nos perdemos no caminho, comemos cachorros-quentes no café da manhã e salvamos um cão que havia escorregado por uma encosta íngreme.

Escrevi a carta poucos dias depois, do barco dos Evans, que estava ancorado num lugar conhecido como Pirate's Cove [Angra dos Piratas]. Concluída a caminhada pela trilha, Mike me levara de carro até a região sul da ilha, onde me encontrei com Kent e seus pais. Na semana anterior, haviam velejado desde Seattle e me convidaram para passar os dez dias seguintes com eles. Seguimos então de barco para o norte, até a enseada Princess Louisa, um estreito corpo de água incrivelmente bonito onde as montanhas se erguem desde a beira da água até quase 2,5 mil metros de altura. Nadávamos e líamos, e à noite nos divertíamos com jogos de tabuleiro. Kent gostava de Stocks and Bonds [Ações e Títulos], um jogo que simula a administração de uma carteira de investimentos em meio às oscilações do mercado e a notícias relevantes ("presidente da empresa hospitalizado por tempo indeterminado"). Vence quem chegar ao final com a carteira mais valiosa. Embora com empresas fictícias, o jogo ensinava sobre atividades do mundo real: vendas de ações, mercado aquecido, índices de preços e lucros, e rendimentos de títulos. Como muitos dos meus amigos de caminhadas, Kent tinha um saudável temperamento competitivo, mas preferia os jogos que tivessem uma aplicação no mundo real.

Foi nessa viagem que conheci melhor os pais de Kent. E notei o quão próximos eram dele. Pouco antes de mudar para Seattle, Marvin, o pai, se aposentara do seu trabalho em tempo integral como ministro unitarista ao receber uma pequena herança do lado materno de sua família. Os pais de Kent dedicavam esse tempo livre a conviver com os dois filhos. Único pai sem um emprego fixo, Marvin estava sempre disponível para, com o seu Dodge Polara 1967, nos levar de um lado para outro em Seattle. Kent e eu sentávamos no banco traseiro e, de quando em quando, ele se voltava para trás e, com um reconfortante sotaque sulino, nos perguntava sobre o que estávamos discutindo ou outros assuntos.

Pensando agora, percebo como as dificuldades iniciais de Kent devem ter afetado a família. Quando bebê, sua fenda labial era tamanha que ele nem conseguia comer. Mary e Marvin achavam que ele cresceria impossibilitado de falar, que acabaria isolado, enfrentando obstáculos pelo resto da vida. Na década de 1950, as deficiências físicas eram menos aceitas; creio que alguns parentes até sugeriram que o bebê fosse encaminhado para adoção. Cirurgias, terapia e uso de aparelhos na boca acabaram corrigindo o pior da parte física. Quanto aos outros temores dos pais, o resultado não poderia ser melhor. Mary e Marvin descobriram que, ao crescer, Kent não se deixara abalar por seu atribulado começo: na verdade, exibia um nível de autoconfiança e maturidade muito alto para a idade. Não demonstrava nenhum receio de experimentar novos desafios; tinha alta expectativa em relação a si mesmo e certeza da sua capacidade para ser bem-sucedido. Em reconhecimento a essa autoconfiança, os pais tratavam Kent como adulto. E penso que, por extensão, ele também se via como tal.

Quando conheci Kent, velejar, e ser bom nisso, era parte crucial da sua personalidade. Uma de suas coisas mais estimadas era uma reprodução do quadro *Breezing Up*, de Winslow Homer, uma representação de um homem e três meninos num pequeno barco à vela inclinado pelo vento forte, e que Kent mantinha num grande painel de cortiça na parede do seu quarto. Ele gostava tanto do quadro que fez uma viagem especial a Washington D.C. apenas para ver o original na National Gallery.

O barco no qual estávamos naquele verão, um Pearson de 35 pés, comprado havia pouco, era um tipo de chalupa grande o suficiente para cruzeiros maiores pelo Puget Sound. Eles o batizaram de *Shenandoah*, em homenagem ao rio que corria em sua Virgínia natal. Kent, David e os pais saíam para velejar assim que começavam as férias escolares e só voltavam no outono com a retomada das aulas, visitando lugares — como Pirate's Cove — que mais pareciam ter saído dos livros de aventuras juvenis dos Hardy Boys: Desolation Sound, Secret Cove, Sunshine Coast. A mãe de Kent anotou cuidadosamente os detalhes de cada dia em um grande e pesado livro de registros, com a capa gravada em dourado: *Diário de bordo do iate Shenandoah*.

A extensão da minha experiência com vela começou e terminou com um tipo local de barco de compensado barato conhecido como Flattie. Depois que minha irmã Kristi ficou interessada em velejar, também tive algumas aulas, em parte para acompanhá-la. Como moradores de Laurelhurst, tínhamos acesso ao clube de praia do bairro, que soa mais chique do que era de fato — uma simples faixa de areia com mesas para piquenique e uns poucos ancoradouros. No verão, o clube promovia competições de barcos do tipo Flattie. Como equipagem, Kristi e eu preferíamos os dias de vento fraco quando o nosso peso-pluma nos conferia alguma vantagem. Tudo isso para dizer que, antes de embarcar no *Shenandoah*, os pontos altos da minha carreira de velejador haviam sido umas poucas tentativas, movidas a adrenalina, de chegar a uma boia antes de um adulto num daqueles Flatties.

Durante nossa viagem, Kent conduziu o barco enquanto seguíamos para o norte. Ele checou as marés e o sensor de profundidade de modo que não encalhássemos ao entrar no Malibu Rapids, a estreita entrada para a enseada Princess Louisa. Ficava atento ao indicador de vento aparente, a fim de fazer os ajustes nas velas e na posição do barco. E sabia como fazer a navegação estimada — determinando a posição do barco com base nas cartas —, conhecia o significado das diversas bandeiras e onde deviam ser hasteadas. Nos nove dias que passei a bordo, testemunhei o mesmo empenho para dominar uma habilidade que, no ano seguinte, despertaria o interesse de Kent pelo montanhismo.

Nesse verão, a maioria das nossas conversas girava em torno de computadores. Havíamos aprendido muito no ano e meio ou mais passado desde os nossos primeiros programas. Mas o que poderíamos fazer com aquilo que aprendemos? Ganhar dinheiro? Kent estava convencido de que isso era possível.

Agora os tipos de carreira que discutíamos passaram a se concentrar em negócios. O bisavô de Kent acumulara uma pequena fortuna vendendo árvores frutíferas e outras plantas cultivadas em seu viveiro. Kent tinha orgulho desse legado e sentia que estava fadado a encontrar o próprio caminho para a riqueza. Comentei o que ouvira a respeito de negócios de amigos dos meus pais, como o fabricante do desfibrilador cardíaco Physio--Control. Kent me incentivou a ler a *Fortune* e o *The Wall Street*

Journal. Ele, por sua vez, adotou a aparência de um empresário, comprando uma enorme pasta, mais apropriada a um vendedor de meia-idade do que a um adolescente. A "monstruosidade", como ele a chamava, sempre estava apinhada de revistas e artigos. Ele a levava por toda parte. Bastava abrir e tinha acesso instantâneo a uma biblioteca.

Assim como havíamos avançado penosamente por biografias de generais e políticos em nossas explorações anteriores de opções profissionais, agora desencavávamos na biblioteca relatórios de empresas para ver quanto ganhavam os executivos locais. Kent e eu ficamos espantados ao descobrir que um amigo dos meus pais, o presidente do maior banco da região, recebia cerca de 1 milhão de dólares por ano, o que nos parecia uma fortuna, até que deparamos com o valor das ações a que ele tinha direito.

"O cara tem 15 milhões de dólares!", exclamou Kent. "Já pensou se ele pedisse para receber tudo em notas?" Ficamos especulando o espaço que todo esse dinheiro ocuparia em seu carro.

Tentamos imaginar como poderíamos, um dia, ganhar um montante desses. Claramente, uma das maneiras era fazer carreira num banco, ou inventar um equipamento médico que salvasse vidas, ou chegar ao topo de uma empresa como a IBM. Nós lemos uma matéria da *Fortune* sobre o promissor mercado para acessórios de computadores: impressoras, acionadores de fita, terminais e outros equipamentos acopláveis aos computadores, a maioria dos quais era produzida pela IBM. (A ideia de que *programar* computadores poderia ser uma via para a riqueza não era sequer sugerida naquela altura). O setor de software simplesmente não estava entre eles. Não em Seattle. Nem em nenhuma outra parte. Mesmo assim, a esperança era de que nossas habilidades como programadores poderiam nos render algum dinheiro. Tal como os garotos que cortavam a grama dos jardins, porém de modo mais divertido.

Foi Kent que teve a ideia de fingirmos ser associados a uma

empresa a fim de recebermos catálogos de produtos pelo correio. Naquela época, as revistas de computadores, como *Datamation* e *Computerworld*, vinham com cartões que você enviava para obter informações sobre a Sperry Rand, a Control Data e uma dúzia de outras companhias que já não existem mais. Kent passou então a enviar todos os cartões que encontrava. Tenho certeza de que, no fim da década de 1960, muitos vendedores de computadores imaginavam que o endereço "1515 Woodbine Way" (a casa de Kent) era a sede da empresa Lakeside Programming Group. Esse nome era propositalmente vago — se o chamássemos de "clube", em vez de "grupo", talvez desconfiassem de que éramos apenas um bando de garotos, e não uma corporação legítima. Havia nesse nome uma protoempresa e o núcleo da ideia de que alguém, um dia, poderia nos pagar pelas nossas habilidades.

Meus primeiros anos no ensino médio coincidiram com a chegada de um novo diretor à Lakeside. Dan Ayrault fora professor na escola antes de tirar um ano sabático para fazer seu mestrado. Ele regressou como diretor durante o tumultuado crepúsculo dos anos 1960, quando todas as instituições, escolas e negócios enfrentavam dificuldades de adaptação. A resposta da Lakeside poderia ter sido redobrar sua investida em tradições que por tanto tempo haviam servido tão bem à instituição, coisas como uniformes e exigir que os alunos chamassem os professores de "mestre". Em vez disso, ela afrouxou suas diretrizes. O uniforme deixou de ser obrigatório, permitindo que abandonássemos o terno e gravata e passássemos a usar o que hoje em dia seria chamado de *business casual*. Para os padrões da época, foi uma postura radical, e alguns pais protestaram que a reputação da escola estava se deteriorando. Dan tentou cultivar maior diversidade em nossa escola predominantemente branca com um programa para acolher mais alunos negros. Foi uma tentativa modesta, sem dúvida, mas deixou a Lakeside um pouco mais afinada com os novos tempos.

Em seu ano sabático, Dan viajara pelos Estados Unidos para conhecer escolas independentes e concluíra que os alunos se saíam melhor quando ficavam livres de restrições. Ele sonhava com um mundo "sem estudos compulsórios", como afirmou ao jornal da escola naquele outono. Os jovens deveriam descobrir suas próprias motivações para aprender. Conseguindo isso, seriam bem-sucedidos. Mais tempo livre, mais aulas eletivas, mais formas não tradicionais de aprender resultavam em alunos mais motivados.

A ideia me agradava. Assim como um dos caminhos que ele sugeria na busca desse intento: garotas. Para poder lidar com a maior liberdade, os meninos precisavam de uma dose de maturidade, acreditava Dan. "Os meninos parecem se portar com maior decoro, maturidade e disciplina quando há garotas por perto", disse ao jornal da escola. Ele admitia que isso podia soar como uma generalização, mas "a meu ver, é um argumento convincente".

Concordo plenamente, pensei.

Assim, foi com certo fascínio que eu e praticamente todo mundo na Lakeside vimos Dan assinar um acordo para uma fusão com a escola exclusivamente feminina St. Nicholas, nas proximidades. A St. Nick era decididamente antiquada. Suas regras de indumentária para as alunas — uma pesada saia de lã, nada de maquiagem ou de bijuterias — podiam ter sido adequadas na década de 1940, mas, no final da década de 1960, estavam completamente ultrapassadas. Com a queda da demanda, a escola havia procurado a Lakeside e proposto uma fusão.

Coube a Bob Haig, um dos professores de matemática do ensino fundamental na Lakeside, a tarefa de tentar integrar os horários de aula das duas instituições. A Lakeside decidiu que a fusão iminente seria uma oportunidade perfeita para informatizar o planejamento das aulas, algo que sempre fora feito — de forma improvisada e imperfeita — com lápis e papel. O sr. Haig pediu ajuda a mim e Kent. Seria um programa complicado de escrever. Por mais que analisasse o problema, não consegui pensar numa maneira inteligente de fazê-lo. Acabamos declinando de seu pedido.

Esperando encontrar tempo para cuidar pessoalmente do projeto, o sr. Haig perguntou a Kent se ele poderia assumir sua aula introdutória de ciência da computação. Kent recrutou o resto do Lakeside Programming Group para ajudá-lo. Nosso primeiro emprego, se podemos chamá-lo assim, foi como professores. Bom, na verdade, estava mais para tutores não remunerados. Apenas crianças ensinando outras crianças.

A aula nunca havia sido ministrada antes. Não tínhamos nem um plano de aula nem um manual. Tivemos de inventar tudo. Cada um de nós ficou encarregado de uma seção. Ric ensinava o que faz um computador; eu me encarreguei da linguagem de montagem (assembler); Paul ficou com a teoria da memória; e em cada uma de suas aulas Kent exibiu um filmete sobre Shakey, o Robô. (Tratava-se então do que havia de mais avançado em inteligência artificial, basicamente uma caixa sobre rodas com uma câmera de TV que podia se mover por uma sala.) Essas aulas nos apresentaram desafios surpreendentes. Conseguíamos descrever o funcionamento de um compilador ou explicar um comando "goto", mas como reagir quando os alunos chegavam atrasados, ou não prestavam atenção, ou faltavam a uma aula? Quando não iam bem num exercício, a culpa era deles ou nossa? Como nos parecia um tanto odioso desanimar os garotos com notas baixas, acabamos distribuindo deliberadamente As e Bs.

O fim da C ao Cubo havia deixado a Lakeside sem um provedor de computadores. No outono de 1970, a escola contratou uma outra empresa, recém-criada, que oferecia acesso compartilhado a um computador. Com sede em Portland, no Oregon, a

Information Sciences Inc. (ISI) cobrava tarifas bem mais altas pelo tempo de uso do computador. Assim, claro, fuçamos até encontrar uma maneira de conseguir usá-lo de graça. E, claro, fomos flagrados antes mesmo de conseguir aproveitar a situação. Kent ficou irritado. De maneira nenhuma iríamos pagar os preços abusivos da ISI! Ele tinha um plano. Pouco depois, a ISI recebeu uma carta bastante formal do Lakeside Programming Group oferecendo seus serviços. Usamos a esfera de letras cursivas da máquina elétrica da minha mãe para dar à carta um tom ainda mais profissional. Nós estávamos convencidos de que era impossível que notassem o truque. Mas hoje tenho certeza de que o que ocorreu em seguida foi graças ao simpático encarregado de vendas da ISI, que sabia exatamente quem eram os programadores da Lakeside e acompanhava nossas atividades. Eles nos contrataram.

A ISI estava empenhada em convencer empresas da área de Portland a digitalizarem suas operações, tal como a C ao Cubo tentara fazer em Seattle. Um cliente da ISI, fabricante de órgãos musicais, queria automatizar sua folha de pagamentos. A ISI então nos encomendou um programa, sem falar em remuneração, alegando que seria uma boa experiência educacional. E preparou um contrato estipulando o escopo da empreitada, incentivando-nos a "exercitarmos plenamente a criatividade no projeto", e estabelecendo o prazo de março de 1971 para a entrega do programa. Nosso "contrato" era datado de 18 de novembro de 1970. Isso nos dava apenas uns quatro meses, o que, percebemos logo, era um prazo bastante apertado.

O primeiro obstáculo era o fato de que a ISI queria que escrevêssemos o programa numa linguagem de computador que não conhecíamos muito bem, com exceção de Ric. Tampouco tínhamos as ferramentas para a tarefa. Assim como martelos e réguas de nível são necessários para construir uma casa, um programador precisa de um editor e um depurador para escrever um software. Enquanto Ric começava a criar um editor, nós corremos para aprender Cobol.

Mesmo que Paul, Ric, Kent e eu nos considerássemos amigos, havia muita competitividade e mesquinharia no nosso relacionamento, e a hierarquia da escola continuava valendo, com os mais velhos vindo antes dos mais novos. Até então, os confrontos haviam sido de baixa intensidade. Porém, com a ISI, algo valioso estava em jogo: tempo grátis para usar os computadores.

Isso pode explicar por que, poucas semanas depois de iniciado o projeto da ISI, Paul decidiu que ele e Ric fariam tudo sozinhos. "Não há trabalho suficiente para todos", explicou. Como membros seniores do Lakeside Programming Group, eles fizeram valer seus privilégios e, na prática, nos afastaram. Kent ficou indignado, reação típica de quando se sentia menosprezado. Eu estava mais calmo. Estava tendo aula de geometria com Fred Wright e gostava de passar o tempo com ele falando de matemática; imaginei que seria bom fazer mais disso. Ainda assim, quando saímos da sala de informática, eu disse a Paul: "Você vai ver como isso é difícil. Você vai precisar de nós".

Não era um comentário da boca para fora. Kent e eu, tendo maior clareza do que Paul e Ric, logo vimos que o projeto seria bem mais complicado do que avaliáramos no início. Qualquer sistema de folha de pagamentos tinha de levar em conta aspectos de finanças, administração empresarial e normas governamentais. O pagamento de funcionários tinha de levar em conta as leis tributárias estaduais e federais, bem como os requisitos da seguridade social. Também era preciso pensar nos pagamentos por licenças médicas e por férias, no seguro-desemprego, na conciliação contábil e nos programas governamentais de títulos de poupança. Isso tudo era novidade para nós.

Ao longo das semanas, Paul e Ric começaram a compreender a complexidade do projeto. Então chamaram Kent de volta.

Cerca de seis semanas depois de nos expulsar, Paul me procurou. Você estava certo, reconheceu. Uma folha de pagamentos é muito mais complicada do que eu imaginava.

Em janeiro, estávamos todos juntos de novo, mas o projeto vinha perdendo fôlego. Ric enveredou por uma trilha obsessiva. O editor se tornou sua única preocupação, algo que lhe parecia tão bem bolado que até poderia comercializar em separado. Por sua vez, Paul começou a perder interesse, dedicando-se cada vez mais a outros programas. Ele não entendia que um contrato era uma *obrigação*? Fiquei irritado com o que me parecia preguiça e falta de profissionalismo deles. Aquela era uma oportunidade de criar um programa de verdade, e Paul e Ric a estavam deixando escapar. Perto do fim do mês, reuni todos e disse que, se Paul queria mesmo que eu participasse, então eu tomaria as rédeas do projeto. E se eu fosse o responsável, caberia a mim decidir o tempo que cada um deles teria de acesso grátis ao computador. Com base numa avaliação própria de quem se empenhava mais, bolei um plano de alocação que dividia o tempo de cada um em frações de onze. Atribuí a Paul um insultante 1/11, e a Ric, 2/11. Kent exigiu que ele e eu tivéssemos partes iguais, então ficamos com 4/11. Paul e Ric deram de ombros e aceitaram. Provavelmente acharam que jamais terminaríamos o programa.

Nessa mesma época, Kent procurou o chefe do laboratório de ciência da computação na Universidade de Washington, explicou nosso projeto e perguntou se poderíamos usar o laboratório. Esse era um exemplo perfeito de Kent se comportando como um adulto e recebendo tal tratamento. Como o laboratório contava com vários terminais, todos nós poderíamos trabalhar ao mesmo tempo, e o local ficava a uma curta caminhada da biblioteca central e das essenciais praça de alimentação da universidade, pizzarias e uma Orange Julius. Tal como no caso da C ao Cubo, havíamos encontrado um castelo que garotos da nossa idade normalmente não podiam frequentar. Porém, tal como a C ao Cubo, isso não durou muito.

Durante o mês e meio seguinte, trabalhamos no laboratório à noite depois das aulas e nos finais de semana, martelando nos teclados nosso programa, batizado de Payrol. O laboratório da universidade fica ainda mais perto da minha casa do que a C ao Cubo. Nessa altura, já virara uma rotina para mim fingir me recolher e sair pela janela do quarto para uma noite de programação. Tenho certeza de que meus pais sabiam, mas então havíamos chegado a um acordo tácito: eu continuaria tirando notas altas e não aprontando, e eles não ficariam no meu pé.

Nem todo mundo se animava com aqueles secundaristas acampando no laboratório, ocupando os terminais durante horas e enchendo as latas de lixo com copos da Orange Julius. Mas quase todos os gerentes do laboratório nos toleravam. Pelo menos até a noite anterior ao fim do prazo para a entrega do programa, quando nos esfalfamos freneticamente para concluir tudo. Paul conseguiu se apoderar de um teclado que lhe permitiria avançar com mais rapidez, mas também necessitava de um dispositivo caro, um acoplador acústico, para conectar o terminal ao computador através de uma linha telefônica. Então decidiu "pegar emprestado" um desses dispositivos num outro gabinete.

Por volta das nove e meia da noite, o responsável pelo acoplador, um professor que não via com bons olhos nossa presença no laboratório, apareceu de repente, furioso com o fato de Paul ter apanhado o dispositivo sem pedir permissão de ninguém e sem deixar um bilhete. Paul replicou que achava não ter feito nada de errado — na verdade, não era a primeira vez que fazia isso e ninguém reclamara! Isso só aumentou a fúria do professor. Ele chamou o diretor do laboratório, que repreendeu Paul. Passada a tormenta, voltamos ao trabalho.

Sem termos dormido quase nada, nós quatro nos reunimos

às sete da manhã seguinte no terminal de ônibus, que ficava numa área especialmente desolada de Seattle, a fim de pegar um Greyhound com destino a Portland, onde apresentaríamos o programa para a ISI. A viagem demorou quase quatro horas. Fomos a pé da estação de ônibus até o escritório da ISI. Fizemos de tudo para parecer profissionais, e não garotos que haviam pedido autorização para faltar às aulas naquele dia. Vestíamos blazers, gravatas, e carregávamos pastas. Seguindo o exemplo de Kent, procurei exalar confiança e descontração: Claro, a gente faz isso o tempo todo. Porém, lá dentro, fui tomado de nervosismo, temendo que os gerentes da ISI nos escrutinassem incrédulos e dissessem: "Vocês não passam de um bando de garotos. Ponham-se daqui para fora".

Mas o que aconteceu foi o contrário. Eles nos levaram a sério. Debruçaram-se sobre o código do programa Payrol, impresso na pilha de formulários contínuos que havíamos trazido. Embora o Payrol precisasse de mais recursos, aparentemente estava avançado o bastante para que ficassem impressionados.

Passamos a tarde inteira na ISI e nos reunimos com os principais executivos da empresa, incluindo o presidente, de trinta e tantos anos. Eles nos levaram a um restaurante sofisticado chamado Henry's para um almoço, durante o qual nossos anfitriões nos contaram da crescente competição entre as empresas de time-sharing de computadores, mesmo sem haver uma explosão na demanda por esse tipo de serviço — o conceito de substituir as funções baseadas em papel, como a folha de pagamentos e o acompanhamento das vendas, por computadores era algo tão embrionário que raras eram as empresas que estavam informadas sobre isso. E nós falamos da nossa experiência de acompanhar a C ao Cubo dar com os burros n'água.

De volta ao escritório, o presidente disse que poderia nos passar outros projetos e pediu nossos currículos. Registrei ali mesmo, a lápis numa folha pautada, minha experiência na C ao

Cubo, a linguagem de máquina que havia aprendido e tudo o que já tentara fazer num computador. A certa altura, Kent mencionou a questão da remuneração. No futuro, disse ele, não nos interessaria ser remunerados por hora de trabalho ou em troca de tempo de acesso. Queríamos ser pagos por projeto ou receber um percentual da venda do que tivéssemos criado. O presidente da ISI concordou com tudo. Antes, porém, era preciso finalizar o Payrol.

Eu já passava a nos ver como figurões. Éramos bons o suficiente para ser levados a sério, e bons o suficiente para escrever um programa. Olhando em retrospecto, reconheço também a ajuda que recebemos de alguns adultos. Nosso principal defensor na ISI, por exemplo, foi Bud Pembroke, que se dedicara durante anos a promover a programação de computadores entre os estudantes do Oregon, formulando currículos e preparando aulas. Aparentemente, ele era apaixonado por educação. Tenho certeza de que foi com esse mesmo espírito que viu a encomenda do projeto àqueles quatro adolescentes. Na Lakeside, Fred Wright foi o fiador adulto do nosso trabalho. Mesmo tendo se mantido à parte, Fred foi quem firmou com a ISI nosso "contrato", em cujo desfecho incluiu uma cláusula adicional isentando a Lakeside de qualquer obrigação de efetivamente entregar o programa, mas deixando claro que "vou fazer de tudo para que os estudantes envolvidos levem este projeto até o fim". Seja o que for que tenham feito para nos assegurar aquele trabalho, esses adultos depois se puseram de lado e permitiram que mostrássemos do que éramos capazes.

Até então, tudo o que havíamos feito com computadores era nos exercitar, sem resultados concretos no mundo real, tal como a negociação de ações e títulos no jogo de tabuleiro de Kent. Era um faz de conta. Agora, contudo, tínhamos mostrado para nós mesmos — e para o mundo, na nossa imaginação — que podíamos criar algo com valor.

Ao deixarmos a sede da ISI, Kent propôs que fôssemos jantar no hotel Hilton, aonde, segundo ele, os empresários de verdade iam comemorar depois de fecharem um negócio. Em vez disso, arrastei todos eles para o Hamburger Train. Com toda a animação, repassamos cada detalhe do dia enquanto escolhíamos batatas fritas e hambúrgueres nos vagões de trem em miniatura que circulavam pela lanchonete.

De volta a Seattle três dias depois, Kent e eu fomos ao laboratório de computação da Universidade de Washington, prontos para nos lançar à nova etapa do nosso grande projeto. Mas deparamos com um aviso na porta anunciando que não era mais permitida a entrada dos estudantes da Lakeside que vinham usando o laboratório. A mulher na portaria nos explicou que o professor do acoplador acústico ficara tão irritado que conseguira que fôssemos expulsos do local.

Sob o olhar de um estudante de graduação, recolhemos todo o nosso material, em sua maioria pilhas de formulários contínuos impressos e blocos de notas. Em seguida, Kent e eu tomamos o ônibus para a Lakeside, na esperança de usar a sala de computação da escola. Mas ela estava fechada durante o fim de semana. Depois de muita procura, conseguimos emprestado um terminal portátil. Nós o instalamos no meu quarto e tentamos conectá-lo ao computador pela linha telefônica, mas toda vez que alguém da minha família pegava no telefone a conexão caía. Quem nos salvou foi meu pai, que nos permitiu usar seu escritório no centro da cidade. Como era final de semana, não havia ninguém mais lá além de nós.

Nunca vou me esquecer da primavera de 1971 por causa do afastamento cada vez maior entre nós — Paul e Ric de um lado, e Kent e eu do outro —, que então parecia grave e que, em retrospecto, não passava de fluxo e refluxo próprios de uma amizade juvenil. Kent e eu ficamos irritados com o fato de Paul ter provocado nossa expulsão da Universidade de Washington, assim como com o desinteresse cada vez maior de Paul e Ric pelos nossos prazos para a ISI. Os mais velhos estavam absortos em seus próprios projetos de programação e também, tenho certeza, desfrutavam seus últimos meses como estudantes do ensino médio.

Então ocorreu o escândalo das fitas DECtape.

Naquela época, unidades de disco rígido e de disquete estavam disponíveis, mas não eram tão comuns. Em vez disso, nos computadores que usávamos — como o PDP-10 —, o dispositivo padrão para o armazenamento de dados era uma fita magnética com oitenta metros de comprimento e quase dois centímetros de largura, enrolada num carretel com dez centímetros de diâmetro. Ela vinha num cassete de plástico que cabia no bolso. (Para gravação e leitura dos dados, os cassetes tinham de ser enfiados numa rebobinadora acoplada ao computador.)

Em algum momento depois do fechamento da C ao Cubo, Kent pesquisou o processo de sua falência e descobriu que os bens da empresa seriam leiloados no Tribunal Federal, no centro da cidade. Nessa liquidação, havia um lote de mais de uma centena de fitas DECtape. Se conseguíssemos arrematá-las por um bom preço, raciocinou Kent, poderíamos revendê-las com lucro para empresas e centros de computação. E provavelmente as fitas estavam gravadas com códigos, mas poderiam ser regravadas por quem as comprasse. Além do mais, antes de revendermos as fitas, poderíamos vasculhá-las em busca de um código útil. Era o mesmo que vasculhar uma caçamba de lixo, mas sem os restos de comida e café.

No dia do leilão, Kent e eu ficamos presos na escola, fazendo um teste de leitura padronizado. Assim que terminamos, corremos para o tribunal. As fitas haviam sido arrematadas, mas o funcionário nos revelou o nome do comprador. Então liguei para ele. Era um estudante de física da Universidade de Washington que, pelo que saquei, não sabia muito bem que fim daria às fitas. Em maio, ele concordou em nos vender 123 delas. Não contamos nada para Paul e Ric, que, nessa altura, haviam deixado de trabalhar no Payrol. Eles se formariam dali a semanas e dedicavam todo o tempo na sala de computação debruçados sobre os seus projetos pessoais. Como havia apenas dois terminais, estávamos constantemente discutindo sobre quem usaria o computador. E, pelo menos uma vez, a coisa ficou tensa. Ric me encurralou contra a parede; Paul arrancou uma caneta-tinteiro da minha mão e borrifou tinta na minha cara. Ele estava me empurrando para fora da sala quando Fred Wright surgiu e nos separou.

Na mesma semana, a tensão entre nós voltou a explodir. Nessa altura, já havíamos comprado as fitas, e Kent guardara cerca de oitenta delas num saco de papel. Chovia forte naquele dia. Temendo que as preciosas fitas ficassem encharcadas quando Kent voltasse para casa de ônibus, nós as escondemos na base oca do terminal de teletipo. Mal conseguíamos conter a alegria pela nossa esperteza. No dia seguinte, porém, não estavam mais lá. Convencido de que Paul havia sumido com elas, Kent perdeu as estribeiras, acusando Paul de roubo e ameaçando chamar a polícia, entrar com um processo, levá-lo a um tribunal e uma litania de outras medidas jurídicas que, mais tarde, relacionou numa lista de agravos que se estendia por três páginas, intitulada "Declaração de Kent Evans e Bill Gates em referência a Paul Allen e Ric Weiland". O parágrafo inicial resumia nossa queixa: "Concluímos que as falsidades e as verdades parciais a nosso respeito a que foram expostos nos últimos dias alguns indivíduos nos causaram um prejuízo considerável. Esta declaração é uma tentativa de apresentar nosso caso de modo que as opiniões não sejam baseadas em informações parciais ou em apenas um lado da história".

Na última página, Kent concluía com grandiloquência: "Fomos vítimas de um furto agravado [...]. Nenhuma ação legal será tomada caso as fitas sejam devolvidas até amanhã de manhã". Assinamos e enviamos o documento ao sr. Wright. Paul acabou nos devolvendo as fitas.

Embora nossa amizade não tenha terminado, era improvável que continuássemos a nos ver com frequência depois daquele ano letivo. Uma vez formado, Paul iria para a Universidade Estadual de Washington, no outro lado do estado, em Pullman, ao passo que Ric seguiria para a Universidade Estadual de Oregon, antes de entrar em Stanford no ano seguinte. Os formandos da Lakeside tinham uma tradição de publicar testamentos zombeteiros, nos quais deixavam como herança presentes jocosos para colegas e professores. No seu testamento, Ric escreveu que "deixava para Kent Evans e Bill Gates uma porção do meu elevado senso de justiça do qual eles tão obviamente carecem nas discussões da sala de computação". Num texto escrito em seu último ano na escola, Paul disse a meu respeito: "Muito sugestionável e sempre pronto a agarrar qualquer oportunidade de se divertir de forma bizarra. Nós nos damos muito bem". O sentimento era recíproco.

Como os únicos membros remanescentes do Lakeside Programming Group, Kent e eu ficamos com a tarefa de terminar o programa Payrol. Trabalhamos nele durante todo o verão, repassando os coeficientes de imposto de renda de cada estado e consultando o Tesouro sobre as regras de dedução dos títulos de poupança. Depois de dedicarmos nove meses a um projeto que imaginávamos que consumiria três meses, concluímos, enfim, o programa em agosto. O melhor de tudo: ele funcionava.

8. O mundo real

"Vamos processá-los!" Kent andava de um lado para outro na sala da minha casa. Foi nas primeiras semanas do meu segundo ano do ensino médio. Estava com quase dezesseis anos, e Kent era um pouco mais velho.

Fiquei em silêncio enquanto Kent reclamava com meu pai sobre o modo injusto como estávamos sendo tratados pela ISI. Depois de todo o esforço que havíamos feito, depois das centenas de horas de trabalho, a ISI se recusava a nos fornecer o tempo grátis de computador que havia prometido. Meu pai, que era advogado, ouvia com paciência, as mãos cruzadas à sua frente.

Kent estava convencido de que meu pai mobilizaria contra a empresa de Portland toda a força do escritório Shidler, McBroom, Gates & Baldwin. Para mim, a reação dele era excessiva, mas, que diabos, como era divertido vê-lo em ação. Eu já tinha aprendido naquela época que sempre que se sentia passado para trás ou via algo no universo que lhe parecia injusto, Kent perdia o controle. Às vezes encontrava uma forma razoável de dar vazão à ira. Naquele mês, por exemplo, escreveu uma dura carta para a filiada local da CBS, protestando contra a demissão de Roger Mudd como âncora do noticiário *Sunday Evening News*. Em outras ocasiões, simplesmente partia com tudo, como no mês de maio anterior, quando acusara Paul e Ric de terem se apoderado das nossas fitas DECTape. Para Kent, o fato de a ISI ter rompido a promessa de nos proporcionar tempo grátis de acesso ao computador equivalia a um furto qualificado.

Com Kent exaurido, meu pai começou a nos perguntar sobre o programa, a última vez que havíamos conversado com a empresa, e o contrato firmado. Ao fim da conversa, disse que ligaria para a ISI. E de fato ligou, naquela hora mesmo.

Ele disse ao presidente da empresa que era o pai de Bill, ligando a pedido dos dois jovens para ver se era possível chegar a um acordo a respeito do tempo devido.

O presidente da ISI falou então por bastante tempo, enquanto meu pai permanecia calado. Quando o sujeito terminou, meu pai se limitou a dizer: "Entendo sua posição".

Não me esqueço até hoje dessa resposta e do tom com que foi dita. *Entendo sua posição*. Para mim, eles captaram a essência do poder silencioso do meu pai. Indiferente aos argumentos do homem, meu pai simplesmente reconheceu que os tinha ouvido; ao não dizer mais nada, deixou claro que não os aceitava. Os meninos entregaram, e agora tinham direito ao que você havia prometido, foi a mensagem implícita que levei — e o presidente da ISI pareceu entender também. Com pouca discussão, ele concordou em nos dar o tempo de computador.

Em seguida, ele nos ajudou a redigir uma carta propondo uma remuneração e outros detalhes. Duas semanas depois, assinamos um acordo para receber o equivalente a 5 mil dólares em tempo de acesso ao computador, o qual, segundo a empresa, teria de ser usado até junho do ano seguinte, ou seja, num prazo de sete meses. Meu pai também firmou o acordo, na condição de "pai/

conselheiro". E como faria qualquer advogado, cobrou por seu serviço: 11,20 dólares para compensar o custo de uma ligação interestadual com a duração de 55 minutos.

É assim que me recordo do nosso desentendimento com a ISI: a empresa agira de forma injusta, e meu pai achou razoável nossa queixa. Olhando em retrospecto, porém, vejo que não foi tão simples assim. Quando iniciamos o projeto, os gerentes da ISI imaginaram estar fazendo um favor a um grupo de garotos, proporcionando-lhes uma rara oportunidade de aprenderem sobre negócios e programação. Não me parece que esperavam que levássemos tão a sério o trabalho. Mas, quando constataram isso, decidiram que merecíamos uma remuneração. Isso até perceberem que, para a elaboração do programa, já havíamos consumido mais de 25 mil dólares em tempo do computador, sem contar os custos de armazenamento. Agora também posso ver que meu pai estava desempenhando um papel parcial em nosso benefício, uma experiência de aprendizado para seu filho e o amigo dele.

Fiquei feliz por termos conseguido o tempo de computador gratuito, mas também adorei o simples fato de termos concluído nosso primeiro produto de software. Nós mergulhamos no projeto sem nenhum conhecimento de assuntos como impostos, seguridade social ou qualquer outro elemento essencial de uma folha de pagamentos. Um ano depois, qualquer gerente de uma empresa de porte médio com um terminal de computador poderia usar nosso programa para pagar os salários de seus duzentos ou mil funcionários. Não era um programa perfeito ou bem-acabado, mas funcionava — só isso me deixava assombrado. E fomos recompensados. Não em dinheiro, mas já era alguma coisa.

Era uma base para construir algo. E naquele outono fizemos de tudo para achar outras oportunidades.

Apresentando-se em cartas como "gerente de marketing" do Lakeside Programming Group, Kent ofereceu a clientes em potencial nossas fitas DECtape. O frete era grátis e fazíamos descontos conforme a quantidade adquirida. Logo fechamos um negócio de centenas de dólares com um museu de ciências e uma empresa de equipamentos industriais avançados, ambos na região de Portland.

Enquanto ainda estava na Lakeside, Ric conseguira um emprego de meio período como programador numa empresa que analisava os fluxos de tráfego no sistema viário na área metropolitana de Seattle. Era um trabalho de alta tecnologia num negócio de baixa tecnologia. A empresa Logic Simulation Co. coletava dados sobre os fluxos de tráfego por meio de caixas instaladas na beira das vias públicas. Quando um carro ou um caminhão passavam sobre uma mangueira de borracha, a caixa registrava o tempo fazendo minúsculas perfurações numa fita de papel. Os municípios e o estado usavam os dados para tomar decisões sobre coisas como o tempo de funcionamento dos faróis e a manutenção das vias. As máquinas geravam rolos e rolos de papel que tinham de ser tabulados manualmente. Por algum tempo, Kent e eu fizemos esse trabalho, muito tedioso. Kent queria expandir e subcontratar garotos mais jovens da Lakeside. Ele entrou em contato com os administradores da escola, e logo estávamos com um punhado de alunos do sétimo e do oitavo ano trabalhando para nós.

Além disso, ainda contávamos com os 5 mil dólares em tempo de computação na ISI. Kent queria encontrar uma empresa interessada em acesso a computador e oferecê-lo com desconto em relação à tarifa normal da ISI. Eu me recusei a fazer isso. Parecia-me pouco ético fazer concorrência à ISI usando o próprio computador deles. Fred Wright, o professor de matemática que supervisionava a sala de computação, era da mesma opinião. Ele ouviu falar do esquema e fez um comentário no boletim de Kent para que os pais dele soubessem qual era a posição da escola. "As atividades do Lakeside Programming Group nem sempre parecem completamente corretas", escreveu. "Fico bastante desconfortável com o fato de pensarem em vender para potenciais clientes da mesma empresa o tempo que a ISI afinal lhes concedeu. Que estejam cientes de que os garotos estão nessa empreitada por conta própria." Kent desistiu da ideia.

Naquele outono, a situação em Lakeside estava caótica devido à fusão com a St. Nicholas. A tarefa de montar uma grade de horários das aulas por meio de um computador, da qual o professor de matemática Bob Haig vinha se encarregando, estava se revelando bem mais complexa do que o previsto. Em setembro, na volta às aulas, alguns alunos descobriram que não existiam alguns dos cursos que haviam escolhido. Outros foram encaminhados para aulas de francês I numa sala já ocupada por alunos de latim II. Os estudantes inundavam os conselheiros com perguntas e formavam longas filas à porta da secretaria. "Dá para mudar isso? Todas as minhas aulas estão agrupadas, e em seguida há quatro períodos livres..."

Havia um incômodo mais profundo. Durante meio século, a escola Lakeside fora um baluarte masculino, com os estudantes acomodados em seu reconfortante isolamento. Muitos achavam que o regime misto corroeria essa cultura familiar. Um dos meus colegas de turma publicou um artigo no jornal escolar lamentando a decadência do time de futebol americano, que atribuía à atmosfera cada vez mais livre e informal, incluindo a "distração" ocasionada pela presença feminina. (E, Deus nos livre, à crescente popularidade do futebol!) Outro argumentou que as mudanças eram insuficientes, ressaltando que três dezenas de garotas não constituíam nenhuma revolução, e que o corpo discente, ainda com supremacia de brancos e homens em sua constituição, estava muito distante de refletir a sociedade como um todo. A grande preocupação de Kent, por sua vez, era a manutenção dos padrões de ensino. Estava convencido — de maneira equivocada, como se veria — de que a St. Nicholas não era tão rigorosa, em termos acadêmicos, quanto a Lakeside. De forma típica para ele, Kent se insinuou nas reuniões do corpo docente para defender sua posição e até ajudou na formulação de um novo plano para se avaliar o desempenho dos professores.

O único problema que tive com a chegada das alunas da St. Nicholas foi que eu não fazia a menor ideia de como conversar com elas. Eu tinha problemas para me comunicar até mesmo com os garotos não nerds da minha idade. Garotas? Além das minhas irmãs e de algumas amigas da família, elas eram de um planeta completamente desconhecido. E o que elas fariam comigo? Ainda era magrelo, com a mesma voz de taquara rachada, mais menino do que adolescente. Havia começado a dirigir, mas não tinha carro. Uma forma de lidar com minha insegurança era me imaginar como um anti-herói, um aspirante a Steve McQueen em *Crown, o Magnífico* — claro que sem a beleza dele. Pouco antes havia assistido ao filme e adorado sua autoconfiança inabalável; McQueen exibia um brio irresistível. O mais próximo que cheguei dessa autoconfiança foi na sala de computação. Quando o professor de física nos propôs um problema que demandava um software simples, eu me instalei na sala de computação, pois sabia que a maioria dos colegas nunca havia lidado com um computador e precisaria de orientação. Alguns desses colegas, pensei, seriam meninas.

No começo do segundo trimestre, tomei uma decisão radical que, esperava, geraria resultados infalíveis: inscrevi-me no curso de teatro. Sem dúvida, o que mais me atraía era a presença de garotas no grupo. E, uma vez que a principal atividade era a leitura dramática das peças, aumentava a probabilidade de acabar conversando com uma delas.

Enquanto eu me empenhava em explorar meu potencial cênico, Kent se dedicava a um novo interesse, o montanhismo. Nesse inverno, estava obcecado pela ideia de participar de uma excursão escolar para escalar o enorme, e dormente, vulcão Mount St. Helens, com botas de neve, crampons e cordas. Devido ao mau tempo, a excursão fora adiada não uma, mas duas vezes. Era um empreendimento sério, bem diferente das caminhadas que havíamos feito juntos, que haviam demandado poucos equipamentos e podiam ser realizadas sob quaisquer condições climáticas. Fiquei surpreso com o impulso de Kent para se familiarizar com as técnicas de montanhismo. Tanto para ele quanto para mim foi um grande salto participar do grupo de teatro. Kent não era nem um pouco atlético; tudo o que envolvesse força ou coordenação era um desafio para ele. Mas era destemido, com plena consciência de suas deficiências e nenhum constrangimento para tentar superá-las. Ele fizera isso no caso do esqui. Depois de algumas aulas, orgulhosamente se gabou de ganhar um troféu por ser o melhor no grupo dos piores esquiadores. Um pequeno vislumbre de progresso era tudo de que precisava.

Apesar do esforço hercúleo no outono por um grupo de professores para ajudar o sr. Haig, os problemas com a grade de aulas persistiam. Em meados de janeiro, Bob se viu diante do conselho da escola tentando explicar o que se passara. Enquanto isso, continuávamos encarregados das aulas de computação de Bob, agora frequentadas tanto pelos alunos do último ano quanto pelos mais novos.

Outro ex-piloto da Marinha e engenheiro da Boeing oriundo da Lakeside, Bob era um professor de matemática talentoso e um dedicado treinador de equipes, mas tinha pouca familiaridade com computadores. Diante da irritação geral com aquela confusão, Kent e eu decidimos tentar ajudá-lo. Encontramo-nos com Bob algumas vezes para discutir como arrumar as coisas antes do trimestre da primavera. Na biblioteca da Universidade de Washington, Kent desencavou anos de literatura acadêmica sobre programas para organizar quadros de horários em escolas de ensino médio, com títulos como "Elaboração de cronogramas escolares por métodos de fluxo". No entanto, nada nessa pilha de artigos foi de grande valia.

Havia uma enorme quantidade de variáveis a considerar, começando pelas necessidades e desejos de centenas de estudantes, cada qual assistindo a nove aulas num dia dividido em onze horários. Acrescente a essa mistura os cronogramas de setenta cursos, divididos em 170 seções, bem como uma imensa lista de restrições específicas: a aula de bateria não poderia ocorrer próxima da sala em que se reunia o coral; enquanto a maioria das aulas ocupava apenas um horário, outras, como os laboratórios de dança ou de biologia, se estendiam por dois períodos. Em termos matemáticos, era um problema nada trivial.

No entanto, quase sem me dar conta, esse era um problema a que me dedicara durante os últimos seis meses. Caminhando para a escola ou deitado à noite no quarto, eu examinava mentalmente as diferentes permutações do cronograma: X número de aulas, Y número de estudantes, e assim por diante, incluindo os vários conflitos e restrições que precisavam ser incluídos na equação.

O mês de janeiro de 1972 foi um dos mais nevados até então registrados em Seattle, o que levou ao cancelamento das aulas. Em 25 de janeiro, uma terça-feira, foram quase vinte centímetros de neve, forçando o fechamento de quase tudo na cidade. Em vez de sair para esquiar ou andar de trenó, fiquei enfurnado no quarto, com uma caneta e um bloco de notas, tentando resolver aquele que era o problema mais complicado que já tinha enfrentado: como atender às necessidades distintas e, em tese, mutuamente excludentes de centenas de indivíduos, de uma maneira compreensível por um computador. Em matemática, é o que se chama de problema de otimização, do mesmo tipo daqueles enfrentados por companhias aéreas para definir os assentos dos passageiros ou por ligas esportivas para marcar os jogos de um campeonato. Comecei então desenhando uma matriz com estudantes, aulas, professores, horários e todas as outras variáveis. Pouco a pouco naquela semana fui refinando a tabela, e pouco a pouco ela foi se tornando mais clara. No sábado, saí do quarto convencido de ter destrinchado os conflitos de forma sistemática — que eu sabia ser compreensível por um computador. E, pela primeira vez naquela semana, o céu estava completamente limpo.

No dia seguinte, domingo, 30 de janeiro, o sr. Haig, pilotando um Cessna 150, levantou voo de um campo de aviação ao norte de Seattle. A temperatura permanecera abaixo de zero ao longo de toda a semana, e a previsão era de sol naquela manhã. Estava acompanhado de Bruce Burgess, um professor de inglês da Lakeside que também era o guru de fotografia da escola. O objetivo deles era capturar uma imagem perfeita do campus nevado da Lakeside, com o monte Rainier ao fundo. Com poucos minutos de voo, tiveram problemas no motor; o pequeno avião se chocou com uma linha de transmissão de energia e caiu num bairro ao norte de Seattle. Ambos os professores morreram.

A Lakeside era uma escola pequena. Os estudantes — assim como suas famílias — eram muito próximos dos professores. Por darem aulas no ensino médio, Bob e Bruce conheciam os garotos desde pequenos e acompanharam toda a trajetória escolar deles. O filho de Bob estava na minha turma. Bruce foi meu primeiro professor de inglês na Lakeside. Vez ou outra, ele irrompia na sala de computação com sua câmera. (Foi ele quem fez aquela que provavelmente é a foto mais conhecida de Paul e eu na Lakeside, erguendo os olhos enquanto trabalhávamos em duas máquinas de teletipo.)

A morte era uma constante no noticiário sobre o Vietnã e a

violência do período. Os assassinatos de Robert Kennedy e de Martin Luther King Jr. haviam deixado o país em choque; mais perto de nós, um líder dos direitos civis em Seattle, Edwin T. Pratt, fora abatido a tiros na porta de sua casa. Mas, na minha experiência, protegida pela riqueza e pelo privilégio de Laurelhurst e da Lakeside, a morte era algo distante. Além do meu avô e da minha bisavó, ninguém próximo de mim havia morrido.

Dois dias depois do acidente aéreo, Dan Ayrault ligou para Kent e para mim e nos chamou para uma reunião com um grupo de professores. O diretor nos incentivou a formar um grupo para concluir o trabalho no cronograma das aulas. E não havia tempo para elaborar um novo programa que aproveitasse a solução que me ocorrera. A fim de aprontá-lo para a primavera, teríamos de achar uma solução temporária. Dan disse que a escola podia nos pagar 2,75 dólares por hora por essa tarefa.

Por maior que tenha sido a pressão que sentimos ao elaborar o programa da folha de pagamentos, o grosso dela vinha de nós mesmos. Não havia a percepção clara de que alguém de fato usaria nosso produto. Já o programa do cronograma escolar nos parecia muito diferente. Toda a escola, toda a *minha* escola, esperava que solucionássemos o problema. E todos ficariam sabendo se falhássemos. Pela primeira vez, eu me sentia responsável por algo que ia muito além de mim mesmo. Kent e eu agora nos cobrávamos: "Esse não é um trabalho escolar. É o mundo real".

Por cerca de três semanas, Kent, eu e mais quatro professores trabalhamos vinte horas por dia, tentando organizar um cronograma viável antes do início do trimestre seguinte. Deixamos de frequentar as aulas e tentávamos não cometer erros à medida que avançávamos pela noite e o cansaço nos invadia. Lembro-me de uma competição de lançamento de elásticos que fizemos, tarde da noite, com um professor de inglês que fazia parte do grupo. Lembro-me de cair no sono sobre o teclado da máquina de perfurar cartões, ciente de que já eram três da madrugada e sem fazer a menor ideia do dia da semana em que estávamos. Lembro-me de um dos professores sugerir que fôssemos para casa por algumas horas para dar um oi aos nossos pais — que não víamos havia muitos dias.

Realizamos a maior parte do trabalho na Universidade de Washington, onde a escola tinha acesso a um computador. Mesmo então, era uma máquina um pouco obsoleta, que fazia o chamado processamento em lotes — executando um programa por vez — e usava cartões perfurados, um sistema hoje extinto no qual o programa é inserido numa máquina que perfurava orifícios em pedaços finos de cartão. O resultado era uma pilha de cartões perfurados. Como o computador ficava no subsolo de um dos prédios da universidade, eu agarrava minha pilha de cartões, caminhava pelo saguão até o elevador, descia até o subsolo e entregava os cartões para o encarregado do computador. Então aguardava. Em algum momento, o operador introduzia os cartões no computador, o qual, em seguida, imprimia os resultados. Qualquer problema no código, por menor que fosse, fazia o computador emperrar. Algo tão ínfimo como um erro de sintaxe na décima linha descarrilhava o programa todo, obrigando-nos a subir pelo elevador e retomar o trabalho, perfurando novos cartões. Do começo ao fim, uma execução de teste de um programa podia se estender por cinco horas. Toda vez que um estudante da universidade perguntava se estávamos ocupados com um projeto da escola, Kent e eu respondíamos com nosso mantra: "Não é um trabalho escolar. É o mundo real".

Por fim, conseguimos fazer com que o programa funcionasse na noite anterior ao fim do prazo. E, na retomada das aulas na primavera, quase não houve fila diante da porta da secretaria da escola.

O programa que elaboramos era uma espécie de protótipo

montado com barbante e cola. Era constituído de pedaços feitos pelo sr. Haig — escritos em Fortran, uma linguagem de computador usada por cientistas e técnicos — e outras partes básicas que juntamos durante todas aquelas noites de trabalho exaustivo. E ainda exigia que uma etapa do processo de organização dos horários fosse feita manualmente, pois não tivemos tempo para incluir essa parte no programa. No entanto, o diretor Dan ficou tão satisfeito que comentou que poderia obter fundos e nos pagar para elaborarmos uma versão nova com tudo o que a escola requeria — e poderíamos fazer isso em Basic, nossa linguagem de escolha. Como sempre, Kent imediatamente vislumbrou uma oportunidade maior. Ele estava certo de que, com nosso êxito na Lakeside, poderíamos convencer outras escolas no país a nos pagarem para organizar sua grade de horários com nosso software. Ele até escreveu uma proposta apresentando outros projetos nossos, incluindo o de cálculo do volume de tráfego, que continuava a pleno vapor. Agora contávamos com o trabalho de três meninos, gerenciados por Chris Larson, do oitavo ano. Criamos folhetos datilografados e os distribuímos pela escola, anunciando que estávamos contratando gente para o Lakeside Programming Group e para a pesquisa de tráfego que fazíamos para a Logic Simulation Co.:

O LPG e a LSC são duas organizações voltadas para a computação e empenhadas em vários projetos de caráter lucrativo. Entre eles, estão a organização de horários escolares, o processamento de estudos de volume de tráfego, a produção de manuais e de "simulações de árvore de falhas". Nesta primavera e verão, possivelmente ampliaremos o quadro de funcionários, que hoje já inclui cinco alunos da Lakeside! Não é uma oportunidade apenas para os "malucos por computadores". Achamos que também precisaremos de gente que saiba datilografar e/ou fazer esboços ou desenhos arquitetôni-

cos. Se você tem interesse, procure Kent Evans ou Bill Gates (ensino médio) ou Chris Larson (ensino fundamental).

O folheto ainda dizia que éramos empregadores adeptos da igualdade de oportunidades.

Essa primavera foi movimentada. Tive de compensar as aulas que perdera durante o trabalho no programa da grade de horários e, ao mesmo tempo, comecei a me dedicar à etapa seguinte do programa. Mesmo com uma grade completa de matérias para estudar, eu continuava encarregado do curso de computação. A agenda de Kent estava ainda mais cheia. Além dos trabalhos escolares, ele estava profundamente envolvido em suas contribuições para o corpo docente da Lakeside, escrevendo um artigo para os administradores sobre o que considerava um relaxamento da disciplina entre os estudantes, e planejando um programa-piloto de ensino de cálculo para alunos do ensino médio. E também iniciou um curso introdutório de montanhismo na Universidade de Washington. Nas noites de segunda-feira, frequentava palestras sobre técnica e, nos fins de semana, praticava nas montanhas e afloramentos rochosos no oeste do estado de Washington.

Como sempre, toda noite conversávamos por telefone, e ele ligava para mim quando chegava em casa das palestras e escaladas. Tal como fizera com os termos de vela, ele passou a usar o vocabulário do montanhismo, salpicando a conversa com palavras como *gri-gri* e *crux, piolets* e mosquetões. Ele me contou como superara o medo em sua primeira grande escalada — a primeira de "classe 5", como disse. (*Difícil, com avanço constante, alto comprometimento e poucos bivaques*, de acordo com um sistema de classificação.) Tanto eu quanto seus pais estávamos contentes por ele. Eles achavam ótimo que estivesse ampliando seus interesses, que se dedicasse a uma nova atividade sem mim, e que fizesse novas amizades entre os colegas da escola e os casais no curso de montanhismo.

Na sexta-feira anterior ao Memorial Day, no fim de maio, depois de semanas discutindo os detalhes, assinamos o contrato com a Lakeside sobre nosso pagamento pela etapa seguinte do programa da grade de horários. A escola concordou em nos dar uma remuneração e pagar pelo tempo de uso do computador.

Nessa noite, como de hábito, Kent me ligou. Não teria tempo para trabalhar naquele fim de semana, ele me disse. Estava de saída para o monte Shuksan, um pico glacial com quase 3 mil metros de altura, a algumas horas ao norte de Seattle, onde faria a derradeira escalada do seu curso. Seus pais haviam discutido se deveria ir; no fim de semana anterior, o grupo fazia uma escalada num local conhecido como Tooth [Dente] quando uma rocha se soltou, e dois dos seus colegas rolaram encosta gelada abaixo e se estatelaram nas rochas. Kent ficara observando enquanto dois helicópteros os levaram de volta para Seattle. No fim, os pais decidiram que ele ficaria bem. Kent sempre se havia mostrado capaz de cuidar de si mesmo. "Ligo quando voltar", disse.

Não me lembro direito do que fiz nesse final de semana. Provavelmente fiquei na sala de computação da Lakeside trabalhando no programa da grade de horários.

Na segunda-feira, 29 de maio, eu estava no meu quarto quando ouvi tocar o telefone e o ruído confuso das vozes dos meus pais através do piso. Papai me chamou do topo da escada e disse que Dan Ayrault queria falar comigo. Subi às pressas, de dois em dois degraus, estranhando que o diretor tivesse ligado para minha casa. Meu pai me levou ao quarto deles, onde minha mãe me passou o telefone.

Dan não fez nenhum rodeio. Ocorrera um acidente durante a escalada, e Kent havia caído. Um helicóptero de busca e uma equipe de resgate o haviam encontrado e levado para um hospital.

Fiquei esperando ele me dizer quando poderia visitá-lo. "Infelizmente, Bill, ele não resistiu. Kent morreu ontem à noite."

Não me lembro de ter desligado o telefone, nem do que meus pais disseram para me confortar. Busquei refúgio em mim mesmo, visualizando mentalmente uma série de imagens, repassando os dias anteriores, tentando encontrar indícios de que aquilo que acabara de ouvir não era verdade. Kent na escola. Kent digitando no terminal e erguendo os olhos para mim. Nós dois conversando ao telefone. *Ligo quando voltar.* Imaginei a montanha e a queda. Dan havia mencionado um helicóptero. Onde é que Kent estava agora?

Tenho uma vaga lembrança de ter ido visitar os pais de Kent na casa deles no dia seguinte com Tim Thompson, outro amigo da Lakeside. Voltamos um dia depois e soubemos que uma cerimônia fúnebre havia sido planejada para a semana seguinte. Seus pais nos pediram para contar a Paul e Ric as trágicas notícias e ver se eles poderiam vir. A lembrança mais clara que tenho é de estar sentado nos degraus da capela da escola, chorando enquanto centenas de pessoas entravam para a cerimônia fúnebre. Os pais de Kent e seu irmão, David, sentados na fileira da frente. O professor de artes, Robert Fulghum, saudando todos os que chegavam. Fiquei ao lado da minha família, os olhos pregados no chão. Robert conduziu a cerimônia. Enquanto amigos e professores se levantavam para compartilhar lembranças de Kent, as palavras deles calaram fundo em mim.

Kent apreciava o lado leve da vida...
Ele lutou pelo que considerava ser correto...

Um jovem que levou seus recursos e sua capacidade o mais longe e o mais intensamente possível...

Nada o deixava tão feliz quanto uma situação frenética, ou confusa, ou complicada...

Inteligente, autoconfiante, era um malabarista capaz de conciliar estudos avançados, montanhismo, ensino...

Um grande articulador e empreendedor, um exímio velejador e o pior artista de Lakeside...

Eu segurava uma folha de papel, na qual anotara meus pensamentos. Talvez tivesse planejado ler aquilo diante de todos, não tenho certeza. Mas não consegui me mover; fiquei congelado no meu lugar. Lá fora, quando tudo terminou, muitos se aproximaram de mim para dizer o quanto lamentavam minha perda. Todos sabiam o quanto éramos próximos: o garoto alto e desajeitado com a pasta, o exibicionista magrelo com uma boca grande. Ambos com uma enorme ambição para o futuro. Era evidente para mim que a compaixão deles era genuína. Ainda assim, nunca poderiam imaginar todas aquelas horas e tudo o que havíamos vivido nelas. As piadas infames que só nós entendíamos. Os intensos surtos de trabalho. Era estranho me sentir na berlinda. Então tive um vislumbre dos pais de Kent. Quem era *eu* para sentir tanta pena de mim mesmo? Aquilo era a tragédia da vida deles.

Essa percepção se consolidou na recepção oferecida pela família depois da cerimônia. Paul, que tinha dirigido por quatro horas e meia desde a sua faculdade, nos levou de carro até a casa da família Evans. Ao chegarmos todos juntos, fomos recebidos pelo pai de Kent, que nos cumprimentou com um aperto de mão. A mãe de Kent estava no sofá, como se estivesse paralisada, aos soluços, toda encolhida em si mesma. Foi então que compreendi que, por maior que fosse, meu sofrimento nunca seria tão devastador quanto o dela. Ele era meu melhor amigo, mas era o bebê dela. Em algum nível, eu sabia que ela e o marido jamais se recuperariam da perda. Nunca me esqueci da expressão de abatimento no rosto dos pais de Kent, tão bondosos e amáveis.

Os amigos de Kent podiam se sentir à vontade para levar para casa qualquer coisa dele que pudesse ter significado, seu pai nos disse. Entrar em seu pequeno quarto — com suas familiares pilhas de formulários de computador e livros empilhados no chão, a enorme mesa feita de uma porta conectando dois armários de arquivo, sua reprodução do quadro *Breezing Up* no painel de cortiça — me deixou muito triste. Parecia doloroso demais levar até mesmo o mais ínfimo daqueles objetos. Agradeci ao sr. Evans e disse que não ficaria com nada.

Mais tarde fiquei sabendo em detalhes o que aconteceu nas montanhas no dia que Kent se foi.

Os alunos de montanhismo e os dois instrutores haviam chegado ao topo do Shuksan no final da tarde. Durante o retorno, eles pararam no alto de uma encosta íngreme acima do acampamento-base, e um instrutor e um estudante desceram por ela a fim de comprovar se era segura para os outros. Houve um momento de tensão quando um dos estudantes no alto deslocou o seu peso, desencadeando uma pequena avalanche que o arrastou encosta abaixo, mas então ele conseguiu se firmar e indicou ao grupo que estava bem.

O alívio durou pouco. Kent tropeçou para a frente e, por uma fração de segundo, virou o rosto para o alto da encosta — os estudantes haviam aprendido que, em caso de queda, deveriam cair com o rosto para baixo, a cabeça voltada para o alto, e usar as machadinhas de gelo para frear o deslizamento — antes de tombar de costas, estatelando-se nas rochas embaixo. Ele ainda estava vivo quando os outros chegaram lá. O grupo construiu um iglu sobre ele a fim de mantê-lo aquecido, enquanto dois membros saíam em busca de ajuda. No grupo, havia dois médicos, que prestaram a Kent todos os cuidados possíveis naquelas condições.

À noite, um helicóptero militar o transportou até um hospital em Bellingham. Mas ele não resistiu e morreu no caminho.

Soube que ele era provavelmente o mais animado dos alunos de montanhismo, ainda que fosse o que mais encontrava dificuldades. Era sempre o último em quase todas as escaladas. Também soube que, à medida que o curso de um mês ia avançando, mais alunos desistiam, por considerá-lo difícil ou perigoso demais. No entanto, Kent estava empenhado em seguir até o fim. Fazia parte da sua índole extrapolar os limites esperados.

Em 1973, uma revista de montanhismo local estampou um pequeno artigo em que chamava o ano anterior de "o pior período de acidentes na história do montanhismo em Washington". E relacionava uma extensa lista de mortes e lesões que haviam ocorrido nas montanhas, incluindo Kent, atribuindo essa quantidade de acidentes, em parte, à popularização dos cursos de montanhismo, que punham gente inexperiente em perigo. O artigo questionava a falta de experiência e de condicionamento físico dos alpinistas. Para ser sincero, também cheguei a pensar nisso. Uma parte de mim estava furiosa com Kent. Não conseguia entender por que ele tinha de se pôr à prova numa atividade tão arriscada quanto o montanhismo. E até hoje ainda guardo um pouco desse sentimento.

Mais do que qualquer outra pessoa que conheci, Kent era movido pela promessa de todos os lugares maravilhosos que conheceria em sua trajetória de vida, desde o êxito profissional até uma viagem por terra através do Peru num Land Rover que compraria em algum momento, de algum modo. Naquele verão, ele planejava trabalhar como ajudante de guarda-florestal, mesmo sabendo que não aceitavam muitos estudantes do ensino médio. Esse otimismo quanto ao que ele — e eu — poderia alcançar era o fio condutor da nossa amizade. Bem como o pressuposto de que faríamos isso juntos.

Quando alguém próximo de nós morre, a reação socialmente esperada é dizer que, desse ponto em diante, continuamos com nossa vida, mas a pessoa permanece conosco. Ou seja, carregamos algo dela que nos serve de guia para seguir em frente. A verdade é que, nessa altura — eu estava com dezesseis anos —, Kent já exercera um impacto profundo na minha maneira de ser. Quando nos conhecemos, eu era um menino de treze anos com uma inteligência bruta e uma tendência competitiva, mas sem outro objetivo senão o de vencer qualquer jogo em que estivesse envolvido. Kent me ajudou a ter direção, me colocando no caminho certo para definir aquilo que eu queria me tornar. Embora ainda não tivesse uma resposta, isso seria determinante para uma série de decisões que tomaria em seguida.

Pouco tempo atrás, li todo o grande diário de bordo com o título em letras douradas do barco da família Evans, o *Shenandoah*, debruçando-me sobre as anotações feitas pela mãe de Kent durante a viagem que fizemos no verão de 1970. E também sobre as notas que ela escreveu na primavera de 1972, que mencionavam toda vez que Kent preferiu escalar a velejar com os pais. Num ponto do diário de bordo, na altura do primeiro terço, ela deixou duas páginas em branco e, no meio delas, havia uma página onde apenas escreveu:

Kent Hood Evans
nascido em 18 de março de 1955
falecido em 28 de maio de 1972
Kent morreu num acidente ao escalar
o monte Shuksan

Ao longo da minha vida, sempre tive a propensão de evitar lidar com a perda: abafando a dor de modo a atravessar as etapas iniciais do luto e, em seguida, me concentrando em alguma distração capaz de me absorver intelectualmente. Na nossa família, não costumamos remoer o passado; sempre seguimos em frente com a expectativa de dias melhores. Em 1972, a preocupação em lidar ativamente com o luto era muito menor do que seria o caso nas décadas seguintes. Aconselhamento não era a norma; você simplesmente seguia em frente. Os pais de Kent lamentaram sua perda inimaginável à sua maneira: três semanas depois da cerimônia fúnebre, partiram rumo ao norte num longo cruzeiro com o *Shenandoah* até Desolation Sound, o lugar predileto de Kent. Antes de levantarem âncora, fizeram uma breve oração no barco.

Também logo depois da morte de Kent, liguei para Paul, de volta à cidade nas férias de verão da universidade. Contei a ele que iria tentar acabar o programa da grade de horários até o final do mês, antes que terminasse o tempo grátis de uso do computador. Ainda havia muito trabalho pela frente. Não comentei nada, mas era importante para mim concluir algo que havia começado com Kent — além disso, a escola estava contando comigo. Mas disse a ele: "Preciso da sua ajuda. Você toparia trabalhar comigo nisso?".

No dia seguinte, estávamos de volta à sala de computação da Lakeside, escrevendo código em tacadas de doze horas e dormindo nos intervalos em velhas camas militares de lona. A escola nos deu chaves mestras para os prédios, permitindo-nos livre acesso ao campus vazio durante o verão, o que para mim pareceu o máximo. Sem dúvida Paul tinha coisas melhores para fazer. Em vez disso, juntou-se a mim nos nossos antigos domínios e instruiu o computador a agendar para um aluno o laboratório de biologia antes do almoço, a dar a outro um período livre às quintas antes do futebol, ou o que quer que os 580 estudantes da Lakeside precisassem para poder encaixar todas as suas aulas numa única grade.

Durante um mês, Paul e eu vivemos naquela sala. Nem consigo me lembrar de todas as vezes que dormi debruçado sobre um terminal, o nariz pouco a pouco encostando nas teclas por uma ou duas horas. Em seguida, despertava de repente e recomeçava de imediato a batucar o código. Às vezes ficávamos tão zonzos que derramávamos lágrimas de tanto rir. A coisa mais insignificante podia provocar esses ataques de riso. Não me lembro dos detalhes dessas noites de privação de sono, ao contrário de Paul. Em seu livro *Paul Allen: O homem por trás do mito*, ele conta que descobrimos uma letra X aleatória que surgira, por algum motivo, nas linhas do código. Isso nos deixou histéricos, e começamos a gritar "X!", "X!", sem parar, como se tivéssemos desmascarado um inimigo oculto.

Toda essa atividade alucinada, vejo agora em retrospecto, era parte do nosso processo de luto, uma missão com base no passado que havíamos compartilhado com Kent e entre nós. Mais do que qualquer outro, Paul entendia o que eu estava passando. Sabia que, para mim, a melhor maneira de lidar com aquilo era mergulhar fundo na complexidade daquele quebra-cabeça de programação — e ele queria estar ao meu lado. Claro que nunca conversamos sobre esses sentimentos. Mas eles estavam lá.

Quando se passa tanto tempo ao lado de uma pessoa, é impossível não criar intimidade. Antes, nunca havia passado muito tempo na casa de Paul, mas o visitei algumas vezes naquele verão. Seu pai era reservado, o que se podia esperar do diretor associado de bibliotecas da Universidade de Washington. Já a mãe era muito amistosa — era evidente que adorava se relacionar — e dava vazão a isso por meio de livros. Com o tempo, eu perceberia que ela era uma das maiores leitoras que já conheci. Havia lido todos os livros que eu conhecia, e centenas de outros de que eu nunca tinha ouvido falar, desde clássicos até romances publicados mais recentemente por autores como Chinua Achebe.

Conhecer melhor a família de alguém naquela idade revela o tanto que se oculta na névoa social da escola e nas máscaras que os garotos adotam em público. Pude ver em toda sua glória a nerdice de Paul, bem como seus pais, que, como os meus, mesmo cientes de que o filho não se encaixava bem na normalidade, ainda assim lhe davam todo o apoio. No porão, Paul montara o que se poderia chamar de um laboratório, que incluía um enorme kit de química e um dispositivo que gerava correntes elétricas entre globos de alumínio — um presente de Natal do pai —, com o qual Paul, certa vez, quase se eletrocutara. Ele mantinha caixas com peças soltas de eletrônica, ferros de soldagem, e um sortimento de outras ferramentas misteriosas — ao menos para mim — que garimpava em lojas de artigos usados. No andar de cima, seu quarto era entulhado, do chão ao teto, com aparentemente todos os livros de ficção científica já publicados. Eu gostava de ficção científica, mas Paul consumia exclusivamente as obras de Heinlein, Asimov, Herbert, Bradbury, Dick e outros autores menos conhecidos do gênero.

Nos intervalos do trabalho, enquanto caminhávamos pelo campus deserto da Lakeside, ele me esclarecia suas concepções sobre sexo, drogas e rock'n'roll. Era muito mais experiente do que eu em todas essas áreas, o que significava que eu nada sabia sobre as duas primeiras e sabia pouquíssimo sobre a terceira. Ele, por sua vez, havia tido seus *dates* e estava até namorando. E tinha um interesse profundo por música, sobretudo por guitarristas excepcionais, como Robin Trower do Procol Harum ou o seu ídolo, Jimi Hendrix.

Ah, Hendrix. Para Paul, Hendrix era o começo e o fim do gênio criativo. Nesse verão, ele descreveu maravilhado como, com apenas seis cordas e muita distorção, Jimi era capaz de nos

Minha mãe, Mary Maxwell Gates (sentada no sofá junto a seus avós, acima, à esq.), foi criada em uma família de banqueiros que adorava jogos de todo tipo e esportes, além de servir à comunidade. Uma líder nata, ela está no maior triciclo nesta foto de infância (acima, à dir.).

Meu pai, William Henry Gates Sr., cresceu em Bremerton, Washington, onde meu avô tinha uma loja de móveis. Seu cupê Ford Modelo A, "Clarabelle", proporcionou a meu pai o primeiro gostinho da independência. Ele seria a primeira pessoa na família a se formar na faculdade, fazendo o curso de direito.

Meus pais se conheceram quando eram alunos da Universidade de Washington, e se casaram dois anos depois, em maio de 1951. Suas personalidades e origens contrastantes se complementavam e constituíram a base de nossa vida familiar.

Nasci em 28 de outubro de 1955, 21 meses após minha irmã, Kristi. Ela aparece ao meu lado na maioria das minhas lembranças de infância.

Quando bebê, fui apelidado de "Menino Feliz" por viver sorrindo de orelha a orelha e devido à minha risada fácil. Desde cedo, meus pais perceberam que meu ritmo mental era diferente do de outras crianças. Kristi, por exemplo, obedecia aos adultos, brincava tranquilamente com os outros e desde pequena tirava ótimas notas. Eu era o contrário. Minha mãe se preocupava comigo e alertou meus professores na pré-escola sobre o que poderiam esperar.

Os livros eram uma parte importante da nossa vida familiar. No início da escola primária, eu lia um bocado por conta própria em casa; eu gostava da sensação de conseguir absorver novos fatos rapidamente e podia ficar horas mergulhado nos livros, um sinal precoce de minha capacidade para ignorar as distrações quando algo me interessa.

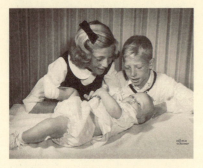

Minha irmã Libby nasceu em 1964 e viria a ser o membro mais sociável e atlético de nossa família. Por ser a caçula — eu era nove anos mais velho —, Libby guarda lembranças de crescer em um lar frenético de irmãos e pais sempre ocupados com alguma coisa.

Quando eu estava com três anos de idade, minha mãe e eu aparecemos no jornal local na época em que ela presidia um programa da Junior League para exibir artefatos de museu — nesse caso, um antigo kit médico — a alunos do ensino fundamental.

Minha mãe nutria aspirações elevadas para a família e tanto ela como meu pai acreditavam em dar sua contribuição para a comunidade muito antes que essa frase virasse moda.

WHEN I GROW UP I WANT TO BE—

BOYS
- ☐ Fireman
- ☒ Astronaut
- ☐ Policeman
- ☐ Soldier
- ☐ Cowboy
- ☐ Baseball Player
- ☒ scientist

GIRLS
- ☐ Mother
- ☐ Airline Hostess
- ☐ Nurse
- ☐ Model
- ☐ School Teacher
- ☐ Secretary
- ☐ _____

SIGNATURE _____ Bill Gates _____

A corrida espacial e as promessas da ciência eram parte da atmosfera geral de quem cresceu nos anos 1960. Não surpreende que eu tenha assinalado "Astronauta" no formulário de "Quando crescer quero ser...", no quinto ano. Mas meu sonho era ser cientista: alguém que passava o tempo todo estudando os mistérios do mundo parecia o emprego perfeito para mim.

Minha avó materna, a quem chamávamos de Gami, era uma presença constante em nossos primeiros anos. Depois que meu avô morreu, ela canalizou seu amor e atenção para mim e minhas irmãs, às vezes se juntando a nós nas férias familiares, como aqui, na Disney.

No início da década de 1960, meus pais e um grupo de amigos passaram a alugar os chalés Cheerio no canal Hood por duas semanas todo mês de julho. Para uma criança, era o paraíso. Meu pai era o "Prefeito" do lugar, uma espécie de diretor de diversões e domador de crianças que também presidia a cerimônia de abertura das Olimpíadas Cheerio. As modalidades estavam mais para provas de destreza e determinação do que de atletismo, mas independentemente do que fosse, eu me entregava com afinco à tentativa de subir ao pódio ao final do dia. Em destreza talvez não fosse lá essas coisas, mas eu tinha determinação de sobra.

Nossa vida familiar era regida pela estrutura de rotinas, tradições e regras estabelecidas por minha mãe. Ela tocava, como meu pai dizia, "um domicílio bem organizado". O planejamento do Natal, por exemplo, começava no início do outono, quando minha mãe relia suas anotações do ano anterior para ver o que poderia ser melhorado. Dos cartões feitos à mão à festa anual de patinação organizada por nós, passando pelos pijamas combinando que usávamos na manhã de Natal, fazíamos tudo com a máxima dedicação. Mesmo que ocasionalmente minhas irmãs e eu revirássemos os olhos para essas tradições, teríamos ficado desolados por abdicar de qualquer uma delas. O Natal continua sendo uma das coisas de que mais gostamos de relembrar.

Entrei para os escoteiros aos oito anos de idade. Na altura em que passei à Tropa 186, quatro anos depois, o interesse por caminhadas, acampamentos e escaladas nos Estados Unidos era cada vez maior, e Seattle começava a ser reconhecida como uma meca de esportes ao ar livre. A principal razão de ser da nossa tropa era levar os escoteiros às montanhas para fazer trilhas e acampar.

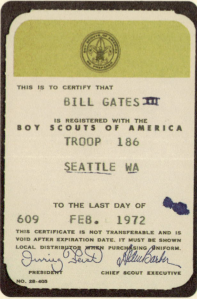

No verão posterior ao nono ano, um escoteiro mais velho me convidou para participar de uma caminhada pela trilha Lifesaving (hoje conhecida como trilha da Costa do Pacífico), que margeia a costa da ilha de Vancouver, uma região acidentada famosa por tempestades, recifes e correntezas traiçoeiras. A viagem — que envolvia andar de hidroavião, vadear rios e escalar penhascos — foi mais desafiadora do que qualquer outra coisa que eu tivesse vivido, mas também mais gratificante. Fiquei fissurado.

Kent Evans (abaixo, à esq.) e eu nos tornamos melhores amigos muito rapidamente no oitavo ano da Lakeside, a escola particular onde cursei o ensino fundamental e médio.

No outono de 1968, a Lakeside ganhou uma máquina de teletipo. Kent e eu viramos usuários regulares, assim como Paul Allen (acima, no meio) e Ric Weiland (à dir.). Paul e Ric eram dois anos mais velhos, mas rapidamente ficamos amigos tentando descobrir como escrever nossos primeiros programas. Éramos o autointitulado Lakeside Programming Group.

Como sugerem minhas fotos escolares, eu parecia muito novo para minha idade durante todo o ensino médio (e além). Entre o trabalho com o Lakeside Programming Group, as caminhadas, os escoteiros e a escola, estava descobrindo quem era e o que gostaria de ser.

Quando estava no segundo ano do ensino médio, servi como mensageiro da Câmara em Olympia, nossa capital estadual, e posteriormente passei parte do verão antes de meu último ano trabalhando como mensageiro do Congresso em Washington D.C. É quase impossível circular pelo Congresso sem ficar fascinado por ele; essa experiência estimulou em mim um interesse permanente por política e governo.

Em minha incipiente visão de mundo, eu estabelecera uma hierarquia de inteligência: seu grau de proficiência em matemática determinaria sua proficiência em outras disciplinas — biologia, química, história ou até línguas. Quando me formei na Lakeside, estava convencido de que meu caminho seria a matemática. Harvard era meu passo seguinte rumo a esse futuro.

Em abril de 1975, Paul e eu pensamos em um nome para nossa empresa: Micro-Soft (acabaríamos eliminando o hífen). Nosso único produto era o Basic 8080, que escrevemos quando eu estava no segundo ano da faculdade. Nosso amigo da Lakeside, Ric (comigo na foto abaixo, à esq.), logo se juntou a nós em Albuquerque, onde no começo ocupamos um escritório em um centro comercial decrépito. À medida que a Microsoft crescia, eu passava cada vez mais tempo na empresa; tranquei a matrícula em Harvard pela segunda vez no inverno de 1977 para nunca mais voltar. Estávamos começando a chamar a atenção da mídia — na foto da página ao lado, dou uma das minhas primeiras entrevistas à tevê —, mas foi somente quando contratamos os primeiros funcionários fora do nosso círculo de amigos que a Microsoft pareceu uma empresa de verdade.

"Caro sr. Smith,
Esta carta é para informá-lo de que planejo faltar ao semestre de primavera neste ano letivo. Um amigo e eu abrimos uma sociedade, a Microsoft, que presta consultoria relativa a softwares para microprocessador. As novas responsabilidades que acabamos de assumir exigem que me dedique em tempo integral ao trabalho na Microsoft. Como já perdi um semestre antes, tenho um ano inteiro de faculdade para terminar, e atualmente planejo voltar no outono para me formar em junho de 78. Meu endereço e meu número de telefone são os que constam como sendo da Microsoft neste papel timbrado."

Gami continuou a ser a voz do equilíbrio em meus ouvidos ao longo das dores do crescimento tanto em Harvard como nos primeiros tempos da Microsoft.

Uma fonte constante de apoio e aconselhamento, meu pai percebeu desde o início que a Microsoft estava se tornando um negócio sério. Minha mãe demorou um pouco mais para admitir isso. Por muito tempo ela continuou a acreditar que as coisas acabariam sossegando e eu tiraria meu diploma em Harvard.

Minha mãe esperava que eu atendesse a seus padrões muito elevados, mas também fazia tudo a seu alcance para me apoiar e encorajar, às vezes pelo exemplo, como em seu trabalho com a United Way of America, que a nomeou para a diretoria em 1980. Com a riqueza vem a responsabilidade de distribuí-la, dizia ela. Lamento que não tenha vivido o suficiente para ver como tentei fazer jus a essa expectativa.

conduzir pelo cosmos e nos trazer de volta em segurança, tudo num único solo. Nos fins de semana, Paul vestia jeans boca de sino púrpura e um chapéu de abas largas. Nessa altura, havia adotado "Are You Experienced?" como um mantra — e também como um teste. A pergunta posta pela faixa-título do álbum de estreia de Hendrix ["Já experimentou?"] era um modo abreviado de Paul saber se alguém havia chegado a um nível de autoconsciência, ou se já havia experimentado drogas. Dirigido para mim, o coro da música era outra aguilhoada por parte de Paul: *"Já experimentou? Já passou por isso alguma vez? Bem, eu já"*.

Tudo começou com uísque. Um uísque muito barato que Paul levou para a sala de computação. Na primeira vez, ele me fez ficar bêbado, tanto que nessa noite vomitei e desmaiei na sala dos professores da Lakeside. Esse episódio foi seguido após alguns dias por uma demonstração de como fumar um baseado. E depois, evidentemente, argumentou ele, eu não poderia deixar de experimentar LSD. Aí eu recusei.

Eu me sentia bastante pressionado naquele verão. Sentia o peso da confiança que a escola depositou na minha capacidade de criar um programa que pudesse resolver o problema da grade de horários a tempo. Dali a um mês, eu deveria ir a Washington D.C. para servir até o fim do verão, e sem ser remunerado, como assistente de legisladores no Congresso. (Eu havia trabalhado como mensageiro da Câmara dos Representantes em Olympia durante o segundo ano e estava ansioso para ver o Congresso dos Estados Unidos.) Eu não conseguia suportar a ideia de que, se Paul e eu falhássemos, a responsabilidade seria minha.

Felizmente, todo aquele esforço compensou. Paul e eu terminamos o programa na data prevista. No outono, ele rodou sem nenhum problema, e o código que criamos nesse verão seria usado pelos anos seguintes. Nunca mais os estudantes tiveram de pedir ajuda aos seus conselheiros. E fomos remunerados.

Um legado da minha amizade com Kent foi a percepção de que uma outra pessoa pode nos ajudar a melhorar. Nesse verão, Paul e eu forjamos uma parceria que definiria o restante das nossas vidas, ainda que, naquele momento, não soubéssemos disso. Um parceiro contribui para o relacionamento com algo que falta; ele inspira você a melhorar. Com Paul nesse papel, eu me senti mais seguro para enfrentar o desafio que era levar minhas habilidades até o limite. Quando alguém ao seu lado assume o risco de dar um passo, isso só reforça sua ousadia para dar o passo seguinte.

Descobrimos que nossos estilos de trabalho eram complementares. Minha abordagem era direta e rápida. Eu tinha orgulho da velocidade com que atacava um problema — da rapidez com que era capaz de chegar à resposta relevante, à melhor resposta. Um modo de pensar impaciente, em tempo real. E conseguia trabalhar sem parar por dias e dias, só com pausas eventuais. O estilo de Paul era mais contido e mais calmo. Muita coisa se passava em seu interior. Ele remoía e ponderava. Ouvia e processava. Sua inteligência não tinha pressa e podia esperar até surgir a resposta correta. E logo isso ocorreria.

Paul sempre se interessou pela parte física dos computadores. Lia todas as revistas que encontrava sobre os avanços técnicos fundamentais que eram feitos em laboratórios e fabricantes de computadores. Nesse verão de 1972, conversamos muito sobre as inovações que vinham de uma pequena empresa na Califórnia chamada Intel. Paul a mencionara para mim pela primeira vez no outono do ano anterior. Ele havia me mostrado uma propaganda na *Electronic News* na qual a Intel anunciava ter criado "um computador microprogramável num chip". Em resumo, condensara as principais funções de um computador numa única pastilha de silício, que foi batizada de microprocessador 4004.

Era um avanço crucial. Os computadores fazem o que fazem graças aos impulsos elétricos que seguem um conjunto lógico de instruções. Quando nasci, em 1955, essa tarefa era desempenhada por válvulas a vácuo (semelhantes a pequenas lâmpadas) no interior de computadores imensos. As frágeis válvulas de vidro ocupavam bastante espaço, consumiam muita eletricidade e geravam muito calor. Na mesma época, engenheiros haviam inventado o transístor de silício — que desempenhava a mesma função das válvulas, mas usando minúsculos circuitos eletrônicos impressos em microchips com o tamanho de um selo. A Intel deu um passo adiante ao usar esses circuitos para incorporar a maioria das funções de um computador numa única pastilha de silício.

O microprocessador 4004 era algo empolgante para um entusiasta de aparelhos eletrônicos como Paul, com suas caixas atulhadas de rádios velhos e ferros de soldagem. Mas ainda era muito limitado. A Intel o desenvolvera para uma empresa japonesa, a fim de ser usado numa calculadora portátil. Ele não era capaz de fazer muito mais do que isso.

Ao mesmo tempo, Paul me contou de uma previsão feita em meados da década de 1960 pelo engenheiro Gordon Moore, um dos fundadores da Intel. Moore havia estudado os avanços nos campos da engenharia e dos processos de manufatura usados pelos fabricantes de semicondutores para gravar esses circuitos cada vez menores. As inovações vinham ocorrendo num ritmo tal, previu Moore, que implicava a duplicação do número de transistores em um chip a cada ano (estimativa que ele posteriormente revisou para a cada dois anos).

Uma duplicação a cada dois anos? Era um crescimento exponencial. Quando Paul disse isso, vislumbrei uma linha de gráfico que subia gradualmente e então disparava na forma de um taco de hóquei. Costumamos vivenciar o mundo de forma linear, incremental: centímetro por centímetro, quilo por quilo. No setor de computadores não era diferente. Por um longo tempo, os avanços foram graduais, limitados por restrições de tamanho, geração de calor e consumo de eletricidade nos diversos componentes isolados que se conectavam para compor o cérebro de um computador. A previsão de Moore implicava que a velocidade dos microprocessadores aumentasse exponencialmente. Se isso acontecesse, um computador que agora ocupava uma sala inteira, um dia, caberia em uma mesa.

Portanto, mesmo que o 4004 não fosse muito poderoso, os futuros microprocessadores provavelmente poderiam fazer muito, mas muito mais coisas. Isso, claro, se a previsão se confirmasse. Até então: o chip Intel mais recente, o 8008, poderia processar os dados a uma velocidade duas vezes maior do que a do seu predecessor.

Seria ele o cérebro de um computador doméstico? Examinei as especificações do 8008 e disse a Paul que ainda não. De maneira nenhuma aquele novo chip conseguiria processar os programas que faziam coisas interessantes, como jogos ou o controle de folhas de pagamento. Disse a Paul que teríamos de esperar até a Intel inventar algo melhor.

Havia uma possibilidade, ele disse: o trabalho de monitoramento de tráfego que Kent e eu tínhamos começado pouco antes de ele morrer. Essa poderia ser a aplicação perfeita para o chip: imagine se pudéssemos substituir a tediosa contagem manual e a entrada manual de dados por um computador baseado no 8008. O problema era simples o suficiente para que o 8008 pudesse fazer isso, eu disse a ele — com um leitor de fita e software, a máquina poderia converter os furos em dados digitais utilizáveis. Talvez pudéssemos construir o computador que rapidamente transforma furos no papel em dados de tráfego utilizáveis para centenas, se não milhares, de cidades ao redor do país?

O primeiro passo era encontrar alguém que se encarregasse

da parte física da máquina. Para isso, procuramos Paul Gilbert, na Universidade de Washington. Na época em que estávamos na C ao Cubo, Gilbert fazia parte de um círculo mais amplo (embora ainda bastante restrito) de jovens entusiastas por computadores em Seattle. Alguns anos mais velho do que nós, agora ele estudava engenharia elétrica na universidade. Graças ao seu trabalho no laboratório de física do campus, ele tinha acesso a todo tipo de instrumentos e equipamentos eletrônicos. Pouco mais do que uma descrição verbal da nossa ideia bastou para que ele concordasse em nos ajudar. Agora, como poderíamos conseguir um chip da Intel?

Em julho, Paul Allen escreveu uma carta para a Intel indagando sobre os planos da empresa. Num indicativo de quão pequeno era todo o setor na época, um dos gerentes respondeu à carta, informando que a Intel pretendia produzir uma nova família de chips dali a dois anos — provavelmente em 1974. Um grande fornecedor de peças eletrônicas, a Hamilton/Avnet, havia assinado um contrato para ser o primeiro distribuidor dos produtos da Intel, segundo o gerente. Por sorte, a Hamilton/Avnet era uma importante fornecedora da Boeing. E tinha um escritório de vendas em Seattle.

Foi assim que, no outono de 1972, Paul e eu acabamos numa área industrial no sul de Seattle dizendo a um representante de vendas que queríamos comprar um único chip Intel 8008. Ainda hoje acho engraçado imaginar a surpresa do vendedor, perguntando-se que diabos aqueles moleques estavam pensando.

Entreguei-lhe 360 dólares em cash — cerca de 2400 dólares hoje —, que ganhei trabalhando no programa da grade horária. O sujeito então nos deu uma caixa que, se estivéssemos numa loja diferente, poderia conter uma bela peça de joalheria. *Como algo tão pequeno podia ser tão caro?*

É incrível relembrar aquele momento e saber o impacto da

invenção da Intel. A duplicação dos circuitos ficaria conhecida como Lei de Moore, e os microprocessadores impulsionariam a revolução digital que nos daria os computadores pessoais e os smartphones. A invenção do microprocessador provaria ser evento isolado mais relevante na minha vida profissional. Sem ele, não existiria a Microsoft.

Tudo isso, claro, ainda era muito distante para um nerd de dezesseis anos e seu parceiro tecno-hippie de dezenove. Ansiosos para vermos como era um microprocessador, abrimos o estojo de alumínio ali mesmo na loja e topamos com o que parecia uma pequena fita de goma de mascar com dezoito pernas douradas. Paranoicos de que uma carga elétrica em nossas mãos acabasse fritando aquele troço, rapidamente o guardamos no estojo e saímos da loja.

9. Um ato e cinco noves

No ensaio para me candidatar a Harvard, condensei toda a minha experiência com computadores em seiscentas palavras, na graciosa fonte cursiva da Selectric da minha mãe. Começando pelo "arranjo frutífero" com uma empresa local (a C ao Cubo) e mencionando a folha de pagamento, a grade de horários e os contadores de tráfego automáticos, narrei as histórias resumidas do Lakeside Programming Group. Quanto à minha experiência dando aulas, admiti: "De todas as coisas que já fiz, é a mais difícil. Em geral, há alguns alunos de uma turma que ficam muito interessados e continuam trabalhando com o computador [...]. Por outro lado, há outros que consideram o computador um mistério ainda maior quando saio da sala do que quando entrei".

Se o responsável pelo processo seletivo chegou ao fim do meu ensaio, talvez tenha ficado surpreso com minha conclusão:

"Trabalhar com computador se revelou uma grande oportunidade de me divertir muito, ganhar algum dinheiro e aprender bastante. Entretanto, não planejo continuar focado nessa área. No momento, estou mais interessado em administração ou direito."

Na verdade, eu sabia que uma carreira na área de computadores — especificamente de software — era um caminho possível, talvez até o mais provável se o microprocessador desse origem a computadores baratos e de uso geral, como Paul e eu esperávamos. Mas no outono de 1972 isso ainda era uma grande incógnita. Por ora, para satisfazer minha própria curiosidade e como um plano B, quis explorar novos mundos.

Naquele verão, eu passei um mês em Washington D.C., trabalhando como mensageiro na Câmara dos Deputados. Morar em uma pensão com outros mensageiros — todos eles alunos do ensino médio — e ir diariamente à Colina do Capitólio foi uma experiência fantástica. Meu período na capital coincidiu com a decisão do candidato democrata à vice-presidência, Thomas Eagleton, de abandonar a disputa eleitoral de 1972 após ser revelado que ele sofria de depressão e outros problemas de saúde mental. Seu companheiro de chapa e candidato à presidência, George McGovern, apoiou Eagleton por algumas semanas, mas no fim precisou se virar para encontrar um substituto. Fui pego nesse drama, o mais próximo de uma crise política que jamais estivera. Também tentei capitalizar com a situação. Antes de Eagleton desistir, um amigo e eu adquirimos correndo a maior quantidade possível de bottons de campanha McGovern-Eagleton, apostando em sua renúncia. Quando isso se concretizou, vendemos os bottons para funcionários do Congresso e qualquer um no Capitólio interessado em um item de colecionador desses dezoito dias históricos. Usamos parte do lucro para pagar jantares para outros mensageiros.

É quase impossível passar um tempo no Congresso, mesmo nesse patamar tão básico, e não se deixar seduzir pela coisa toda. Esse mês me animou a pensar mais seriamente em seguir carreira no governo e na política, caminho que provavelmente começaria por um curso de direito.

Embora eu tenha conduzido minhas escolhas e inscrições para faculdades, sei que minha mãe investiu muito no resultado. A expectativa definida era de que cada criança Gates frequentaria uma ótima faculdade. Eu tinha visto como meus pais estavam satisfeitos com minha irmã Kristi, na época em seu segundo ano na Universidade de Washington. Ela estudava contabilidade — uma disciplina prática que decerto resultaria em um emprego bom e respeitável, aos olhos da minha mãe — e era profundamente envolvida no grêmio estudantil, assim como nossa mãe quando fora uma "Husky" na UW. Eu era o próximo. Minha mãe nunca disse com todas as letras que o objetivo fosse Harvard, mas claramente era.

Minhas atenções, naquele outono, estavam voltadas a um novo papel: o de um ator nervoso. Surpreso com o quanto tinha gostado da aula de teatro no meu penúltimo ano, eu me inscrevi novamente. Descobri que, em vez de me estressar, atuar era libertador; a cada leitura eu me sentia mais confiante. No entanto, estava totalmente ciente de que qualquer pessoa que me visse na Lakeside teria baixíssimas expectativas em relação aos meus talentos cênicos. Eu era o cara da computação. E essa delimitação me deixava indignado. O teatro era uma tentativa de ampliar meus horizontes, de experimentar algo novo e descobrir se eu poderia ser bem-sucedido.

A peça que apresentamos foi *Black Comedy*, do dramaturgo britânico Peter Shaffer. É uma farsa centrada em Brindsley, jovem artista inseguro, e sua noiva, Carol, a filha debutante de um rígido ex-coronel do Exército. No decorrer de uma única noite, Brindsley vai encontrar o coronel pela primeira vez, assim como um famoso colecionador de arte, "o homem mais rico do mundo". Se tudo correr bem, o nervoso Brindsley ganhará a aprovação do coronel e terá a grande oportunidade da sua vida, vendendo uma escultura para o colecionador. Não é o que acontece.

Um fusível queima, as luzes se apagam, e os personagens passam a maior parte do tempo tateando às cegas no que percebem como escuridão — mas o público os vê sob os holofotes, de forma a poder apreciar toda a confusão de trapalhadas e identidades trocadas. Eu assistira à peça na nossa viagem em família a Nova York no verão anterior à minha chegada à Lakeside e tinha adorado. É muito fácil gostar dessa comédia em que Brindsley tropeça na mobília antiga caríssima que pediu "emprestada" para impressionar o colecionador e tenta despachar uma ex-namorada que aparece num momento inoportuno.

Contrariando todas as expectativas, fui escalado como Brindsley. Minha coestrela era Vicki Weeks, uma das garotas mais populares do nosso ano. Reuníamo-nos três tardes por semana na capela para tentar ajustar os ágeis diálogos cômicos da peça.

Por mais distante que a peça estivesse das paixões que me alimentavam durante o ensino médio, acabou sendo uma das minhas melhores experiências na Lakeside. Compareci aos ensaios e mergulhei de cabeça no meu personagem. Correr pela capela tirando a mobília de lugar, fingir tatear no escuro — era tudo pura diversão, que ficava ainda melhor pela forte ligação entre o elenco e a equipe. Era como aqueles anos iniciais na sala de informática, mas com uma diferença fundamental: garotas. E uma garota especificamente, Vicki, cuja confiança impulsionava a minha e me ajudava a correr mais riscos na minha atuação. Divertíamo-nos chamando uns aos outros pelos apelidos bobos e carinhosos da peça, "doçura" isso, "chuchuzinho" aquilo. Sentindo-me protegido pela segurança do meu personagem, tentei flertar pela primeira vez. E, abominando a ideia de estragar a apresentação, chegava em casa, fechava a porta do quarto e repassava minhas falas várias vezes.

Eu não previra como seria gratificante me aventurar fora da minha zona de conforto. Era algo pelo qual ansiava verdadeiramente em relação à faculdade: a chance de me redefinir mais uma vez. Se eu fosse para algum lugar como o MIT, sentia que seria um nerd da matemática cercado por nerds da matemática. A perspectiva me soava tão... limitante. (Foi por isso que cabulei minha entrevista no MIT naquele verão para jogar fliperama.) Folheando os catálogos dos cursos de graduação, via um tentador menu de diferentes possibilidades: matemática pura, psicologia cognitiva, política da guerra, teoria de gestão, química avançada. Eram tipos de disciplina capazes de ampliar meus horizontes de diversas formas novas. Eu testava minha persona enquanto preenchia os formulários de inscrição. Como aprendi nas aulas de teatro, cada uma foi uma atuação — um ator, três personagens:

Para Princeton, afirmei que queria ser um engenheiro capaz de escrever software. Apresentei amostras dos meus códigos e ressaltei minhas notas de matemática. Para Yale, disse que queria trabalhar no governo, talvez na área do direito. Enfatizei minha experiência em D.C. e mencionei meu amor pelos escoteiros e minha experiência com as artes dramáticas. Para Harvard, como escrevi em meu ensaio, expressei meu interesse por administração ou direito.

Na noite da apresentação de *Black Comedy*, em novembro, tropecei nos móveis, caí de bunda, agitei os braços no escuro, tentei beijar duas garotas diferentes — conforme o texto — e não esqueci nenhuma fala. O elenco todo foi elogiado pela espontaneidade.

No palco, depois da apresentação, eu quase conseguia ler o semblante dos meus pais. Eles viam seu filho, o antigo palhaço da turma, cercado por novos amigos, em um novo ambiente, demonstrando seu lado social e confiante. Conheciam esse lado na nossa vida privada, mas, como quase todos os presentes, ficaram surpresos ao vê-lo exibido em público. Da minha parte, eu me senti bem. Havia estabelecido um padrão alto para mim mesmo e o superei com margem de sobra. Quando a cortina voltou a se abrir para nossa última reverência, estabeleci mais um desafio: em algum momento, na hora certa, convidaria Vicki para sair.

Logo depois do Natal, recebi uma ligação do executivo da ISI que ajudara o Lakeside Programming Group a pegar o projeto da folha de pagamento, dois anos antes. Bud Pembroke contou que estava trabalhando na consultoria de um projeto para a Bonneville Power Administration (BPA), a agência federal responsável por gerar e distribuir energia elétrica para os estados de Washington, do Oregon e da Califórnia, e mais conhecida por administrar a Grand Coulee Dam, uma gigantesca represa no rio Columbia.

A BPA estava no processo de informatizar sua geração de energia. O trabalho era supervisionado pela TRW, uma importante fornecedora de defesa e tecnologia, e consistia em transferir a operação, cuja maior parte era realizada manualmente, para um computador PDP-10, o mesmo em que nós do Lakeside Programming Group havíamos feito quase toda a nossa programação. Com orçamento e prazo estourados, a TRW procurava por especialistas em PDP-10s no país. A certa altura, sua busca os conduziu a Bud, que lhe indicou Paul, Ric e eu.

Quando Bud me ligou, eu voltava de uma semana com Paul na Universidade Estadual de Washington trabalhando em nosso empreendimento de tráfego, então chamado Traf-O-Data. Paul Gilbert montara uma versão rudimentar do hardware, uma maçaroca de fios e chips enfiados numa caixa do tamanho de um micro-ondas. Mas o software ainda não estava pronto. Conforme o escrevíamos no computador da Universidade Estadual de Washington, Paul me contou que estava de saco cheio da faculdade. As aulas não eram desafiadoras o bastante para sua mente ágil e sua curiosidade voraz. Vinha considerando trancar matrícula e procurar trabalho.

Assim, quando liguei para lhe contar sobre a possibilidade da BPA, Paul não pensou duas vezes. Estava dentro. Ric, cursando engenharia elétrica em Stanford, decidiu seguir nos estudos. (Ele acabaria se juntando a nós no verão.)

Logo depois do Natal, Paul e eu pegamos o Chrysler New Yorker 64 dos seus pais para ir ao escritório da BPA em Vancouver, Washington, à época uma cidadezinha um tanto quanto rústica, na fronteira com o Oregon. Nesse dia, no carro, brincamos como devia ter sido a conversa de Bud com o pessoal da TRW:

"Ei, Bud, conhece alguém que entende de verdade do PDP-10?"

"Hum, talvez Gates e Allen."

"Quem são esses?"

"Dois carinhas."

Na entrevista, deixamos claro que conhecíamos as máquinas por dentro e por fora. Também levamos folhas impressas com os códigos que havíamos escrito para o programa da grade de horários e a contagem do tráfego. Não tenho certeza se o que mais pesou foi nossa habilidade ou o desespero deles, mas conseguimos o serviço.

Parecia um grande trabalho. Seríamos pagos por hora e, assim como na C ao Cubo e na ISI, presumimos que haveria tempo de sobra para trabalhar em projetos paralelos. Paul deu entrada imediatamente no pedido para trancar matrícula na faculdade.

Na noite em que voltamos, contei a meus pais que havíamos recebido uma oferta de trabalho em uma empresa de primeira linha e uma das mais importantes concessionárias de serviços públicos do país. Expliquei que nossa expertise era necessária em um projeto importante e seria uma ótima exposição, e que, além disso, era remunerado. E quanto à escola? Minha mãe perguntou.

Aquele era o último ano e eu precisava ter um bom desempenho para ser admitido em uma faculdade. Tinha certeza de que isso não seria problema. Ela não se convenceu. Seu filho largando um ensino médio de qualidade para viver sozinho a centenas de quilômetros de casa definitivamente não estava nos planos dela.

Assim, naquela semana meus pais e eu procuramos o sempre sensato diretor da Lakeside, Dan Ayrault. Falei sobre o que pretendia fazer. Eu perderia o segundo trimestre — apenas dois meses — e voltaria para terminar o ano letivo e ir à formatura. Estava bastante confiante de que Dan ficaria do meu lado, e ele não me decepcionou. O diretor de poucas regras não só afirmou que se eu me licenciasse por um trimestre e depois voltasse não seria problema, como também sugeriu que o período fosse usado como um estudo independente que contaria para meu histórico escolar.

Quando criança, em meados dos anos 1960, eu era um grande fã do *Túnel do tempo*, um seriado de ficção científica cuja dupla protagonista, dois cientistas, viajava no tempo para lugares reais e imaginários. Eu ficava acordado nas noites de quinta-feira para assistir aos dois tentando salvar o *Titanic*, correndo de flechadas na floresta de Sherwood ou fugindo da lava na grande erupção do Krakatoa. A série se passava em uma imensa sala de controle subterrânea, onde uma equipe de cientistas em jalecos brancos girava botões e inseria comandos em um computador, enviando seus colegas em uma viagem no tempo para seus mais recentes apuros.

A primeira coisa que pensei quando vi nosso novo local de trabalho foi: *É a sala de controle do* Túnel do tempo — só que melhor! Uma tela, do chão ao teto, acompanhava a situação da rede elétrica e de cada represa e usina de energia no noroeste do país. Havia fileiras e mais fileiras de terminais de computador, cada um com os mais recentes monitores de tubos de raios catódicos — com telas gráficas coloridas! O pé-direito era tão alto que os caras ficavam subindo e descendo por longas escadas para ajustar as luzes e fazer a sintonia fina dos monitores.

A sala de controle era o coração de um sistema elétrico que servia a região Oeste. Ele recebia a energia da represa Grand Coulee e de outras represas espalhadas pelo noroeste, além de fontes adicionais como usinas a carvão, distribuindo-a para milhões e milhões de pessoas. Bonneville gerava essa energia, sobretudo, por meio de hidrelétricas. A dificuldade era conciliar o suprimento de energia com a demanda, ambos flutuantes. A companhia sempre fizera isso manualmente — trabalhadores chamando uns aos outros e dizendo para aumentar ou diminuir a energia de tal ou tal represa, e a seguir girando botões. Nossa função era informatizar o processo.

Isso era mais fácil de falar do que de fazer. A DEC projetou o PDP-10 e seu sistema operacional TOPS-10 para lidar com tarefas avançadas em tempo real nas quais cada microssegundo contava, como controlar a produção em uma fábrica de automóveis. Mas mesmo isso era um trabalho simples comparado ao desafio enfrentado pela TRW. Eles tiveram que programar o computador para filtrar uma enxurrada de dados — sobre uso de energia, capacidade das represas e qualquer fator que afetasse o suprimento e a demanda de eletricidade — e tomar instantaneamente decisões irrepreensíveis para equilibrar o suprimento e a demanda.

A princípio, não me dei conta do grau de responsabilidade da tarefa. Logo que chegamos, estávamos em uma reunião quando um dos programadores disse algo sobre "cinco noves". Eu não fazia ideia do que se tratava. Aos poucos, percebi que se referia ao fato de que o sistema computadorizado que estávamos construindo tinha de assegurar que essa energia funcionasse 99,999% do tempo — cinco noves. Tal nível de eficiência significaria um tempo de inatividade de apenas 5,26 minutos por ano — ou seja, praticamente energia ininterrupta. Eu nunca havia trabalhado em nada que exigisse algo tão próximo da perfeição. Achei que estivessem brincando.

O pessoal da TRW nos explicou que a companhia tinha de manter a energia contínua mesmo com as flutuações no suprimento e na demanda. Em geral, a demanda aumenta de manhã, quando as pessoas acordam e ligam seus aparelhos, para chegar ao pico à tarde e no início da noite, quando as pessoas voltam do trabalho, usam o aquecedor ou o ar-condicionado, acendem as luzes, assistem à TV e assim por diante. Mesmo às duas da madrugada, a energia é necessária para iluminação pública, hospitais, delegacias, corpos de bombeiros, lanchonetes 24 horas etc. Essa carga de base da demanda, como é chamada, exige usinas capazes de fornecer um suprimento constante de eletricidade.

A sala do Túnel do Tempo era prova dessa cultura: a rede elétrica de Bonneville exibida em um paredão de luzes e telas. A todo momento, era possível ver em cores onde a energia fluía pela rede — e se havia interrupções.

Cheguei em janeiro mais confiante do que nunca em mim e nas minhas habilidades de programador. Eu tinha quatro anos de experiência em computadores, por sinal em máquinas iguais às usadas em Bonneville. Trabalhara no programa da folha de pagamento, o programa da grade de horários escolar era um sucesso, e tinha minha própria empresa, que automatizaria os estudos de tráfego nas cidades americanas.

A primeira tarefa que me passaram foi a de documentar mensagens de erro, o que significava escrever em uma linguagem simples os pop-ups que apareceriam sempre que houvesse um problema com o sistema. Não era um serviço particularmente criativo ou interessante. Mesmo assim, pus mãos à obra. Paul e eu sempre chegávamos cedo e ficávamos por muitas horas. Com o tempo, atribuíram-nos funções cada vez mais importantes.

Eu me orgulhava de escrever código com rapidez, em longos serões de trabalho intenso. Só posso imaginar o que os calejados programadores profissionais em Bonneville pensavam do garoto trabalhando como um maluco toda noite até altas horas, produzindo código e comendo pó de Tang direto do pote até a língua ficar laranja. Bati meu próprio recorde de trabalho contínuo nessa primavera quando, numa ocasião, permaneci nos redutos do Túnel do Tempo por quase cem horas seguidas. Isso significou praticamente quatro dias sem tomar banho e comendo mal.

Certa manhã, assim que cheguei vi um print do código que eu escrevera na noite anterior sobre minha mesa, coberto de anotações em caneta azul. Alguém relera e, como um professor, corrigira meu trabalho. Mais do que isso, na verdade. A pessoa o desmontara completamente — não havia corrigido apenas problemas sintáticos, mas também toda a estrutura e o design do que eu fizera. Em geral, minha primeira reação teria sido me defender. Se alguém na Lakeside criticasse meu código, eu retrucava: "De jeito nenhum. Você está enganado". Mas dessa vez, lendo os comentários, examinando o código, pensei: *Puxa, esse cara tem toda razão.*

O nome do sujeito era John Norton, um programador enviado pela TRW para ajudar a salvar o problemático projeto. Alto, cabelo de corte militar, John tinha quase quarenta anos e, como eu viria a descobrir, construíra sua reputação por escrever códigos excelentes e também por uma falha catastrófica. Cerca de dez anos antes, ele supervisionara o software que controlava uma parte fundamental da sonda espacial Mariner 1, de 1962. A sonda destinada a Vênus entrou para a história quando a Nasa a destruiu poucos minutos depois do lançamento, assim que os controladores perceberam que seus sistemas de radar não estavam funcionando. A origem do problema era um *glitch* minúsculo — provavelmente um "-" faltando no código de computador supervisionado por John Norton. Reza a lenda que Norton ficou tão transtornado com o erro que, por anos, carregou na carteira um pedaço de jornal com a matéria sobre o fiasco da Mariner, cuidadosamente dobrado como um origami.

Eu nunca tinha conhecido alguém tão atento e perspicaz em programação de computadores. Ele sempre devolvia meu trabalho com correções, elevando-o a níveis que eu nem imaginava existir. John era calmo, confiante e sempre focado no trabalho que tinha diante de si. Preocupava-se menos com seus próprios feitos do que em usar seus conhecimentos para aperfeiçoar o trabalho e garantir o sucesso do projeto.

A máxima de que aprendemos mais com nossos fracassos do que com nossos êxitos é batida, mas absolutamente verdadeira. Até esse momento, eu devia ter passado mais tempo pensando em programação e sintaxe do que qualquer outro adolescente vivo. Mas Norton estimulou em mim algo diferente. Sob sua atenta orientação, aprendi uma lição não só sobre escrever códigos melhores, como também sobre a percepção que tinha a meu respeito. Lembro que pensei: *Por que sou tão arrogante com esse negócio de programação? Como posso saber que sou tão bom assim?* Comecei a pensar em como seria um código de computador quase perfeito.

Em março, quando liguei para casa e meu pai atendeu, logo pude perceber sua empolgação: "Filho, chegou uma carta de Harvard". Escutei-o abrir o envelope. "Informamos por meio desta que William Henry Gates [...] foi admitido no Harvard College", dizia. Dava quase para sentir o orgulho da minha mãe correndo pelo fio do telefone. Eu já havia sido aceito em Yale e, em um mês, receberia a notícia da minha admissão em Princeton. Mas nem era necessário dizer que todo mundo na Gateslândia sabia que minha escolha recairia sobre Harvard.

Passei os três meses seguintes de volta a Seattle, terminando o ensino médio e andando com a turma do teatro, incluindo Vicki, nos ensaios para nossa apresentação final, alguns esquetes curtos escritos por James Thurber, o genial mestre do humor seco e absurdo. Eu apresentei *The Night the Bed Fell* [A noite em que a cama caiu], um monólogo que me deixava sozinho no palco por quase dez minutos desfiando um episódio maluco sobre a reação exagerada da família do autor quando o catre onde ele dorme vira em cima dele.

Vicki e outras pessoas do nosso ano decidiram organizar um baile de formatura, o primeiro desde a fusão da Lakeside com a St. Nick's. Era para ser um evento simples, com a participação de toda a turma, sem pompa nem circunstância. Parecia discreto o bastante para eu convidar Vicki. Algumas noites antes do baile criei coragem de ligar para ela, mas, sempre que discava seu número, dava sinal de ocupado. Tentei várias vezes e, a certa altura, me desafiei a discar com o pé. Finalmente, por volta das dez da noite, o irmão de Vicki atendeu e foi chamá-la na sua cama.

"Alô."

"Vicki, aqui é Bill… Bill Gates", lembrei de acrescentar, embora tenho certeza de que reconheceu minha voz aguda peculiar. Contei-lhe que havia tentado ligar para ela a noite toda, e até que discara usando os dedos do pé, o que talvez não tenha sido a melhor maneira de tentar convencê-la do partidão que eu era. Fiquei rodeando a pergunta principal: "O que você vai fazer sábado à noite?".

"Ah, pensei em ir ao baile", disse ela.

"Hum, quer ir comigo?"

"Posso deixar para responder amanhã?" Ela explicou que havia outro menino que esperava que a convidasse; se ele não o fizesse, ela me avisaria. No dia seguinte, no pátio da Lakeside, recebi a notícia: o menino a convidou. Com a máxima delicadeza possível, ela deixou claro que me via apenas como amigo. Levei um bom tempo para digerir a rejeição e, depois disso, passei a evitar situações em que pudesse me sentir vulnerável. Mas fui ao baile de todo modo e me diverti bastante na companhia de uma aluna muito legal um ano abaixo do meu, embora suspeitasse sermos ambos, mutuamente, nossos planos B.

Como é tradição em muitas escolas de ensino médio nos Estados Unidos, os alunos do último ano na Lakeside faltavam à aula na primavera para um dia de confraternização, chamado Senior Sneak, antes de cada um seguir seu caminho. No caso da nossa turma de 1973, essa "escapadinha dos veteranos" consistiu em uma curta viagem de balsa até a ilha de Bainbridge, onde passamos a noite na espaçosa casa de um colega. Fiquei por perto de Vicki e dos alunos populares durante algum tempo, mas depois eles resolveram se afastar e acabei encontrando outros igualmente rejeitados como eu. Como já havia fumado um pouco de maconha, estava me sentindo razoavelmente desinibido quando um amigo me ofereceu ácido. Eu sempre resistira à insistência de Paul de que precisava experimentar LSD e "*be experienced*". Desta vez, decidi ver qual era a dessas drogas de que tanto falavam. Parte da viagem foi divertida, mas tomei a droga sem imaginar que ainda sentiria seus efeitos na manhã seguinte, quando cheguei ao consultório do ortodontista para uma cirurgia dentária agendada havia muito. Fiquei sentado de boca aberta diante do rosto do dentista, a broca rangendo, sem saber se o que eu estava vendo e sentindo estava realmente acontecendo. *Vou pular desta cadeira e simplesmente ir embora?* Jurei que se eu tomasse ácido novamente, não faria isso sozinho e não faria isso quando tivesse planos para o dia seguinte, especialmente um procedimento dentário.

Depois de me formar, voltei a Vancouver no verão, alternando entre as noites em claro no Túnel do Tempo, escrevendo códigos com Paul, e os dias passados no rio Columbia, onde um dos engenheiros da Bonneville tinha um barco que usávamos para praticar esqui aquático. Ric, com a matrícula trancada em Stanford, se juntou a nós. Vez ou outra, nós nos intitulávamos de Lakeside Programming Group, mas não era a mesma coisa sem Kent.

Dividíamos um apartamento detonado em Vancouver. As madrugadas eram reservadas a usar o PDP-10 da Bonneville para cuidar dos nossos trabalhos paralelos na contagem de tráfego e na atualização do programa da grade de horários da Lakeside. Era uma rotina maluca, em que vivíamos à base de Tang e pizza, e também parecia o período mais livre e despreocupado da minha vida.

Os engenheiros da TRW zombavam de mim por causa dos meus inusitados hábitos de trabalho ("Você é um cara bem estranho", ouvi incontáveis vezes naquele verão), mas também eram incrivelmente solidários. Fizeram vista grossa para a minha idade e imaturidade, e me incluíram em seu círculo. Eu me senti acolhido, como se aquele fosse o meu lugar, tal como havia ocorrido com os amigos de caminhada e com a turma que frequentava a sala de computação na Lakeside.

Os engenheiros se divertiam com a minha ânsia para resolver qualquer problema que me colocassem. Eles me passavam uma tarefa de programação apenas para ver com que rapidez e competência eu conseguia realizá-la, sabendo que passaria a noite toda debruçado sobre o problema. Às vezes eles tinham já escrito o programa, de modo que quando terminava, eu podia comparar o meu trabalho com o deles e incorporar as lições de suas sub-rotinas mais eficientes e algoritmos mais inteligentes.

Nesse verão, pensei muito sobre como uma pessoa se torna a melhor em sua atividade. Norton era uma figura dominante, com um talento e um profissionalismo impecáveis. Procurei entender o que o distinguia de outros programadores. O que é preciso para ser 20% melhor do que todos os outros? O quanto disso é apenas talento inato e o quanto é esforço deliberado — um empenho constante e intencional de conseguir hoje um resultado melhor que o de ontem? E então repetir isso amanhã e nos dias subsequentes durante anos e anos?

Eu tinha avançado bastante na área da programação — tanto que os colegas da TRW tentaram me convencer a deixar de lado a universidade. "Vale a pena o trabalho de conseguir um diploma de graduação?", perguntaram. Eles me incentivaram a estudar programação e depois arranjar um emprego na Digital Equipment Corp. "Esse é o seu lugar", comentou um dos programadores. "O seu lugar é lá, trabalhando com aqueles caras, decidindo como vai ser a próxima versão do sistema operacional."

Essa era uma ideia e tanto. Nesse verão, toda vez que os engenheiros da DEC apareciam na Bonneville, eu notava como os programadores locais — excepcionais por direito próprio — submetiam-se ao conhecimento especializado e ao evidente status exaltado desses funcionários. A noção de que as pessoas me achavam talentoso o suficiente para ser um deles foi um enorme estímulo para a minha autoconfiança. A DEC ocupava um lugar quase mítico na minha imaginação: durante o nosso projeto de pesquisa de carreiras, Kent e eu havíamos coletado todos os detalhes que podíamos encontrar sobre a empresa. Eu conhecia a história de como, em 1957, os engenheiros Ken Olsen e Harlan Anderson haviam abandonado o emprego no MIT para fundar a DEC, com apenas um plano de negócios de quatro páginas e um investimento de 70 mil dólares. Na época, a IBM era a gigante do setor, e os seus computadores de grande porte, que custavam 1 milhão de dólares, eram considerados insuperáveis. A ideia de que uma nova empresa era capaz de abrir um espaço para si parecia um sonho impossível. Olsen e Anderson começaram aos poucos, a princípio fabricando equipamentos eletrônicos de testes, viabilizando em poucos anos um negócio lucrativo antes de lançarem o primeiro computador da empresa. Em apenas uma década, a DEC virou motivo de inveja do mundo corporativo americano, e Olsen era elogiado como o seu fundador visionário. A história da DEC era uma comprovação de que seria possível para nós criar uma empresa bem-sucedida.

Paul estava pronto para dar o salto. No começo desse verão, insistiu para que me afastasse por um tempo de Harvard. E disse que estenderia o afastamento de sua faculdade. Nós podíamos começar pequenos, como a DEC, desenvolvendo a nossa incipiente empresa de controle de tráfego e o seu computador de uso específico; depois, trataríamos de expandir, nos tornando consultores, trabalhando em projetos interessantes como o de Bonneville, ao mesmo tempo que criávamos softwares para o novo universo de microprocessadores inaugurado recentemente pela Intel.

Eu fiz o papel de advogado do diabo e disse por que eu achava que muitas de suas ideias e visões tecnológicas não faziam sentido para os negócios — pelo menos não no futuro próximo. Eu também não estava convencido de que qualquer um desses empreendimentos era uma oportunidade grande o bastante para me fazer abandonar meus planos para a faculdade. Entretanto, por um breve momento até fiquei tentado pela ideia de pular a graduação, e cheguei a aventar essa possibilidade para os meus pais, que não foram nada receptivos. A verdade era que eu queria fazer a faculdade. Queria ter a chance de ver como me sairia em meio a outros jovens inteligentes, oriundos de um grupo bem mais amplo que o da Lakeside.

Minha opinião, na época, era de que os avanços da humanidade partiam de indivíduos. Eu imaginava o proverbial gênio solitário, o cientista isolado trabalhando incansavelmente em alguma disciplina, extrapolando seus limites até encontrar uma grande inovação. Meu gostinho disso era o sucesso obtido com o programa da grade de horários. Mesmo passados meses da entrega do software, eu ainda sentia uma profunda satisfação com todo o projeto, uma demonstração matemática que, uma vez traduzida em código de computador, melhorou a vida de centenas de pessoas. Diante do grande esquema das coisas, era um feito modesto, mas atiçou minha imaginação quanto ao que eu seria capaz de conquistar. Pensava que um caminho poderia ser a matemática. Talvez fosse dotado de um cérebro capaz de encontrar a solução para um teorema matemático de muitos séculos ou de conceber uma solução científica que melhoraria a vida das pessoas. Parecia absurdo, mas eu queria ver até onde conseguiria ir.

Minha filosofia do cientista solitário era assunto para um debate intermitente com Paul. Para ele, o mundo avançava por meio da colaboração, em que equipes de pessoas inteligentes se reuniam visando um objetivo comum. Onde eu via Einstein como modelo, ele via o Projeto Manhattan. Ambas as perspectivas eram simplistas, embora com o tempo fosse a dele que viria a definir nosso futuro.

Com o passar das semanas, esse debate filosófico se tornou o pano de fundo para discussões sérias sobre o trabalho na Lakeside. Em nosso tempo livre na TRW, continuávamos a trabalhar na atualização da grade de aulas para o ano letivo seguinte. Assim como no verão anterior, minha preocupação era que não conseguiríamos terminar a tempo. Assumimos um padrão previsível: Paul sugeria ideias para o horário e eu as rejeitava, normalmente porque, como criador original do programa, compreendia sua matemática e estrutura subjacentes melhor do que ele. Após uma dessas discussões, eu virava as costas e ia escrever o código do modo que fizesse mais sentido para mim. Não ajudava em nada nessas brigas o fato de passarmos o tempo todo juntos. Toda refeição. Todo filme. Todos os dias no trabalho. Nada mais natural que irritássemos um ao outro.

E foi assim que batíamos boca certa noite, ao deixar o Túnel do Tempo para jantar, seguindo para o estacionamento. Como se fôssemos dois pilotos em Le Mans, era comum sairmos em disparada até nossos carros — no meu caso, o Mustang emprestado de meu pai, enquanto Paul estava com seu Chrysler — para disputar uma corrida ao restaurante combinado. Provavelmente foi por isso que parti como uma flecha na direção do automóvel. Fosse qual fosse o motivo, corri na frente de Paul. Só que em algum momento durante o dia alguém amarrara uma corda na entrada do estacionamento. Na minha pressa, e no escuro, não percebi quando fui enganchado pela cintura. Também não me toquei de que a corda se retesava cada vez mais conforme corria, até que, *vuuush*, fui arremessado de costas como um projétil de estilingue. Paul passou calmamente por mim e me olhou ali estatelado na calçada. Caímos na gargalhada.

O estresse de viver e trabalhar juntos pesava especialmente para Paul, que um dia decidiu abandonar nossos dois pequenos empreendimentos. Em uma carta que deixou no meu quarto, ele escreveu, "Recentemente, fiquei cada vez mais convicto de que nosso trabalho e nossas discussões, e até morar juntos, eram insatisfatórios, pelo menos do meu ponto de vista". Afirmou sentir que eu desrespeitava suas ideias e sua inteligência e que "era chegado o momento de romper toda ligação entre nós" relativa à grade de horários da Lakeside e ao Traf-O-Data. Numa linguagem que para mim lembrava um acordo de divórcio, Paul escreveu que "Venho por meio desta renunciar ao meu interesse na grade de horários [...] e na máquina de tráfego. É *tudo* seu (cem por cento)". A carta manuscrita incluía um espaço para nossas assinaturas. Ao final, ele escreveu: "P.S. Estou falando sério".

Não assinei. Presumi que assim que os ânimos estivessem menos acirrados, nossa amizade reencontraria um ponto de equilíbrio. Nesse meio tempo, porém, fui embora. Sem nem me dar ao trabalho de pegar minhas coisas, dirigi até Seattle e virei noites na Lakeside para terminar a grade de horários em cima do prazo. Acabei não regressando a Bonneville; Ric teve a bondade de levar minhas coisas de volta a Seattle.

A dinâmica entre Paul e eu sempre fora complicada, um misto de amor e rivalidade parecido com o que às vezes é sentido por irmãos. Em geral nossas diferenças de temperamento, estilo e interesses se combinavam em algo positivo. Essas diferenças nos impeliam adiante e faziam de ambos pessoas melhores. Mas esse verão foi o teste inicial de uma parceria que continuaria a evoluir. Eu estava com dezessete anos e Paul, vinte. Ainda tínhamos um longo caminho a percorrer.

Em alguns meses, Paul e eu voltaríamos a nos falar. A essa altura ele voltara à Universidade Estadual de Washington e eu começava meu primeiro ano em Harvard. Fizemos as pazes e retomamos o trabalho no Traf-O-Data, como contei a Ric numa carta, agradecendo-lhe por seu papel em nos ajudar a chegar a uma trégua:

> *Como tenho certeza que sabe, Paul e eu retomamos o caminho certo (e que longo caminho tem se revelado) em termos absolutamente equânimes e até certo ponto com entusiasmo. Quero muito agradecê-lo pela amizade especial que manifestou por Paul e por mim numa época particularmente difícil para ambos. Mas gosto de pensar que, de todo modo, nós dois teríamos percebido em algum momento como nossa postura estava*

sendo ridícula. Ter a bondade de pegar todas as coisas que deixei no apartamento e trazer de volta para minha casa foi mais uma prova da consideração pessoal que você demonstrou durante todo o verão. Quem dera eu pudesse ter feito o mesmo, embora, no geral, tenha sido um verão maravilhoso de fato. [...] Seu amigo, Trey.

10. Precoce

Em uma manhã de domingo de 1969, bem antes de o dia raiar, um ruidoso caminhão do Exército americano chegou ao campus de Harvard. Homens uniformizados descarregaram grandes engradados contendo uma espécie de presente do Departamento de Defesa: um mainframe da DEC que havia sido desmontado no Vietnã, depois de ser instalado como parte do esforço de guerra. As diferentes partes, do tamanho de uma geladeira, foram desencaixotadas no Laboratório de Computação Aiken de Harvard, onde os técnicos as conectaram para construir um PDP-10, igual aos modelos que eu viera programando havia cinco anos quando cheguei à universidade em 1973.

A entrega noturna servira para driblar os manifestantes antiguerra que vinham protestando contra a participação das universidades em pesquisas ligadas à defesa. Os protestos tinham seus motivos: os militares eram, provavelmente, os maiores clientes da indústria de computadores na época, e o medo da União Soviética em plena Guerra Fria canalizava demasiado dinheiro público na pesquisa de sistemas automatizados para guiar mísseis, pilotar submarinos e detectar o lançamento de mísseis balísticos intercontinentais.

Na época em que cheguei a Cambridge para a orientação dos novos alunos, anos de robustos investimentos em tecnologia de defesa haviam transformado a área de Boston. A DEC e dezenas de outras empresas na região haviam se originado de projetos no MIT para construir computadores e outras tecnologias de uso militar. Antes de o Vale do Silício se firmar como a meca da alta tecnologia nos Estados Unidos, o título era ostentado pelos cem quilômetros da Rota 128 ao redor de Boston.

Tive um vislumbre desse uso do dinheiro público pela primeira vez quando entrei no Laboratório de Computação Aiken de Harvard algumas semanas depois de as aulas começarem. Eu estava lá para me encontrar com o diretor do laboratório. No saguão, vi uma máquina enorme com uma placa explicando se tratar do Mark I, um protocomputador desenvolvido por Howard Aiken, cientista em cuja homenagem o laboratório fora batizado. Como comandante da Marinha na década de 1940, Aiken trabalhou com a IBM na criação do Mark I como uma ferramenta para calcular a trajetória de mísseis. Mais tarde, ele foi utilizado no Projeto Manhattan. Era revolucionário para a época, uma monstruosidade cheia de controles, indicadores e relés que funcionava basicamente como uma calculadora de quinze metros de comprimento capaz de somar, subtrair, multiplicar e dividir mais rápido do que um ser humano. Quando o vi, o Mark I era só uma parte do original, uma peça de museu obsoleta.

No fim do corredor, eu podia ver a sala com o Harv-10 — como o laboratório apelidara o PDP-10 doado pelo governo. A DARPA, ou Agência de Projetos de Pesquisa Avançada, do Departamento de Defesa, financiava o laboratório de modo que os professores e alunos de engenharia em Harvard pudessem usar o sistema para experimentar novas maneiras de programar e tornar o software mais rápido, confiável e barato. A agência também instalara uma conexão ligando o Harv-10 à rede ARPA, que ficou mais conhecida como ARPANET. O Aiken era um dentre algumas dezenas de centros de computação no país que haviam começado a testar e-mails e outros novos protocolos de comunicação, os tijolos do que viria a ser a base da internet.

No outono desse ano, eu não sabia nada sobre as ligações do Laboratório Aiken com o governo. Meus pensamentos se resumiam a (1) Uau, Harvard tem um PDP-10! e (2) Preciso ter acesso a ele. Não tinha ideia, na época, de que o laboratório, via de regra, era proibido para alunos de graduação. Ali era domínio dos alunos da pós, a maior parte deles realizando pesquisas sob a orientação de Tom Cheatham, o diretor. Antes de chegar a Harvard, o professor Cheatham trabalhara na indústria de computadores e no governo. Ele era o supervisor do Harv-10, a pessoa que decidia como ele seria usado e por quem. Para mim, representava apenas uma assinatura de que eu precisava.

Em grande parte do mundo acadêmico, os computadores em si ainda não eram uma área séria de estudos. A ciência da computação, na maioria das universidades, costumava ser integrada a departamentos mais tradicionais, como em Harvard, onde fazia parte da engenharia e da física aplicada. O orgulho desse departamento era a dinâmica de fluidos, uma disciplina construída sobre séculos de matemática elegante inventada para descrever como os pássaros voam e o sangue flui. A ciência da computação podia ser uma ótima ferramenta para estudar esses fenômenos, mas estava longe de ser vista como uma igual. Via de regra, o aluno interessado em computadores se formava em matemática aplicada ou engenharia. Ainda demoraria dez anos para Harvard oferecer um curso de graduação em ciência da computação.

Por esses motivos, e por orgulho, afirmei a Cheatham que não pretendia fazer as aulas de informática — a não ser talvez alguns cursos avançados de pós-graduação —, mas, mesmo assim, queria usar seu laboratório. Esse encontro inicial deu o tom da nossa relação pelo resto do meu período em Harvard. Eu, o garoto hiperativo praticamente pulando da cadeira conforme falava, e ele, o ocupado diretor de laboratório com um monte de coisas mais urgentes para fazer, dando tragadas em um cigarro Parliament enquanto aguardava que eu terminasse.

Contei histórias do nosso Lakeside Programming Group e de tudo que eu fizera desde que aprendera a programar, aos treze anos. Contei-lhe ter faltado durante parte do meu último ano para trabalhar na TRW com a rede elétrica que servia milhões de clientes. Falei sobre o Traf-O-Data e os clientes que decerto atrairíamos conforme explorássemos o potencial do microprocessador — que, afirmei, mudaria tudo! Os trambolhos com que estávamos habituados seriam do tamanho de uma caixa de fósforos — e seu custo encolheria junto!

Eu me acostumara a deixar os adultos atônitos com meu domínio do que ainda era um mundo hermético. Até os programadores veteranos na C ao Cubo e na TRW achavam graça no meu absoluto entusiasmo pelo assunto e na minha vontade de aprender mais. O professor Cheatham, porém, não demonstrou interesse. Fiquei intimidado. Afinal, era o diretor do laboratório.

Posteriormente descobri que as tarefas administrativas — assinar os cartões de estudo dos alunos e tocar o dia a dia do laboratório — eram a parte de que ele menos gostava de seu trabalho. Cheatham, no fundo, era um programador. Atrás de sua cadeira giratória havia um terminal conectado ao computador Harv-10. Era ali que ele trabalhava no desenvolvimento de novas linguagens quando não estava em reuniões com oficiais do Departamento de Defesa e assegurando mais verbas para o laboratório.

Depois que discursei por meia hora com entusiasmo, ele apagou o cigarro e assinou meu formulário. Mais tarde, eu ficaria sabendo que Cheatham tinha a reputação de dar autonomia a seus alunos e deixá-los experimentar. Era aberto a novas ideias. O que tomei por falta de interesse era provavelmente uma combinação dessa mente aberta com o desejo de se livrar daquele jovem irritante para poder voltar ao software que estava escrevendo. Fosse qual fosse o motivo, no fim das contas eu tinha uma chave do laboratório e minha própria conta, número 4114, bem como uma percepção um tanto abalada do meu caráter excepcional.

Como calouro, ganhei um prêmio acadêmico que me permitia escolher meus colegas de quarto. Eu gostava da ideia de poder me misturar a tipos ecléticos de pessoas. Quando era mensageiro no Congresso, achava divertido ouvir as histórias dos outros mensageiros, todos com origens tão diversas. Imaginei que Harvard ofereceria a mesma oportunidade, então sugeri um aluno estrangeiro e um aluno negro.

Chegando ao quarto A-11 em Wigglesworth Hall — Wigg A, para os íntimos —, conheci Sam Znaimer, de Montreal, o que, tecnicamente, imagino, fazia dele um aluno estrangeiro, e Jim Jenkins, estudante de engenharia negro do Tennessee. Aprendi na mesma hora uma lição sobre meus privilégios. Sam viera cerca de duas semanas antes do resto de nós para trabalhar como faxineiro, limpando as duchas e os banheiros antes da chegada das animadas hordas de alunos aos dormitórios. Ele precisava trabalhar para bancar seus estudos e depois me contaria sobre sua história como filho de sobreviventes do Holocausto que se conheceram quando eram refugiados vivendo em uma comunidade judaica isolada. Seu pai tinha uma loja de sapatos infantis, e sua mãe era garçonete. Era meio pateta que nem eu, e gostei dele de cara. Jim era o clássico filho de militar que se mudara um bocado na infância, mas tinha orgulho de se considerar um sulista e de declarar seu gosto por certos gibis e tipos de batata frita típicos do Sul sobre os quais eu nunca ouvira falar. Também precisava pagar por seus estudos e desaparecia nos fins de semana para trabalhar em uma base próxima da Força Aérea.

Fomos os três nos matricular nas aulas. Para cumprir os créditos de humanas, escolhi clássicos gregos — Ulisses, Antígona e essa coisa toda —, em parte porque fizera uma versão dessa mesma matéria na Lakeside e em parte porque o professor de Harvard que daria essas aulas era lendário. Achei que seria divertido, fácil, e me proporcionaria tempo para me dedicar às matérias difíceis. Folheando o catálogo de cursos do verão, havia deparado com uma aula de engenharia que oferecia estudos independentes em design e pesquisa — qualquer projeto em qualquer área de seu interesse, incluindo, dizia a descrição, circuitos eletrônicos, engenharia térmica e, sobretudo, aplicações de computador. Imaginei que o curso fosse tão aberto que eu poderia trabalhar em qualquer coisa que quisesse explorar, e assim me inscrevi nele.

Na seção de matemática, vi que a numeração dos cursos começava em 1a — geometria analítica e introdução ao cálculo — e aumentava a partir daí. Quase no final da lista de cursos, pouco antes das opções de estudo independente, encontrei o número mais alto oferecido para calouros: matemática 55A e 55B, uma sequência de dois cursos em cálculo avançado. Gostei da advertência destacada na descrição: "O aluno com interesse casual em matemática não deve optar por esses cursos, que tampouco devem ser escolhidos com base em um vago desejo de estudar matemática 'teórica'". Era necessário passar numa prova para ser aceito.

Percebi que o aviso se destinava a dividir os futuros alunos de matemática nas duas vertentes da disciplina. Uma delas, a matemática pura, era a mais prestigiada, a forma mais elevada de trabalho intelectual, para a qual os únicos equipamentos necessários são seu cérebro, lápis e papel, giz e quadro-negro. Os estudiosos dela são mentes brilhantes atuando na vanguarda; eles descrevem suas realizações como "descobertas". Qualquer coisa na vertente "aplicada" da matemática era vista como a periferia do mundo acadêmico, na qual as pessoas se limitavam a usar as ferramentas que os pioneiros haviam inventado décadas, ou até séculos, antes para produzir algo que fosse decerto útil, mas não "puro".

Na Lakeside, eu fizera os cursos de matemática mais desafiadores que a escola tinha a oferecer. Havia obtido uma pontuação perfeita de oitocentos na metade do exame do SAT voltada à matemática e tirado nota máxima na prova de colocação avançada em cálculo. Matemática 55 era como uma porta para esse mundo da matemática pura. Só uma ínfima fração de pessoas conseguiria a chave para abri-la. Matriculei-me, fiz o exame de admissão na mesma semana e passei.

Às onze da manhã da primeira segunda-feira de aula, entrei na sala de matemática 55A no Sever Hall para encontrar cerca de oitenta outros estudantes — mais do que eu esperava. Quase todos eles eram do sexo masculino.

Diante do quadro-negro estava um jovem professor de cabelos ruivos encaracolados e barba igualmente ruiva, tão espessa que borrava as palavras que escrevia com giz: "Espaços vetoriais de dimensão finita", título do primeiro capítulo das anotações de aula xerocadas que ele entregaria semanalmente. O giz guinchava conforme ele listava alguns tópicos que seriam abordados nas aulas: axiomas, campos, tuplas, números complexos e imaginários, espaços vetoriais, isomorfismos e muito mais, até chegar a equações diferenciais. Eu tinha apenas uma vaga familiaridade com alguns desses temas — o que diabos era um espaço de Banach? Mas reconheci o suficiente para saber que os alunos da área que não cursassem matemática 55 passariam seis semestres ou mais estudando o que cobriríamos em dois. O negócio seria tenso. Em um canto do quadro-negro, o professor ruivo informou seu nome: John Mather.

Meus colegas logo começaram a falar sobre Mather. Ele se tornara professor titular em tempo recorde, com 28 anos. Aos seis, quando seus colegas ainda aprendiam a ler, Mather já estudava logaritmos. Costumava ficar sentado à mesa de jantar da família, as pernas balançando na cadeira, conversando sobre matemática com o pai, professor de engenharia elétrica em Princeton. Aos onze anos, Mather aprendia cálculo estudando os livros de engenharia do pai. No ensino médio, passava quase todo o tempo livre imerso em livros de topologia, álgebra abstrata e, sim, espaços vetoriais de dimensão finita. Foi o primeiro aluno de ensino médio autorizado a assistir a aulas de matemática na Universidade de Princeton. Quando era aluno de graduação em Harvard, ficou entre os dez primeiros do país na competição Putnam, uma olimpíada anual de matemática para alunos universitários. Um ano depois, repetiu o feito. Tinha só 24 anos quando concluiu seu doutorado em Princeton, com uma tese contendo uma descoberta importante, hoje conhecida como Teorema de Preparação de Malgrange-Mather, e publicara uma série de artigos tão definitivos sobre um problema incômodo em teoria da singularidade que um colega escreveria mais tarde que "ele solucionou completamente a questão e, de certa forma, liquidou o assunto, pois não havia mais nada a dizer".

A carreira de Mather traria mais avanços e inúmeros prêmios. Mas com base no que eu sabia dele, mesmo naquela época, como nosso professor de 31 anos, estava claro que, para ser um matemático de renome internacional, era indispensável ter talento fora do comum e um início precoce.

Na segunda-feira seguinte do curso de matemática 55, restava mais ou menos metade de nós e, ao final do primeiro mês, éramos apenas 25. Para sobrevivermos, percebemos a necessidade de trabalhar em equipe. Talvez houvesse proteção na manada.

Foi assim que conheci Andy e Jim, que se tornariam alguns dos meus melhores amigos em Harvard. Os dois representavam o típico aluno remanescente no curso de matemática 55. No sexto ano, Andy Braiterman aprendeu álgebra sozinho em três semanas, quando estava acamado com pneumonia; no ensino médio, pulou etapas e terminou cálculo — dois anos antes de mim. Era um dos mais novos em nossa classe, tendo ingressado em Harvard com apenas dezesseis anos. Jim Sethna era filho de uma mãe química e um pai que estudara no MIT e era chefe do departamento de engenharia aeroespacial na Universidade de Minnesota.

Andy e Jim moravam em um apartamento no terceiro andar do Wigg A, bem acima do meu quarto. Nosso grupo de matemática 55 começou a se reunir na sala da suíte deles para trabalhar na série de problemas semanais. Mather havia criado todos os problemas sozinho — não havia livro didático elaborado para um curso como esse. As anotações xerocadas que Mather distribuía toda semana eram surpreendentemente de pouca ajuda.

"Não tem números!", alguém gritou. Mather não dividia os problemas em etapas nem explicava como os conceitos deveriam ser usados no mundo real. Os folhetos apenas sinalizavam o que deveríamos ter aprendido... sabe-se lá como. Cabia aos alunos encontrar livros e resolver problemas para desvendar aqueles conceitos.

Eu nunca tinha visto nada como aquilo. E, embora houvesse escapado dos abates da manada, não estava claro onde isso tinha me deixado.

O coração do Laboratório Aiken era o Harv-10, o computador doado. Tomava um espaço enorme: cinco ou seis caixas do tamanho de geladeiras ao longo de uma parede, conectadas a mais de uma dezena de terminais. A maioria dos usuários do centro estava lá por causa do PDP-10. Era a ferramenta dos alunos de pós-graduação orientados por Cheatham que trabalhavam em compiladores e montadores, e na criação de uma linguagem de programação experimental chamada ECL.

Alguns dos pós-graduandos em química que trabalhavam com o professor E. J. Corey usavam um software de IA conhecido como LHASA, que haviam desenvolvido para ajudar a sintetizar novas moléculas para medicamentos, plásticos e outras aplicações industriais. (Os avanços de Corey nessa área acabariam lhe rendendo um prêmio Nobel e uma Medalha Nacional de Ciências.) Os gráficos do computador me deixaram impressionado. O programa, na verdade, era capaz de desenhar o formato das moléculas à medida que eram construídas, átomo por átomo.

No meu primeiro dia no laboratório, notei outro computador esquecido em um canto da sala. Parecia um centro de lançamento de foguetes espaciais. Poucos computadores na época tinham sua própria tela, mas essa máquina contava com quatro monitores CRT redondos dispostos numa mesa em L. Sobre a mesa, havia um tablet Rand com a caneta stylus, uma das primeiras ferramentas para converter escrita e desenhos feitos à mão em imagens numa tela de computador. Era um ancestral de 18 mil dólares dos tablets que, décadas depois, se tornariam uma ferramenta obrigatória para artistas digitais.

O destaque dessa bancada de monitores era um DEC PDP-1. Eu tinha conhecimento do PDP-1; era o primeiro modelo de computador vendido pela DEC. Mas nunca cheguei a utilizar. Foi um dos primeiros computadores "interativos", o que significa que o usuário podia trabalhar diretamente com a máquina, uma opção não disponível em mainframes trancados em salas ou alojados a quilômetros de distância. A DEC o comercializava por 120 mil dólares, uma fração dos 2 milhões que um mainframe poderia custar na época. A DEC fabricou o PDP-1 só por uma década, vendendo pouco mais de cinquenta unidades. Se o PDP-10 fosse um carrão esportivo dos anos 1960 — conhecido por sua potência bruta —, o PDP-1 seria um Chevy 57 — antigo e não tão veloz, mas cheio de estilo.

Chegando aos laboratórios no início da década de 1960, o PDP-1 foi um sucesso instantâneo entre os hackers que sonhavam em mexer diretamente com um computador. Um PDP-1 que a DEC doou ao MIT se tornou lendário por ajudar a formar uma geração de hackers influentes, cujo aprendizado consistiu em criar programas que, embora banais, eram incríveis para a época, tocando melodias como um órgão de parque de diversões e exibindo um fluxo incessante de padrões de flocos de neve. Eu ouvira falar do PDP-1, sobretudo, por causa de *Spacewar!*. Steve Russell, uma das lendas da computação que conhecemos na C ao Cubo, nos contara a história de como usara o PDP-1 do MIT para criar esse video game inovador.

Embora o PDP-1 do Aiken fosse quase obsoleto agora, seus monitores e dispositivos de entrada ainda faziam dele uma ótima ferramenta para exibir e interagir com gráficos computadorizados. Em uma das minhas primeiras visitas ao laboratório, Eric Roberts, um pós-graduando em matemática aplicada, me falara como andava a situação. Vê esses fios soltos pendurados atrás do rack? Foi aí que Ivan Sutherland conectou o dispositivo de realidade virtual que ele usava na cabeça, bisavô dos headsets de RV mais refinados que chegariam décadas depois. A essa altura, Sutherland já era famoso por criar o Sketchpad, um software precursor da interface gráfica que se tornaria o padrão em todos os computadores. Quinze anos mais tarde, Sutherland ganharia um Prêmio Turing (o equivalente ao Nobel na ciência da computação) pelo Sketchpad e seria reconhecido como um dos pais da computação gráfica.

Eric apontou para um joystick sobre a mesa diante do PDP-1. O dispositivo, junto com vários interruptores e botões, explicou, eram os controles de um simulador de voo inovador construído em 1967 por Danny Cohen, um dos alunos de Sutherland. Foi a primeira comprovação conhecida de que uma simulação sofisticada podia rodar em um computador para fins gerais com recursos limitados.

Ele explicou que, alguns anos antes, Cohen, então professor em Harvard, trabalhava com dois alunos de pós-graduação para melhorar o simulador de voo. A ideia deles era radical para a época: aproveitar a potência de três computadores diferentes conectados via ARPANET. O PDP-1 era muito eficiente em exibir gráficos e tinha todos aqueles mostradores bacanas, além do joystick. Mas era lento e incapaz de produzir uma experiência de voo realista. Eric me contou que um pós-graduando chamado Ed Taft desenvolvera um software para o antigo computador transferir seu processamento pesado ao PDP-10 de Harvard e a outro computador, ambos mais potentes, a quilômetros de distância do MIT. O experimento representou um avanço, provando que gráficos 3D e programas podiam funcionar entre computadores pela ARPANET — a protointernet.

Cohen havia trocado recentemente Harvard pela Universidade do Sul da Califórnia, e os dois alunos de pós-graduação, Taft e Bob Metcalfe, haviam começado a trabalhar em Xerox PARC (Palo Alto Research Center), a inovadora divisão de pesquisa da empresa. (Com o tempo, Cohen e seus colegas ficariam conhecidos por grandes contribuições às áreas de software e redes: Taft foi trabalhar na Adobe, onde ajudou a criar o PostScript e o PDF; Metcalfe coinventou a tecnologia de rede Ethernet e fundou a empresa 3Com.)

Ouvindo sobre tais experimentos, pensei em algo para meu estudo independente. Gostei da ideia de conectar a capacidade gráfica do PDP-1 à máquina mais potente do laboratório. Em vez do ponto de vista da cabine de um avião, imaginei um campo de beisebol em três dimensões, com os monitores do computador proporcionando diferentes ângulos de câmera em tempo real. Um jogador usaria o joystick e outros controles do PDP-1 para arremessar, rebater e pegar a bola, com o computador enviando os dados via ARPANET para o PDP-10 calcular a física complexa da velocidade e da trajetória da bola, e de um jogador correndo pelas bases. Seria um programa difícil de escrever, exigindo muito trabalho para simular a complexidade de um jogo real. Como treinar um computador para produzir uma animação de um jogador pegando uma bola rasteira ou se esticando para alcançar uma bola alta? O que o interbases faz quando há uma rebatida simples para o lado esquerdo do campo com corredores na primeira e na terceira base?

Redigi a proposta de "um sistema gráfico interativo tridimensional com três câmeras" (ou seja, um jogo de beisebol no computador) e a levei a Tom Cheatham. Perguntei-lhe se poderia ser meu orientador no projeto. Ele pareceu entusiasmado com a ideia e topou.

Um simulador de beisebol era um plano deliberadamente ambicioso. Eu alardeara minhas habilidades em programação para Cheatham. Parte de mim queria provar a ele que eu estava à altura das minhas próprias expectativas. Gráficos e redes eram duas das áreas mais promissoras em computação na época, ambas ainda engatinhando. Com isso, havia muita margem para inovação e oportunidades para que a pessoa deixasse sua marca. Quem sabe eu pudesse seguir os passos desses outros pioneiros dos gráficos. No mínimo, imaginei, criaria um jogo legal para me divertir com meus amigos.

O Laboratório Aiken deveria ter um supervisor acadêmico — um diretor subordinado a Cheatham —, mas a vaga permanecia aberta havia algum tempo. Da mesma forma que o laboratório de computação de inúmeras universidades na época, o Aiken era administrado pela comunidade de usuários, uma espécie de cooperativa autônoma composta de cerca de duas dezenas de pós-graduandos, pesquisadores e hackers casuais. Eram eles que estavam por dentro das peculiaridades dos computadores do laboratório e sabiam consertá-los quando quebravam. Um saberia como recuperar arquivos, enquanto outro seria capaz de reiniciar o sistema quando travasse. Todo mundo estava mais do que disposto a ajudar, caso alguém tivesse dúvida. Se havia de fato um líder nesse grupo, era Eric Roberts. Eu conhecia bem o vício em programação de Eric. O Dia de Ação de Graças, para ele, significava chegar ao Aiken numa quarta-feira à noite, escrever código até dormir em cima do terminal, deixar o peru para lá no dia seguinte e virar a noite de domingo, à base de doces da máquina automática e hambúrgueres gordurosos da cafeteria. Se não estava trabalhando em seus próprios projetos, Eric redigia manuais de usuário, consertava a unidade DECtape ou fazia as vezes de médico plantonista para o PDP-1. Quando a velha máquina parou de funcionar, Eric apareceu com um osciloscópio e a ressuscitou usando peças transplantadas doadas por outra máquina à disposição.

Eu rapidamente caí na cultura democrática e descontraída do lugar. Nenhuma regra além do senso comum de que você deve ficar longe de qualquer um que esteja profundamente envolvido em pesquisa ou se aproximando de sua tese. Fora isso, você tinha acesso livre, 24 horas por dia. Foi assim que, no outono do meu primeiro ano, fiquei famoso por trocar meus amigos pelo Aiken, onde eu permanecia até altas horas para tentar pôr meus jogadores virtuais de beisebol em campo.

O apartamento de Jim e Andy no terceiro andar passou a ser

a sede do nosso clube, e, enquanto o resto do dormitório se divertia em festas regadas a baldes de ponche de frutas ZaRex e vodca, nós resolvíamos problemas de matemática, passávamos tempo juntos e atraíamos uns aos outros para debates ou perguntas que testavam nossa habilidade de raciocínio ou conhecimento de trivialidades: Qual é maior, Bulgária ou Tchecoslováquia? Quantos postos de gasolina existem nos Estados Unidos? Um benefício adicional era de que o colega de quarto de Jim e Andy tinha um dos únicos estéreos por ali. Comprei dois LPs: *Are You Experienced*, porque Paul havia me contagiado com a ideia de que uma pessoa que ouvia Hendrix era descolada; e *Donovan's Greatest Hits*, que era o disco que eu punha para tocar com mais frequência. O cantor escocês de voz suave e sua canção "Mellow Yellow" me relaxavam. Era uma música boa para sentar e refletir. (Eu era tão fissurado em Donovan que, vinte anos depois, de brincadeira, Andy me deu uma cópia do CD como presente de casamento.)

Havia uma certa pureza nas amizades, que valorizo mais hoje do que na época. As coisas banais que os amigos fazem nessa idade, quase imperceptíveis no momento, trazem ensinamentos em pequenas doses e, com o tempo, criam laços. Íamos em grupo — Sam Znaimer, Jim Jenkins, Jim Sethna, Andy Braiterman e eu — à cafeteria para comer, ou ao porão da Wigg A, onde passávamos horas jogando fliperama, ou ao Freshman Union, para assistir ao noticiário.

Foi o ano em que *Roe vs Wade* garantiu o direito ao aborto e em que Nixon declarou: "Não sou pilantra". A lenta retirada americana do Vietnã começou e o alistamento foi suspenso. Esses eventos importantes foram o pano de fundo da vida em 1973, mas meus amigos e eu estávamos preocupados com coisas muito menores. Conversávamos sobre matemática, física, história, comida e, vez ou outra, garotas, embora nenhum de nós tivesse muita interação com elas, a não ser pelas poucas alunas cursando matemática 55.

Naquela época, Harvard realizava encontros que reuniam estudantes para beber e dançar, geralmente em faculdades femininas próximas, como Pine Manor. Para essas raras ocasiões, comprei uma jaqueta de couro marrom cara que combinei com calça boca de sino de veludo azul, o que na minha mente me colocou no auge da moda dos anos 1970. Meu grupo Wigg A e eu nunca tivemos sorte em conhecer mulheres nessas festas, embora os caras do nosso círculo mais amplo voltassem alegando que tinham conhecido. Quase em uníssono, o resto de nós gaguejava: "Como vocês fazem isso?".

Os exercícios em matemática 55 deveriam ser entregues toda segunda de manhã. Nos domingos à noite, a gente se reunia no apartamento de Andy e Jim para tentar resolver os problemas abstratos dados por Mather, formulando-os de modo a obter respostas concretas e corretas. Nunca era fácil. Um problema típico apresentava algumas definições ou axiomas, depois afirmava um teorema derivado desses fatos (sem revelar como) e então pedia: prove que o teorema é verdadeiro. As demonstrações tinham múltiplas etapas, e se você desse um passo na direção errada embrenhava-se num espinheiro do qual jamais sairia com uma solução. Assim, todo problema nos obrigava a considerar com cuidado qual abordagem seguir. Depois que a encontrávamos, o resto normalmente se encaixava no lugar. Mas até chegar lá... Fazíamos uma espécie de brainstorming de cinco para descobrir o que Mather estava pedindo. Depois cada um passava a trabalhar por sua própria conta, tentando ser o primeiro a encontrar uma estratégia que funcionasse. No fim, alguém gritava: "Descobri como fazer!", e explicava sua ideia caso os demais estivessem empacados.

Conforme a noite avançava, os membros do grupo pouco a pouco voltavam para seus quartos. Em geral, Jim, Andy e eu continuávamos trabalhando até depois da meia-noite. Então saíamos para ir à Pinocchio's, uma pizzaria na Harvard Square. Com sorte, chegávamos bem na hora que estavam fechando e comíamos as sobras do dia por uma ninharia, o queijo já endurecido. Depois continuávamos trabalhando até as duas, três ou, às vezes, quatro da manhã, para em seguida dormir por algumas horas antes de correr para a aula das onze e entregar nossas respostas.

Naqueles primeiros meses de faculdade, eu era como uma criança em uma loja de doces, deslumbrado com o aparentemente ilimitado acesso a especialistas e a estímulo intelectual. Nas minhas aulas de humanas no primeiro ano, o professor John Finley entrelaçava Homero, Heródoto e Aristófanes à vida e à literatura modernas de um jeito cinematográfico. Eu adorava a liberdade que meus estudos independentes me proporcionavam para explorar meus limites como programador e me sentia estimulado com o espírito de camaradagem que encontrei em matemática 55 conforme fritávamos os neurônios com as anotações de Mather e nos ajudávamos mutuamente a melhorar.

E, no entanto, no final desse primeiro semestre, me senti meio perdido. Eu tinha chegado a Harvard de uma escola pequena, nem mesmo noventa pessoas na minha turma de formandos. Uma vez ambientado na Lakeside, foi fácil me destacar nos estudos e ser reconhecido. Ajudou também o fato de poder contar com uma comunidade unida de professores, diretores e pais a me apoiar. Eles sabiam que eu era um ponto fora da curva, uma criança brilhante e desajeitada que, às vezes, precisava de um empurrãozinho (Matricule-se nas aulas de teatro, Bill!) ou de uma oportunidade (Claro que você pode tirar um trimestre para trabalhar!). Em Harvard, eu estava por conta própria, nadando em um lago bem maior. Todo mundo ali tinha sido o primeiro de sua turma na escola, todo mundo ali sabia o que era se destacar, todo mundo ali se empenhava em ser o melhor.

 Eu havia sentido isso com clareza ao entrar na sala da minha aula de química orgânica e topar com centenas de colegas, em sua maioria visando a uma carreira médica e decididos a se destacar no curso, um obstáculo crucial no longo caminho para se tornarem médicos. Eu havia me inscrito pelo simples motivo de que, no ensino médio, adorava as aulas de química do dr. Morris. A química orgânica parecia ser logicamente o passo seguinte, mesmo que eu não pretendesse fazer medicina. Intensamente concentrados no professor à frente do enorme salão de palestras, os meus colegas equilibravam enormes manuais sobre os joelhos enquanto agilmente montavam moléculas usando kits de bolas e pinos conectores. Era algo intimidante.

 Depois de algumas semanas no semestre letivo, deixei de frequentar essas aulas. E me justifiquei dizendo que, como a nota geral seria baseada no exame final, o que tinha a fazer era aprender tudo até o fim do semestre. E como as aulas de química orgânica eram registradas em vídeos, que ficavam disponíveis no centro de ciências, eu podia simplesmente assistir a esses vídeos em vez de frequentar presencialmente as aulas. A Universidade Harvard tinha algo maravilhoso conhecido como "período de leitura", que dava quase vinte dias para que os estudantes se preparassem para o exame final. Minha aposta foi que, se me organizasse durante o período de leitura, eu conseguiria ler o manual, assistir aos vídeos e, sendo um ás do estudo concentrado, eu não teria com que me preocupar. Se havia algo de que tinha certeza era o fato de que poderia entrar num estado de concentração maníaca e aprender sozinho.

 Eu mergulhei em um ritmo diário que funcionava para mim, embora parecesse extremo para meus amigos. Entre estudar e programar, eu podia ficar acordado por até 36 horas seguidas.

Quando era tomado pela exaustão, voltava à Wigg A-11, apagava por doze horas ou mais, em geral com a roupa do corpo, às vezes até de tênis, e sempre com meu cobertor elétrico amarelo sobre a cabeça para bloquear a luz do dia. Quando acordava, comia qualquer coisa rapidamente com Jim Jenkins ou Sam, talvez passasse no apartamento de Andy e Jim e depois seguia para a aula, a biblioteca, ou voltava ao Aiken. Repeti alguma variação dessa rotina por meses.

No início das aulas, eu havia contratado um serviço de lavanderia semanal. Era um luxo para alunos que pudessem arcar com isso. Assim, toda semana deveria trocar minha roupa de cama. Só que, de tão ocupado, continuei usando o primeiro jogo de lençóis que recebi. Então a segunda semana se passou, depois a terceira, a quarta... lá pela sexta semana, comecei a ficar com nojo de mim mesmo. Os lençóis estavam encardidos, manchados de tinta e sujos de barro das minhas botas.

O atendente da lavanderia verificou meu nome em uma lista e constatou que eu havia demorado mais de um mês e meio. "Cara, você bateu o recorde!", disse ele, rindo, quando lhe entreguei os lençóis imundos. Enquanto me afastava pensei comigo: *Uau, essa é uma conquista e tanto. Pelo menos sou o melhor de Harvard em alguma coisa!*

Quando se aproximou o final do semestre, fui um dia até a sala de vídeos e fiquei estupefato ao vê-la lotada com os meus colegas do curso de química orgânica, que estavam revendo as mesmas aulas que haviam frequentado assiduamente durante todo o semestre, com os manuais abertos no colo e os modelos de moléculas nas mãos. Os vídeos não eram nada claros. Às vezes, o áudio sumia; outras vezes, a tela ficava em branco, e as falas do professor eram incompreensíveis sem as imagens. Enquanto assistiam aos vídeos, em determinados momentos os meus colegas montavam todos em uníssono os átomos brancos de hidrogênio com os pretos de carbono, e discutiam se o resultado era isometricamente simétrico ou simetricamente isométrico? *Que merda,* pensei. *Estou lascado.*

No final recebi um C nesse curso, a nota mais baixa que tive na faculdade. E, na primavera, não me inscrevi na segunda parte do curso de química orgânica.

Como calouro, eu dispunha de um orientador acadêmico para me ajudar a decidir sobre a opção por um curso, algo que todo aluno era obrigado a declarar no segundo ano. Eu não consegui encontrar meu orientador durante o outono. No início do semestre de primavera, recebi uma ligação da equipe dele, marcando um horário para conversarmos.

Ele estava ciente da minha insistência em passar direto à turma de pós-graduação em ciência da computação. Eu obtivera permissão para assistir a uma dessas aulas como ouvinte, no meu primeiro semestre — AMATH 251a, arquitetura de sistemas operacionais —, e pedira para continuar frequentando o curso na primavera, só que valendo créditos. As outras matérias do meu currículo, enquanto isso, não indicavam um caminho claro rumo a uma especialização. Eu tinha me inscrito para a segunda parte de matemática 55 e me matriculado em um curso de psicologia fisiológica, que focava "o comportamento dos organismos vistos como máquinas biológicas".

Meu orientador de calouros — um professor do departamento de química — e eu teríamos um ótimo relacionamento; ele me apoiou muito e me orientou enquanto eu selecionava possíveis especializações. Mas aquele primeiro encontro me pegou de surpresa. Não me lembro exatamente do que eu disse, mas, sim, de ter enveredado por aquele fluxo de pensamento hipercinético típico de mim na época, falando pelos cotovelos sobre como os computadores do futuro seriam completamente diferentes daquelas velharias arcaicas que conhecíamos e explicando que queria fazer aulas de psicologia porque, um dia, os computadores teriam a capacidade do cérebro humano. Absorto pela torrente de palavras, meu orientador comentou: "Você é muito precoce!".

Até então, minha mãe tinha sido a única pessoa a se referir a mim dessa forma, e não num sentido elogioso, pelo tom com que ela falava. "Você está bancando o pirralho precoce", dizia ela, quando eu retrucava com uma postura desafiadora sobre o que quer que fosse. Tendo ouvido a palavra apenas nesse contexto, eu a tomava por um insulto, uma dolorosa bordoada verbal. Saí da reunião desolado, atônito por ser visto de uma forma tão negativa pelo orientador.

Eu fora desmascarado: voltava a ser o menino malcomportado do quinto ano.

"Dá pra acreditar? O cara me chamou de 'precoce'!", comentei com meus amigos quando voltei ao dormitório, esperando uma confirmação de que meu orientador, de algum modo, extrapolara os limites do decoro. Ninguém reagiu. "Precoce! Que mal-educado."

"Mas Bill, você *é* precoce", disse Andy. Fiquei duplamente desconsolado. Até meus amigos me achavam um pirralho mimado. Andy afirmou que eu não sabia o que a palavra significava. Veja no dicionário, sugeriu alguém. Fiz isso. *Que se desenvolve cedo demais... exibindo qualidades atipicamente maduras desde tenra idade.*

Quando criança, eu ficava mais à vontade conversando com adultos do que com meus colegas, sentia-me versado no que considerava conhecimento adulto. Era um papel que desempenhava: Trey Gates, o leitor dinâmico, o gênio matemático, o pequeno nerd capaz de falar sobre ações e patentes, sobre o advento do minicomputador e a invenção do náilon. Sob isso, havia minha confiança de ser intelectualmente destemido, curioso em relação a tudo e sempre disposto a aprender, se houvesse alguém para me ensinar.

Qual era o limite de idade para a precocidade? A certa altura, virávamos adultos e éramos avaliados como tal. Deixávamos de ser uma mera criança curiosa.

Durante a maior parte da minha vida escolar, pensei na matemática como a área mais pura do intelecto. No grande lago que era Harvard, por mais óbvio que isso seja hoje em dia, me dei conta de que, a despeito do meu talento inato, havia peixes maiores. Dois dos quais eram meus melhores amigos.

Nas nossas sessões de estudo para matemática 55, mesmo ajudando uns aos outros, ocorria uma competição sutil. Isso também valia para nosso círculo mais amplo de nerds matemáticos. Todo mundo sabia o desempenho dos demais; por exemplo, que Lloyd, da Wigg B, tirara nota máxima em uma prova de matemática 21a ou que Peter — ou seria algum outro? — encontrara um erro nas anotações de Mather. Todo mundo sabia qual de nós tinha sido o mais rápido em determinado dia, o mais afiado, quem "sacou" primeiro e pôde então conduzir os demais à resposta. Chegar ao topo era uma luta diária. Ao final do primeiro semestre, percebi que minha posição na hierarquia não era a que eu havia almejado. Os dois primeiros lugares em matemática 55 pertenciam a Andy e Jim.

Pela maioria dos padrões, eu estava indo bem. Terminei com B+ no primeiro semestre, o que, naquela turma, era uma proeza. Na minha implacável opinião, porém, isso representava antes uma medida do quanto eu não sabia. A distância de um B+ para um A era a diferença entre ser o número um da turma e ser uma farsa. Da minha severa perspectiva, todo mundo ali podia se considerar o melhor aluno de matemática que conhecia — *até então*. Todo mundo fizera oitocentos pontos no SAT de matemática. Todo mundo chegara à faculdade imaginando que seria o melhor. E quando isso não se concretizava, bem, era porque nos havíamos iludido; nos meus padrões, éramos uma fraude.

Minha incapacidade de ir melhor nessa matéria me obrigou a reconsiderar minha autopercepção. Ser o mais inteligente, o número um, era algo com que me identificava, e muito. Esse status era um escudo atrás do qual mascarava minhas inseguranças. Até então, passara por poucas situações em que percebia alguém como claramente melhor do que eu em alguma atividade intelectual relevante para mim, e, quando isso acontecia, absorvia tudo o que a pessoa pudesse me ensinar. Agora era diferente. Eu começava a perceber que, embora tivesse uma excelente cabeça para matemática, não era dotado da perceptividade que distingue os melhores matemáticos. Tinha talento, mas não a capacidade de fazer descobertas fundamentais. Tive uma visão de mim mesmo dez anos no futuro: lecionando em uma universidade, mas não bom o bastante para produzir um trabalho original. Nunca seria um John Mather, operando na zona em que a matemática toca nos segredos profundos do universo.

Eu não estava sozinho. Conversando com Andy e Jim em seu apartamento nesse inverno, eles me confidenciaram que se sentiam tão perdidos quanto eu, vivendo uma espécie de crise espiritual. Ambos enxergavam em Mather um modelo do que viriam a ser se continuassem na matemática pura. Ele era brilhante, mas parecia viver em um mundo próprio, apartado das coisas concretas. Embora, na época, não tivéssemos como saber disso, dali a um ano Andy ficaria esgotado com a matemática pura e precisaria tirar um semestre de folga no terceiro ano para conseguir se formar em matemática aplicada (posteriormente ele também se formou em direito e foi trabalhar em Wall Street como especialista em tributação). Jim obteria um diploma em física (e se tornaria um professor de física de muito sucesso em Cornell). Outro colega nosso em matemática 55, Peter Galison, teve a mesma percepção. A seu ver, a matemática pura era como arte elevada. Ele podia apreciar a genialidade do *Davi* de Michelangelo, mas nunca chegaria perto de criar algo tão perfeito. Para seguir na matemática pura, era preciso acreditar que você se tornaria um Michelangelo. (Peter viria a ser um influente professor de história da ciência — nada menos que em Harvard.)

E eu, o que faria? Havia as expectativas tácitas dos meus pais. Em uma carta que escrevi para Ric em fevereiro, contei que "estive em Nova York com meus pais na semana passada — fomos ao teatro, a restaurantes chiques etc. Por eles, eu deveria fazer administração ou direito — embora não tenham falado nada". Não sei o que aconteceu em Nova York, mas devo ter percebido nas entrelinhas que preferiam essas opções. "Ainda não tomei nenhuma decisão."

Na verdade, eu já estava subconscientemente pensando na resposta. Muitos dos meus amigos de Harvard estranhavam essa minha obsessão com a matemática. Lembro particularmente de Lloyd Trefethen — que, aliás, virou matemático — me cutucando para eu chegar à conclusão óbvia: "Você é muito bom nessas coisas de computador. Por que não faz isso?". Outros sugeriram esse caminho, mas Lloyd continuou voltando à ideia.

Paul e eu vivíamos nos falando por telefone, nossas conversas me apontavam a mesma direção. Ele estava no terceiro ano da Universidade Estadual de Washington e se sentia estagnado. As aulas não eram desafiadoras. Achava que perdia seu tempo ali, quando preferiria mil vezes estar trabalhando, criando alguma coisa interessante. No fundo da minha mente, ouvi as vozes encorajadoras dos engenheiros da TRW: talvez eu conseguisse um emprego na DEC. Naquele inverno, decidimos mandar nossos primeiros currículos, que desta vez digitamos, ao contrário dos que redigimos à mão anos antes na ISI. No meu, listei todos os computadores em que havia trabalhado e todos os programas importantes que escrevera. Também afirmei que vinha montando um negócio de análise de fluxo de tráfego "em sociedade com Paul G. Allen". Eu não estava tão comprometido em obter um emprego, mas talvez acontecesse alguma coisa interessante se tentasse. Encontrei um recrutador especializado na indústria de computadores e enviei um punhado de currículos. Não contei para meus pais.

Conforme aceitava a ideia de que minha vocação estava nos computadores, me convencia de que Paul e eu deveríamos trabalhar juntos. Nossas conversas mantinham viva a sensação mútua de que os chips da Intel e outros microprocessadores revolucionariam a indústria da informática, mesmo parecendo que ninguém com quem falávamos a respeito parecesse concordar ou se importar. Paul tinha algumas sugestões de empresas pelas quais poderíamos começar. Achei que seria mais fácil discutir isso se morássemos perto.

"Por que não tranca a matrícula e se muda pra cá para a gente poder debater essas ideias?", sugeri um dia nessa primavera. Eu havia sugerido essa ideia algumas vezes antes: ambos poderíamos trabalhar como programadores ou administradores de sistemas, empregos que nos proporcionariam acesso a computadores, renda e tempo para trabalhar em um projeto paralelo. Mas deixar a faculdade para se lançar no mercado de trabalho era uma perspectiva arriscada. Paul não dispunha de meios para se sustentar sem trabalhar. Ele precisava de um porto seguro.

Nesse meio-tempo, meu projeto de beisebol se revelou bem mais complicado do que eu previra. Havia me debruçado sobre o programa durante meses e ainda não desenvolvera um jogo. Consegui fazer funcionar algumas partes críticas, e Tom Cheatham teve a bondade de me dar A pelo projeto. (Estou certo de que Eric

Roberts falou bem a meu respeito.) Apesar disso, o fato de ter me pavoneado sobre minhas capacidades para Cheatham e depois ficar devendo me consumia por dentro.

No semestre de primavera, tive permissão para fazer a segunda parte do curso de pós-graduação em sistemas operacionais, valendo créditos. Era ministrado por dois professores que, além de lecionarem em Harvard, também eram engenheiros na divisão de computadores do importante conglomerado Honeywell. A meu ver, o fato de trabalharem na indústria aumentava sua credibilidade. O mais novo deles, Jeffrey Buzen, já conquistara um nome para si na área de otimização, que, aliás, era o foco do curso que lecionava.

No segundo dia de aula, o professor Buzen nos apresentou a um conceito chamado teoria das filas. Para ilustrar, comparou dois algoritmos, explicando por que um era mais eficiente do que o outro. Ouvindo sua explicação, pensei: *Uau, esse cara está totalmente por fora*. Claro que ele era um dos maiores especialistas mundiais no assunto, mas eu achava que entendia mais do que ele.

"O senhor está enganado", deixei escapar, refutando sua abordagem pelo que eu considerava ser uma falha óbvia. Ele pareceu confuso e tentou se explicar. Eu não quis nem saber. Retruquei que a métrica de eficiência dele era estúpida e que blá-blá-blá.

Ele voltou às explicações. "Não, está completamente enganado", repeti. Levantei da carteira e saí da sala. Só posso imaginar o que o resto da turma, todos eles pós-graduandos, deve ter pensado daquele calouro deixando a sala de forma tão intempestiva. Tenho certeza de que nada de alvissareiro.

Depois de sair, fiquei andando de um lado para outro, repassando o incidente na cabeça. Passados uns quinze minutos, minha convicção deu lugar ao pavor. Caí em mim de que, na verdade, era eu que estava redondamente enganado. *O que eu fiz? Como sou idiota.* Para piorar, ele era um dos professores mais simpáticos que já conhecera. Sem mencionar que tivera a boa vontade de permitir que eu, um calouro, frequentasse seu curso.

Quando a aula terminou, voltei e pedi desculpas. Ele não poderia ter se mostrado mais gentil com a situação toda. No fim, desenvolvemos uma boa relação. O professor Buzen fez questão de me ensinar os pormenores do sistema operacional da Honeywell em que trabalhava, e minha presepada me conscientizou de que precisava ouvir e aprender. Até hoje fico constrangido quando penso na minha grosseria. Minha mãe certamente teria me acusado de pirralho precoce.

Em algum momento nessa primavera, recebi a resposta para uma das vagas de emprego a que me havia candidatado. Engenheiros da DEC que eu conhecera em Bonneville no verão anterior tinham me ajudado a entrar em contato com a sede da DEC, nos arredores de Boston. Enviei meu currículo e consegui uma entrevista.

Nos cinco anos em que utilizara os computadores da DEC, a empresa se tornara uma das maiores empregadoras no estado de Massachusetts. Na primavera de 1974, a DEC estava comprando todos os prédios ao redor da sua sede e iniciando novas construções por toda a área. As operações da DEC agora pipocavam por toda a região leste de Massachusetts. À medida que a empresa crescia, seu fundador, Ken Olsen, montou uma frota de helicópteros para os engenheiros poderem circular entre suas instalações.

E imagino que também para candidatos a emprego. Fiquei surpreso quando fui instruído pela empresa a pegar o metrô até o aeroporto de Logan, de onde um helicóptero me transportaria à sede da DEC, a lendária tecelagem antiga em que ela construíra seu transformador negócio de computadores nos mesmos pisos de fábrica onde os teares haviam outrora produzido cobertores para a Guerra Civil. Eu nunca tinha andado de helicóptero antes. Mesmo que não conseguisse o emprego, só isso já valeria a pena.

Conhecer a sede da empresa e aqueles engenheiros nessa idade foi para mim a experiência mais próxima que tive de uma peregrinação a Meca. A DEC demonstrara claramente como uma rápida mudança na tecnologia representava oportunidades para novas ideias, novas empresas e usos inteiramente novos dos computadores. E fora estudando a DEC — Kent com sua assinatura da *Fortune* e Paul com suas revistas de informática — que ficamos confiantes de que, com a ideia certa, também poderíamos abrir nossa própria empresa. Mesmo quando eu ainda me aferrava àquela mentalidade de gênio solitário, a ideia de que Paul e eu deveríamos entrar em colaboração, fundar uma empresa, ficou cada vez mais forte. Eu tinha confiança de que, se e quando decidíssemos começar nosso próprio negócio, tudo fluiria.

Na DEC, fui entrevistado pelos criadores do sistema operacional TOPS-10. Era o mesmo software com que havíamos pirado na C ao Cubo e que Kent, Paul, Ric e eu ajudamos a customizar em Bonneville. Eu conhecia o TOPS como a palma da mão. Fiquei impressionado com todo mundo que encontrei na DEC, e deleitei-me com a sensação de ser valorizado por habilidades que vinha cultivando havia tanto tempo. Ofereceram-me a vaga.

Fiquei superlisonjeado. O pessoal da DEC foi muito generoso de me considerar. Mas não aceitei o emprego. Fiquei mal por isso. Acho que, naquele momento, tudo o que eu queria era uma injeção de confiança. Por uma tarde, regressei a um mundo onde era plenamente compreendido, cercado de pessoas que falavam minha língua e afirmavam que eu tinha com que contribuir. Recebi algumas outras ofertas nessa primavera, incluindo a de programador na fábrica de eletrodomésticos da General Electric no Kentucky. Recusei todas.

Era uma espécie de teste. Será que eu teria ofertas de emprego? Eu não precisava de fato. As ofertas foram uma história para contar aos amigos. Como se eu tivesse conseguido uma prova do meu valor no mundo mesmo sem o ensino de alta qualidade que todos tentávamos obter.

Nunca mencionei as entrevistas e ofertas de emprego para meus pais. Eles jamais teriam compreendido. Na verdade, provavelmente ficariam horrorizados em pensar que eu pudesse me perder no caminho que se abria com Harvard.

No final da primavera, senti fortes dores abdominais, graves o bastante para ir parar no pronto-socorro, onde fui diagnosticado com uma colite ulcerativa. O desfecho do meu primeiro ano na faculdade foi marcado por duas semanas no hospital, com febre que chegou a 41 graus. Não fiquei 100% convencido do diagnóstico. Nunca mais voltei a ter o problema. Também não consigo deixar de me perguntar se o estresse, a fadiga, a dieta ruim e minha angústia geral acerca do que eu fazia com minha vida não teriam contribuído para o que quer que me tivesse acometido nessa primavera.

No começo do verão, recebi a resposta da Honeywell. Eu me candidatara a uma vaga na sede da divisão em Waltham, a poucos quilômetros de Harvard. Na entrevista, enfatizei a "sociedade com Paul G. Allen" no meu currículo, evidenciando a expectativa de que nós dois trabalhássemos juntos. Pedi que levassem isso em consideração, e assim, posteriormente, Paul também foi entrevistado, por telefone. No momento em que recebemos a oferta, eu sabia que voltaria à faculdade. Paul aceitou.

Em agosto, Paul pegou o Plymouth do seu pai emprestado e, com sua namorada, Rita, atravessou o país para começar uma vida nova em Boston.

11. Curinga

Tenho um sonho recorrente que, até hoje, me faz pular da cama. O sonho vai direto ao ponto: pânico. Estou em Harvard, o semestre chegando ao fim, e ainda não descobri onde é minha sala. Ainda não sei qual é o livro didático de que vou precisar. Ando de um lado para o outro procurando o auditório ou a sala do exame final. E estou apavorado: não há mais tempo para nada, e nunca vou me organizar. Empurrei os estudos com a barriga por tempo demais. Serei reprovado.

A origem dessa ansiedade na minha atitude geral para com as aulas remonta ao segundo ano. Embora minha jogada de deixar tudo para a última hora em química orgânica não tenha saído como planejado e me causado muito estresse, estruturei o ano letivo seguinte em torno dessa mesma abordagem para todas as disciplinas. Eu pularia as aulas e torceria para conseguir fazer um semestre de aprendizado em algumas semanas de estudo monomaníaco. Então, durante o tempo em que eu deveria estar nessas aulas, assisti a outras que me interessavam. Eu estava determinado a explorar o máximo que Harvard tinha a oferecer. O dobro de aulas, imaginei, significava o dobro de aprendizado.

Escolhi matemática aplicada como especialização acadêmica. Em nossas conversas no ano anterior, meu orientador de calouros explicara que como matemática se aplicava a tudo o que existe debaixo do sol, e a praticamente tudo no catálogo de cursos de Harvard, isso me permitia explorar. Ele me ajudou a ver que a matemática aplicada seria um curinga, um curso que me permitiria estudar várias disciplinas apenas com base no que me parecia interessante. No meu tempo em Harvard, eu repetidamente jogava esse curinga para justificar aulas de linguística, justiça criminal, economia, e até mesmo história britânica. Era a especialização perfeita para um onívoro de informação.

Deliberadamente, tornei pública minha abordagem perigosa à minha carreira acadêmica. Faltei à aula de matemática combinatória para assistir a uma aula fascinante de psicologia durante todo o semestre. Quando chegou a hora das provas finais nas duas aulas, que por acaso foram realizadas no mesmo auditório, os amigos que eu tinha feito na psicologia me viram sentado entre os nerds da matemática e presumiram que eu estava cometendo um erro grave. *Você está na seção errada!*

Reconheço que era um teatro, parte da minha velha necessidade de me impor aos demais como inteligente e um pouco diferente. Era o mesmo instinto que me levara a comprar livros duplicados na Lakeside para não parecer que estava de fato me empenhando — embora fosse *exatamente* isso o que eu estava fazendo. Voltei a disfarçar minhas inseguranças com uma imagem de indiferença.

Apesar da confiança que eu tinha na minha capacidade de estudar com afinco, isso tornava o fim do semestre estressante. Perto dos exames finais, eu tinha de ir para a biblioteca Widener e praticamente viver lá dentro até terminar. Eu gostava da intensidade e fazia funcionar, mas isso levou a uma vida inteira de sonhos perturbadores em busca daquela sala de aula.

Antes do segundo ano, o núcleo duro do meu grupo de amigos — Sam, Andy e os dois Jims — pôs nossos nomes juntos no sorteio de moradia na esperança de conseguir suítes na Currier House, um dormitório de alunos de graduação com duas características que a tornavam atraente: (1) era um habitat natural para estudantes interessados em matemática e ciências, e (2) era misto. A segunda característica tinha um apelo mais forte para mim, mas foi com o primeiro grupo que acabei passando todo o meu tempo.

Não conseguimos a suíte; acabei dividindo um quarto com Andy. Éramos compatíveis por várias razões, em especial pelo desleixo de ambos.

Adquiri o hábito de jogar pôquer com um grupo da Currier. Várias noites por semana, reuníamo-nos numa salinha estreita no porão, onde havia uma comprida mesa de reuniões, e jogávamos até de madrugada. Para alguns desses parceiros de jogo, o pôquer era quase um segundo curso de especialização. A maioria era gente da área de matemática e de ciências, capaz de calcular probabilidades e aplicar conceitos de teoria dos jogos ali mesmo, na hora. Vários dispunham de recursos financeiros para aumentar rapidamente o valor das apostas.

Apesar de não ter jogado muito pôquer na vida, no início eu me considerava acima da média dentro do grupo. Mas isso não durou muito. Lembrou um pouco a experiência no curso de matemática 55: aos poucos, os jogadores menos habilidosos foram desistindo, e, mesmo eu tendo melhorado de nível, minha relativa habilidade dentro do grupo caiu. Mas insisti. Competir com aqueles jogadores superinteligentes me motivava a melhorar. Era um sentimento viciante, ainda que eu estivesse perdendo tanto dinheiro que, a certa altura, pedi a Paul que ficasse com o meu talão de cheques. Voltei a ter oito anos à mesa de jantar com Gami, perdendo, mas evoluindo a cada partida. Só que, desta vez, era por dinheiro.

As apostas não paravam de subir, e os jogos foram transferidos da Currier House para sujos apartamentos estudantis fora do campus. Meu melhor desempenho foi uma noite numa rodada fora do campus jogando Seven Card Stud Hi-Lo. Eu continuava ganhando, enfiando notas no bolso da calça cáqui a cada rodada, porque deixá-las na mesa parecia excesso de exibicionismo. Também esperava que, com meus ganhos bem guardados, eu resistiria a apostar mais. Naquela noite, saí com uns 1800 dólares no bolso, o que era muita grana. Na noite seguinte, na mesma casa, com o mesmo grupo, perdi quase tudo.

Não gostei da experiência, e aquela seria uma das últimas vezes que jogaria. Percebi que não era bom o suficiente para sair na frente, uma vez que só os melhores jogadores permaneciam.

Paul e a namorada, Rita, chegaram a Boston em agosto e alugaram um apartamento no subúrbio, a quarenta minutos de carro de Harvard. No outono, Paul estava se ajustando à vida de assalariado da Honeywell, escrevendo pequenos pedaços de grandes programas. Meus amigos da faculdade já conheciam Paul como uma figura quase lendária pelas histórias que eu contava. Agora Paul fazia jus ao personagem pessoalmente. Naquele tempo, era pouco comum um universitário tirar uma licença e ir morar do outro lado do país trabalhando como programador. Com sua barba e sua namorada, seu violão e seu vasto conhecimento, Paul correspondia ao papel de irmão mais velho descolado. E, como sempre, era meu estímulo — e um pouco de má influência.

Num fim de semana de outubro, fui com alguns amigos visitar Paul e comemorar o aniversário de Rita. Paul tinha um pouco de LSD que todos nós tomamos assistindo a *Kung fu*. A paciente Rita ficou sóbria, nossa cuidadora caso a situação saísse do controle. À noite, exploramos o mato ao redor da casa, nos detendo longamente em cada árvore para admirar as cores do outono. Vi um amigo traçar com o dedo, nas gotas de orvalho no porta-malas do carro de Paul, um Ǝ, símbolo que, em problemas de lógica, significa "existe". E repetiu o desenho: Ǝ Ǝ. Os dois Es invertidos juntos, lado a lado, para ele, para nós, tinham um significado profundo. "Bill, veja isto. A existência existe", disse ele, enquanto fitávamos o porta-malas úmido do carro. Foi um daqueles momentos que na hora parecem perfeitamente cósmicos, mas absolutamente bobos quando passa o efeito do ácido.

No auge da noite, algo curioso passou pela minha cabeça. Em um computador, você pode excluir um arquivo e até mesmo apagar todos os seus dados armazenados. Como o cérebro é apenas um computador sofisticado, pensei: *Ei, talvez eu possa comandar meu cérebro para zerar todas as minhas memórias?* Mas então fiquei preocupado que testar essa noção poderia realmente colocá-la em movimento irrevogavelmente. *Melhor nem pensar nisso!* Tomando banho no dia seguinte, fiz um inventário das minhas memórias queridas, aliviado ao descobrir que tudo estava intacto. Foi uma das últimas vezes que usei LSD.

Quando não estava trabalhando, Paul vivia mergulhado em suas revistas, com seu apartamento cheio de números antigos de *Popular Electronics*, *Datamation*, *Radio-Electronics* e fichas técnicas de todos os tipos de computador e seus componentes. Ele podia muito bem passar uma hora inteira explorando a Out of Town News, a famosa banca de jornais e revistas no centro de Harvard Square. Da sua pilha cada vez maior de jornais e publicações brotaram ideias para numerosos empreendimentos que Paul me apresentaria naquele outono.

A maioria girava em torno do microprocessador. Por um tempo, Paul se empenhou em construir uma empresa de computadores nos moldes da DEC. A DEC tinha explorado novas tecnologias para baixar os preços dos computadores e difundir seu uso. Poderíamos fazer a mesma coisa com microprocessadores baratinhos, talvez conectando múltiplos chips para criar um computador superpoderoso de maneira efetivamente econômica? E que tal criar um serviço de time-sharing voltado para os consumidores? As pessoas discariam para nosso computador a fim de acessar notícias e outras informações úteis — sei lá, receitas, por exemplo.

Analisávamos essas ideias comendo pizza, ou no Aku Aku, um lugar polinésio ao estilo Trader Vic's, conversando horas a fio enquanto eu bebia Shirley Temples (com dezenove anos, eu já tinha idade para beber, mas preferia coquetel virgem a bebida alcoólica). Devido ao seu apreço por hardware, as ideias de Paul, muitas vezes, giravam em torno da construção de um tipo qualquer de computador que fosse novidade. Uma ótima ideia sua era uma técnica para conectar chips mais baratos e menos capazes num único e poderoso processador chamado computador bit-slice. A questão era: será que podemos usar essa técnica de bit-slice para reduzir os preços da IBM, assim como a DEC fez uma década antes? Naquela época, um computador mainframe IBM System/360, líder da indústria, custava centenas de milhares de dólares ou até muito mais. Passei um tempo estudando os detalhes da máquina IBM e a ideia do bit-slice de Paul. No encontro seguinte, eu lhe disse que achava a ideia factível. Muito provavelmente poderíamos, sim, fazer um computador de 20 mil dólares que fosse equivalente ao 360.

De toda forma, ele sabia que a ideia de construir hardware não me animava muito. O negócio de fabricar computadores me parecia arriscado demais. Teríamos de comprar peças, contratar gente para montar as máquinas e encontrar espaço à beça para isso. E, sendo realistas, dava mesmo para competir com empresas grandes como a IBM ou fabricantes japoneses de eletrônicos em rápido crescimento?

Minha opinião era influenciada pelos desafios de hardware do Traf-O-Data. Durante dezoito meses, nosso parceiro em Seattle, Paul Gilbert, lutou para fazer o computador funcionar. A máquina exigia uma delicada coordenação de pulsos eletrônicos que precisavam alcançar cada chip de memória da máquina exatamente no mesmo instante. Um atraso de um microssegundo travava tudo. Um fio um pouco mais longo do que deveria ser ou uma quantidade mínima de radiação que ele produzisse poderiam desregular os pulsos. E isso acontecia o tempo todo. Essas falhas infinitas me enervavam e alimentavam meus temores de que estávamos adotando uma abordagem tediosa para resolução de problemas que parecia incerta e imprevisível, e sobre a qual não tínhamos controle.

Gilbert era um perfeccionista confesso, um engenheiro obcecado por matemática que se debruçava sobre um problema até resolvê-lo. "Não gosto de ser derrotado. Vou dar um jeito, custe o que custar", dizia. (A namorada o largou naquele ano porque ele passava tempo demais no Traf-O-Data.)

Escrevi um software de teste de memória, e os dois Pauls arregaçaram as mangas. Encaravam o osciloscópio para elaborar pacientemente seu diagnóstico: "Um erro nos dados da linha no chip sete". Meio como aqueles módulos de química orgânica, havia um nível de desordem nos problemas de hardware que me frustrava. Tenho certeza de que minha energia nervosa aumentava o estresse. Eu sempre forçava a barra para ver se havia algo que pudéssemos mudar ou acrescentar para acelerar as coisas.

Eventualmente, Gilbert conseguiu fazer o hardware funcionar na primavera do meu primeiro ano de faculdade. Naquele verão, eu organizei uma reunião na casa dos meus pais com clientes potenciais do condado de King em Seattle. Tudo estava perfeitamente preparado naquela manhã, mas, na hora da demonstração, o leitor de fita da unidade falhou. Implorei à minha mãe para lhes dizer que tinha de fato funcionado às mil maravilhas na noite anterior. Nossos convidados terminaram educadamente de tomar o café e foram embora. Depois disso, desembolsamos mais dinheiro pelo que considerávamos ser o Rolls-Royce dos leitores de fita. Todo aquele esforço e todo aquele dinheiro por causa de um computador simples, com a única função de traduzir em gráficos os furos de uma fita de papel.

Minhas conversas com Paul durante o jantar sempre voltavam ao tema do software. O software era outra coisa. Nada de fios. Nada de fábricas. Escrever softwares era só capacidade intelectual e tempo. E era o que sabíamos fazer, o que nos tornava únicos. Era onde tínhamos uma vantagem. Podíamos até liderar o caminho.

Em primeiro lugar, precisávamos de um computador. Algumas empresas tinham comercializado pequenos computadores com base na inovação da Intel. Na França, um computador do tamanho de uma mala chamado Micral tinha usado o 8008 da Intel — o mesmo chip de nossa máquina de tráfego — para aplicações de propósito único, como automatizar cabines de pedágio. Outro, chamado Mark-8, era apenas um projeto "faça você mesmo". Você pagava alguns dólares por instruções de montagem e então tinha que comprar várias peças de diferentes fornecedores e esperar que seu computador funcionasse depois que soldasse tudo junto. Eu sabia que o chip mais recente da Intel, anunciado no começo daquele ano, era suficientemente avançado para alimentar um computador funcional de uso geral. Era o 8080. Como nossa sentinela em tudo que tivesse a ver com hardware, Paul acompanharia o que se passava com aquele chip.

"Me avise quando alguém aparecer com um computador 8080", eu lhe disse.

Enquanto isso, concordei em ver se poderíamos conseguir ajuda em Harvard. No catálogo de cursos, procurei aulas específicas sobre arquitetura de computadores e encontrei introdução aos computadores digitais. Eu não conhecia o professor, mas imaginei que talvez conhecesse gente do mercado. Marquei uma reunião e expus minha ideia. Disse-lhe que estava interessado de fato nos avanços em microprocessadores e queria tentar escrever softwares para eles. Será que me ajudaria a entrar em contato com a Intel e outras empresas para saber se eles doariam chips para a pesquisa? Ele quis saber se o que queria era para uma disciplina específica. Respondi que não, era só uma área pela qual eu tinha grande entusiasmo. Ele respondeu que talvez não pudesse ajudar.

Poucos dias depois, tentei de novo. Voltei ao seu escritório para deixar uma proposta minuciosa do meu plano de hardware e um modelo de carta pedindo doações que, com a sua assinatura, eu esperava que pudéssemos enviar aos fabricantes. Mais tarde, descobri que ele nem sequer olhara o plano. Disse ao meu tutor sênior que não tinha "tempo nem inclinação para ajudar, uma vez que não estava relacionado ao curso".

A maioria das pessoas com que conversei naquela época sobre esse chip mágico respondeu com ceticismo. Hoje, se tento me pôr no lugar deles, até consigo entender. Os microcomputadores eram um primo distante dos mainframes e minicomputadores que ocupavam a cabeça dos acadêmicos da ciência da computação — e de quase toda a indústria de computadores. Os microcomputadores eram brinquedos. O Departamento de Defesa não pagava Harvard para pesquisar brinquedos. Nenhum microcomputador em 1974 guiaria um míssil ou pilotaria um submarino. Naquela época, fui menos compreensivo na minha análise: aquela gente não tinha imaginação quanto ao que o futuro poderia nos reservar.

No fim de novembro, a namorada de Paul, Rita, tinha voltado para Seattle. Paul, àquela altura, já se mudara para uma moradia subsidiada em Cambridge, a uma pequena viagem de trem de onde eu morava. O empreendimento se chamava Rindge Towers, que Paul apelidou de "The Grindge", palavra híbrida que parecia capturar o deprimente estado do apartamento, com suas pesadas portas de aço e suas baratas hiperativas. Também combinava com o estado de espírito de Paul naquele período. O amor da sua vida havia se mudado para o outro lado do país. Ele estava desolado. Estava cansado do trabalho. Várias noites por semana e na maioria dos fins de semana, ele aparecia na Currier House ou eu aparecia em The Grindge para sairmos e trocarmos ideias sobre nossos planos.

Esse era o cenário em uma tarde de neve no começo de dezembro de 1974, enquanto eu lia sentado no meu dormitório. As próximas semanas estavam definidas. Eu ia fazer a prova da competição Putnam, terminar as aulas do ano e, em seguida, pegar o avião para casa em Seattle, de férias. Estava certo de que mamãe me esmagaria com festas de fim de ano, jantares e trocas de presentes com amigos e familiares, exatamente como tinha feito no meu primeiro ano. Até já me perguntara o que eu queria ganhar de Natal: *The Beatles 1967-1970*, o álbum *Welcome* da banda Santana e um livro de ficção científica recomendado por Paul. Depois das férias, a ideia era retomar as aulas em 6 de janeiro e mergulhar nos livros como um maluco para os exames finais.

Foi aí que Paul entrou esbaforido no meu quarto. Tinha corrido desde a Out of Town News e chegou ofegante. Havia neve derretida em suas botas.

"Lembra o que você me disse?", perguntou.

"O quê?"

"Você disse: 'Me avise quando alguém aparecer com um computador 8080'. Pois bem, dê uma olhada nisto", disse ele, enfiando-me uma revista nas mãos. Era a edição de janeiro de 1975 da *Popular Electronics*. Na capa: "PROJETO INOVAÇÃO! O primeiro kit de minicomputador do mundo para rivalizar com modelos comerciais".

    Recostei-me na cadeira e folheei o artigo. O título dizia: "O mais poderoso projeto de minicomputador até hoje apresentado — pode ser construído por menos de quatrocentos dólares". Abaixo disso, um boxe relacionava algumas especificações impressionantes: um processador Intel 8080 de 8 bits, com até 64 K de memória e 78 instruções de máquina — quase o dobro do chip 8008 que usávamos no sistema Traf-O-Data.

    Paul observou calado enquanto eu me debruçava sobre o artigo de seis páginas com seus diagramas de circuito. Eu podia me sentir balançar.

    A coisa era pequena, talvez pouco maior do que a máquina de escrever que estava ali à minha frente. Parecia um receptor de estéreo, com interruptores de alavanca e luzes. Não tinha teclado, tela ou mesmo uma conexão para teletipo. O artigo dizia que era expansível, o que significava que várias coisas podiam ser conectadas, tornando-o um computador totalmente funcional. O primeiro parágrafo sintetizava: "A era do computador em todas as casas — assunto muito explorado por autores de ficção científica — acaba de chegar! Ela se tornou possível graças ao Altair 8800 da MITS promovido pela *Popular Electronics*, um computador completo capaz de competir com os sofisticados minicomputadores disponíveis no mercado. E não custa milhares de dólares".

    Os autores lembravam que o preço de menos de quatrocentos dólares era aproximadamente o que se pagaria por uma TV em cores.

    Por três anos, Paul e eu não nos cansamos de conversar sobre como novos computadores explorando o avanço exponencial dos chips poderiam mudar tudo. Olhei para Paul. "E nós ficamos de fora", disse ele.

A era do computador em todas as casas? Será mesmo?

Por 397 dólares, você obtinha o Altair 8800 desmontado, um kit que chegava com centenas de peças. Depois de soldar e aparafusar tudo, era rezar para que funcionasse. Em sua essência, os computadores dependem da execução de cálculos usando matemática binária — uns e zeros. Isso continua sendo verdade para o processador extraordinariamente poderoso dentro das máquinas de hoje, desde um smartphone a um supercomputador. Mas muitas camadas de software sofisticado protegem você da natureza fundamentalmente binária da computação. Você não precisa pensar em uns e zeros para escrever um software, muito menos para executá-lo.

O aspecto binário do Altair estava em plena exibição. Sem conectá-la a um teletipo, ou sem alguma maneira de alimentá-la com programas, tudo precisava ser inserido usando os dezesseis (de 25 no total) interruptores de alavanca da parte frontal do computador. Cada um dos dezesseis interruptores tinha duas posições: para cima representava um 1 e para baixo era um 0. Cada 1 ou 0 representava um bit. Como um processador de 8 bits, o chip 8080 encadeou oito desses bits em um byte de informação.

Para inserir um único byte no Altair, você tinha que acionar pelo menos nove interruptores. Inserir até mesmo o mais simples dos programas — digamos, um para somar 2 + 2 — exigia dezenas de acionamentos. Qualquer programa que realizasse uma tarefa útil de qualquer complexidade envolvia, no mínimo, centenas de acionamentos. O computador também usava código binário para comunicar a você os resultados de seu trabalho, em fileiras de pequenas luzes LED vermelhas.

Mesmo depois da montagem, dificilmente o Altair 8800 era um computador para todas as casas.

E, ainda assim, eu tinha certeza de que muitas pessoas além de Paul e de mim queriam um. Pelo preço aproximado do processador Intel 8080 sozinho, a MITS estava vendendo um kit de computador inteiro. Para a ávida comunidade de aficionados, esse seria o Santo Graal. Mais significativamente, Paul e eu sentimos que haveria aplicações comerciais e de engenharia sérias, porque mesmo com os complementos, ele era muito barato.

A reportagem da *Popular Electronics* mal mencionava software. Para que as pessoas pudessem escrever programas de software num Altair sem ter de acionar tantos interruptores, seriam necessários um terminal de teletipo e uma linguagem de programação como Basic ou Fortran adaptada ao chip 8080. Mas os autores não informaram se havia alguma linguagem disponível.

Seríamos capazes de apostar que eles não tinham nenhuma.

Mas havia um grande obstáculo. Não tínhamos um Altair 8800, nem sequer um Intel 8080, o microprocessador que era o cérebro da nova máquina. Como testar nosso código?

Paul já tinha pensado nisso e, durante o recesso de Natal, ele me ligou com uma bela notícia. No ano anterior, ele havia descoberto uma maneira de escrevermos programas para nossa máquina Traf-O-Data usando o PDP-10 para simular o chip Intel 8008 — efetivamente fazendo o mainframe de 500 mil dólares fingir que era um microprocessador de 360 dólares. Agora, estudando um manual do PDP 10, ele havia criado uma maneira de fazer o mesmo para o chip Intel 8080, muito mais poderoso. Esse simulador nos deixaria usar o PDP-10 de Harvard como se fosse um Altair.

Com essa descoberta, preparamos um plano: obter o manual de referência da Intel para o 8080 e aprender seu conjunto de instruções. Eu projetaria e escreveria o Basic em linguagem de montagem usando as instruções do 8080. Como uma linguagem concebida desde o início para tornar a programação acessível a iniciantes, ela teria um apelo maior para o mercado de aficionados do Altair do que uma linguagem mais avançada como o Fortran. Eu estava confiante de que poderia colocá-la em funcionamento rapidamente — talvez não o Basic definitivo, mas um que fizesse o suficiente para ser viável e útil. E mesmo que eu não tivesse terminado o Basic que comecei na Lakeside (para o PDP-8), aquele projeto me deu uma vantagem neste. Enquanto isso, Paul construiria um programa simulador para fazer o PDP-10 se comportar como um 8080 e executar meu código. Também ajustaria as ferramentas de software que pudéssemos executar no PDP para monitorar o código do 8080 enquanto era executado e depurá-lo quando não funcionasse.

Nunca tínhamos ouvido falar do fabricante do Altair, que produzia eletrônicos e calculadoras para modelos de foguetes chamado MITS Inc. A reportagem da *Popular Electronics* listou um endereço em Albuquerque, Novo México, e um número de telefone. No começo de janeiro, Paul escreveu uma cartinha para a MITS dizendo que tínhamos uma versão do Basic para o chip Intel 8080. Na carta, adiantou que cobraríamos cinquenta dólares por cópia e sugeriu que a MITS a revendesse para os entusiastas por um preço qualquer entre 75 e cem dólares. Datilografou o texto em papel timbrado da Traf-O-Data e assinou: *Paul G. Allen, presidente*.

Depois de semanas sem resposta, resolvemos ligar.

Temíamos que ninguém nos levasse a sério se soubessem que não passávamos de um estudante universitário e um programador de baixo nível da Honeywell. Isso explica por que Paul foi tão categórico na carta — afirmando que tínhamos uma versão do Basic pronta para despachar — e também por que eu queria que Paul falasse. Ele era mais velho e falava mais grosso, o que provavelmente o tornava a melhor fachada pública de qualquer empresa que viéssemos a fundar. Além disso, ele é que tinha assinado a carta de janeiro. Mas Paul achava que eu é que deveria ligar. Tinha rapidez de raciocínio e mais experiência em discutir negócios.

Chegamos a um acordo. Do meu dormitório, numa noite de fevereiro, disquei o número de telefone que aparecia no artigo da *Popular Electronics*.

Quando a mulher que atendeu o telefone me tranferiu para Ed Roberts, o presidente da MITS, pensei comigo: *De que tamanho será essa empresa se consigo falar com o presidente?*

Identifiquei-me como Paul Allen falando do Traf-O-Data em Boston. Expliquei que estávamos quase terminando de escrever a versão do Basic para Altair e gostaríamos de mostrá-la.

Robert disse já ter recebido ligações de pessoas que alegavam ter o mesmo software. Segundo ele, a primeira que produzisse uma versão funcional ficaria com o contrato. Acrescentou que o Altair ainda não estava pronto e levaria um mês, ou um pouco mais, para poder executar qualquer versão do Basic que tivéssemos. Em alguns meses, descobrimos que, apesar do que informava aquela primeira reportagem de revista, o Altair ainda era apenas um protótipo mal-ajambrado, uma única máquina que não estava sequer concluída.

Foi assim o alvorecer da revolução dos computadores pessoais. Todos nós apenas fingíamos estar no caminho certo.

Como a maioria das versoes do Basic, a que escrevemos para o Altair era um tipo particular de linguagem de programação chamada interpretador. Da mesma forma que os intérpretes que ficam ao lado dos presidentes americano e chinês traduzem uma ideia de cada vez, um interpretador Basic converte uma linha de código de cada vez em instruções que o computador pode entender facilmente. Uma das vantagens do interpretador é que ele funciona usando menos memória do que outros programas. A memória dos computadores naquela época era um recurso precioso, porque era cara. Embora os donos do Altair pudessem encher o gabinete com placas de memória extra para aumentar a RAM até atingir o máximo de 64 K, as placas eram mesmo caras: cada placa de expansão de 4 K custava 338 dólares.

Eu sabia, portanto, que o maior desafio seria encontrar maneiras de comprimir o Basic no menor espaço de memória possível. Do contrário, não haveria margem para os programas Basic que os usuários escreveriam e para os dados utilizados por esses programas.

A primeira coisa que fiz foi pensar naquela caminhada de três anos e meio antes, avançando com dificuldade pelas montanhas Olímpicas cobertas de neve enquanto escrevia o código de computador na minha cabeça. Que eu conseguisse torná-lo tão pequeno e eficiente era para mim prova de que poderíamos enfiar toda a linguagem de programação Basic em menos de 4 K de memória, e com folga. A parte que elaborei durante a caminhada — o avaliador de fórmula — era fundamental. Eu só precisava agora "baixá-la" da minha cabeça. Comecei com isso, anotando tudo num bloquinho de notas amarelo. Era pequena e concisa. *Se eu conseguir escrever o programa todo assim, vai dar certo.*

A maior preocupação era o tempo. Calculamos que o programa teria de ser concluído e enviado para a MITS em poucas semanas, antes que alguém passasse na nossa frente. Era trabalho demais para duas pessoas, uma delas com emprego em tempo integral, a outra com uma carga horária de aulas cheia. Preocupava-nos, especialmente, uma seção do programa chamada matemática de ponto flutuante, usada para lidar com números muito grandes — "elevado a tal potência" — e números muito pequenos — frações decimais — e quantidades como pi (3,14159). Não era difícil escrever esse código, mas exigia horas infindáveis de trabalho extenuante. Poderíamos deixar de fora essa parte para cumprir o prazo que nos impusemos, mas nosso Basic teria muitas limitações. Não dá para construir um jogo decente de módulo lunar sem matemática de ponto flutuante.

Uma noite, no começo de fevereiro, Paul e eu discutíamos nosso dilema de ponto flutuante durante o jantar no refeitório da Currier House. Do outro lado da mesa, um estudante entrou na conversa: "Já fiz isso". Aparentemente, ele tinha ouvido tudo. Era um calouro de matemática chamado Monte Davidoff. Fiz algumas perguntas para testar se ele realmente sabia do que estava falando. Ele sabia e pareceu muito confiante. Perguntei se ele poderia vir ao meu quarto mais tarde para continuar a conversa. Acabamos conversando por várias horas naquela noite. Monte me disse que havia pegado o vírus do computador quando era estudante do ensino médio em Wisconsin. Ele já havia adquirido muita experiência com várias linguagens de programação e computadores diferentes, e até mesmo havia sido pago para escrever programas para um grande fabricante de baterias automotivas. Também tinha boas ideias sobre os algoritmos de ponto flutuante de que precisávamos, então o orientei em nosso projeto para escrever o interpretador Basic. Ele estava disposto a trabalhar nisso.

A partir da segunda semana de fevereiro eu alternava entre me esparramar na minha cadeira vermelha escrevendo códigos à mão em blocos de notas amarelos e me instalar no Aiken tentando fazer o código funcionar. Eu dormia de dia, faltava a aulas, me encontrava com Monte no meu quarto no começo da noite e íamos para o Aiken. Paul saía do trabalho e ia direto para o laboratório. Monte e Paul usavam o número da minha conta, 4114, cada um pegava um terminal, e passávamos a noite toda programando.

Trabalhei na parte principal do programa enquanto Monte começou no código para lidar com funções matemáticas como adição, subtração, multiplicação, divisão e exponenciação. Paul ajustou o simulador 8080 que ele havia desenvolvido (o código que nos permitiu usar as ferramentas do PDP-10 como se estivéssemos usando um computador baseado no 8080). À medida que o simulador melhorava, também melhorava a velocidade com que podíamos programar. Eu podia digitar meu código escrito à mão no PDP-10 e o mainframe emulava exatamente o que o Altair faria. Quando meu programa Altair travava, eu podia usar as poderosas ferramentas de depuração do PDP-10 para descobrir rapidamente onde havia cometido um erro. Tínhamos certeza de que ninguém mais havia enganado o PDP-10 dessa forma. E tínhamos certeza de que isso nos dava uma vantagem sobre qualquer outra pessoa que pudesse estar tentando escrever software para o Altair.

Na hierarquia do Laboratório Aiken, os doutorandos do professor Cheatham e as pessoas que faziam pesquisa séria tinham prioridade no uso dos terminais. Eu não queria atrapalhar ninguém, por isso fazíamos a maior parte do trabalho de noite, quando o PDP-10 ficava praticamente ocioso, não havia ninguém no laboratório e podíamos ficar no computador por bastante tempo. Fora as idas à lanchonete e algumas pausas para ver filmes, eu passava a maior parte das minhas horas de vigília no Aiken. A temperatura da sala era mantida na faixa dos dez graus Celsius — perfeito para resfriar o PDP-10, mas frio para quem ficava sentado por muitas horas. Com meu casaco de inverno, eu programava até não aguentar mais de cansaço e dormia no terminal, ou me encolhia no chão, perto de onde o computador emitia calor.

Com o simulador de Paul e suas ferramentas de desenvolvimento, o trabalho fluía. Eu podia escrever código, acessar o PDP--10 e parar o programa exatamente onde ele encontrava o problema. Tentava consertá-lo e seguir em frente. Passei grande parte da minha vida neste estranho, quase mágico ciclo de feedback:

escrever, executar, consertar — zona na qual o tempo parece parar. Eu me sentava ao terminal depois do jantar e ficava surpreso ao olhar para cima e descobrir que já eram duas da manhã.

Em meio a tudo isso, percebi que não tínhamos informações suficientes para escrever o código necessário para conectar uma máquina de teletipo ao Altair, que seria uma configuração necessária para quem quisesse programá-lo em Basic. Liguei novamente para a MITS e falei com o engenheiro responsável pela máquina. Acho que minha pergunta, sobre como o computador insere e emite caracteres, foi tão minuciosa que o surpreendeu. Respondeu algo como "vocês são os primeiros a perguntar isso". Além das informações que forneceu, a conversa me sugeriu que precisávamos estar à frente de qualquer outra pessoa que escrevesse um interpretador Basic para o computador da MITS.

Em março, depois de umas seis semanas escrevendo código freneticamente, nosso Basic estava pronto, funcionando e, na nossa opinião, bom o suficiente para mostrar à MITS. Havia vários recursos a adicionar e seções que precisavam de melhorias, mas essas coisas podiam esperar.

Paul ligou para a MITS, falou com Ed Roberts (que não estranhou o fato de sua voz estar mais grossa do que no primeiro telefonema) e marcou uma reunião. Comprei uma passagem de avião para Paul.

Na noite anterior à sua viagem, ocorreu-me que um pequeno erro na leitura do manual do 8080 poderia sabotar tudo. Só tínhamos executado o programa no PDP-10 através do simulador de Paul. Nosso programa nunca tinha rodado num Altair de verdade, só num computador que fingia ser um Altair. Se alguma coisa estivesse errada no simulador de Paul, a demonstração seria um fiasco. Enquanto Paul dormia, fiquei acordado checando cada instrução no manual da Intel em relação ao simulador, à procura de erros. Quando terminei, salvei o programa em fita de papel e o entreguei a Paul. Vi-o enfiar o rolo na bagagem de mão.

Só que esquecemos uma coisa. No avião, Paul percebeu que não escrevemos um pequeno trecho de código — chamado de *bootstrap loader* — para dizer ao Altair que carregasse nosso programa na memória e o iniciasse. Paul puxou um bloco de notas e escreveu freneticamente as linhas de código que faltavam.

No dia seguinte, na MITS, eles prepararam uma máquina com 6 K de memória e um leitor de fita de papel. Paul digitou seu código de bootstrap, o que demorou um pouco: cada byte tinha que ser inserido configurando oito interruptores de dados. Ele então começou a executar o leitor de fita. Nosso programa Basic levou sete minutos para ser alimentado no computador. Então chegou ao fim da fita, começou a rodar o programa e... nada aconteceu. Não funcionou.

Tentaram de novo. E ali no terminal apareceu:

MEMORY SIZE?

Paul digitou alguns comandos Basic para demonstrar nossa obra-prima.

PRINT 2+2
4
OK

Com isso, o primeiro programa de software escrito para o primeiro computador pessoal ganhou vida.

12. Seja correto

"Não sei quem ficou mais surpreso, eu ou eles!", disse Paul, tomando seu coquetel de frutas durante um jantar comemorativo no Aku Aku. Quando nosso software, combinado com o computador deles, somou 2+2, disse Paul, o presidente ficou pasmo. "Meu Deus, ele imprimiu quatro!"

Paul ficou atônito de ver que nosso programinha funcionou impecavelmente na estreia. Ao mesmo tempo, Ed e o engenheiro--chefe da MITS, Bill Yates, também se surpreenderam com o fato de a máquina *fazer* alguma coisa.

Depois do teste simples de adição, Paul quis se exibir mais e testar o que nosso programa era capaz de fazer. Yates lhe deu um exemplar de *101 BASIC Computer Games*, do qual Paul digitou uma versão de Lunar Lander, o joguinho baseado em texto que aprendemos a programar na Lakeside. Ele simulava o controle dos retrofoguetes num módulo lunar Apollo. O objetivo era desacelerar a queda livre para pousar suavemente na Lua antes que o combustível acabasse. Naquele dia, no Altair, o programa rodou de primeira.

Ed estava em êxtase. Convidou Paul ao seu escritório para falar de negócios.

Por intermédio de Ed, Paul descobriu muita coisa sobre a MITS, empresa da qual não tínhamos sequer ouvido falar antes do artigo sobre o Altair. Era pequena, cerca de menos de vinte pessoas. Ed tinha começado a empresa no fim dos anos 1960 como fabricante de transmissores para aeromodelos antes de passar para calculadoras eletrônicas. O aumento da potência e a diminuição do custo dos chips permitiram que a MITS e outras empresas entrassem no mercado com calculadoras programáveis. Ed apostou alto, contraindo dívidas para financiar o negócio das calculadoras, apenas para perder dinheiro devido à agressiva concorrência e ao declínio da economia americana. Essa era a situação da MITS na primavera de 1974 quando a Intel anunciou o 8080. Com a empresa à beira da falência, Ed viu o chip como sua salvação. Pressentindo que havia mercado para um computador funcional barato, tomou mais dinheiro emprestado para começar o negócio do Altair.

A história era uma aula sobre tomar decisões arriscadas. Ed soube que a *Popular Electronics* procurava um computador para incluir na edição de janeiro. Apresentou a ideia à revista sem ter um protótipo, ou mesmo um plano, mas garantiu aos editores que teria um computador pronto para a publicação. Eles toparam. Uma coisa ele tinha na mão: um acordo com a Intel de que, se a MITS comprasse um certo número de chips, eles lhe ofereceriam um grande desconto, e cada chip acabou saindo por cerca de 75 dólares, em comparação com o preço de tabela de 375 dólares. Assim a MITS pôde oferecer o Altair mais ou menos pelo preço que custaria a alguém comprar apenas o cérebro do computador.

A MITS construiu um protótipo e o despachou para a *Popular Electronics* em Nova York. A máquina jamais chegou e jamais foi encontrada. O Altair que aparece na edição de janeiro era uma caixa vazia, uma maquete que a MITS improvisou para a sessão de fotos. Se bem me lembro, o painel frontal era de papelão.

Agora, três meses depois, centenas de pessoas mandavam cheques de quatrocentos dólares para conseguir um Altair. A empresa não dava conta de tantas encomendas. Paul disse que o escritório da MITS se transformara numa linha de montagem de trabalhadores enchendo caixas com as entranhas e a carcaça do Altair para serem despachadas. Estava claro que as vendas superariam em muito as centenas que Roberts previra. Assim como estava claro que a aposta de Ed tinha valido a pena: sua empresa voltaria a ser viável.

Em seu escritório, Ed disse a Paul que queria licenciar nosso interpretador Basic imediatamente. Nosso software poderia transformar o Altair num computador de grande utilidade. Ed sabia que isso ajudaria a aumentar a demanda. "Ele disse que poderíamos discutir os termos do acordo mais tarde", disse Paul.

Durante o jantar, conversamos sobre o que deveríamos incluir no contrato e quanto deveríamos cobrar.

Uma coisa de que precisávamos era um nome para a sociedade. Até aquele momento, Paul e eu nos chamávamos de Traf-O-Data e usávamos papel timbrado da empresa nas nossas cartas comerciais. Mas queríamos separar o trabalho sobre tráfego de qualquer novo negócio que fizéssemos sobre microcomputadores. "Allen & Gates Consulting" fazia sentido do ponto de vista lógico, mas eu temia que as pessoas nos confundissem com um escritório de advogados. Também soava meio modesto e artesanal, e queríamos um nome de mais impacto, como o do nosso modelo, a Digital Equipment Corp. Esse nome tinha o peso de um gigante. Com um desses, as pessoas talvez nos levassem a sério, o que ainda era um objetivo ambicioso para dois jovens descobrindo tudo enquanto abriam caminho. Foi Paul quem teve a próxima ideia: já que escrevíamos software para microcomputadores, que tal combinar as duas palavras? Concordei. Achamos nosso nome: Micro-Soft.

Naquela época, estive com Eric Roberts (nenhum parentesco com Ed Roberts) no Laboratório Aiken. Falei-lhe da viagem de Paul à MITS e da possibilidade de vendermos o software que acabáramos de escrever. Com seus modos suaves, ele me deu um conselho de amigo: pare de usar o PDP-10 de Harvard. Por ser financiado pela DARPA, do Departamento de Defesa, para pesquisas, explicou ele, não era certo usar o computador de Harvard para fazer produtos comerciais. Naquela altura, eu já tinha ouvido a história de que o computador tinha chegado em caminhões do Exército, na calada da noite, e sabia que havia sido pago pelo governo. Mas não conhecia nenhuma regra sobre seu uso. Disse-lhe que ia parar e tirar nosso programa do computador do laboratório. Eric acrescentou, em tom de advertência, que um novo administrador do laboratório sabia do nosso intenso uso do computador. E não está nada satisfeito, disse Eric.

No começo daquele ano, a escola tinha preenchido o cargo, havia muito tempo vago, de diretor associado, função destinada a gerenciar a operação diária do Laboratório Aiken e prestar contas sobre a utilização do dinheiro da DARPA. Tom Cheatham continuava sendo o diretor do laboratório — o novo gerente era seu subordinado —, mas estava claro para todos no laboratório que haveria um controle mais rigoroso, com mais regras. (Mais tarde, Cheatham passaria a se referir a essa camada de supervisão como a dos "contadores de feijão".)

Dias depois de Eric ter me sugerido parar de usar o Harv-10, peguei o carro de Paul e fui até a First Data, empresa de time-sharing num subúrbio de Boston, abri uma conta e instalei nosso programa em seu PDP-10. Parei de usar o Laboratório Aiken para qualquer coisa relacionada ao nosso projeto. Quando voltei a ver Eric, perguntei se seria o caso de eu conversar com o novo diretor associado para explicar a situação. Ele disse para eu não me preocupar. Ele lhe diria que eu tinha parado.

No meio das conversas com a MITS sobre melhorias em nosso Basic, Ed ofereceu um emprego a Paul. Para nós, era ótimo. Achávamos que seria boa ideia um de nós trabalhar diretamente na MITS dando suporte ao Basic e desenvolvendo novas versões dele. Em abril, Paul pedira as contas na Honeywell e arrumava as malas para ir morar no Novo México. Em poucos dias, era o único funcionário de software na MITS, com o sonoro título de diretor de desenvolvimento de software.

Com encomendas do Altair chegando, a MITS criou uma newsletter para compartilhar dicas e informações com o pequeno, mas crescente, público usuário. Quando a primeira edição de *Computer Notes* foi lançada na segunda semana de abril, Paul me ligou. Leu para mim a reportagem de capa: "Altair Basic: Pronto para ser usado". Pronto para ser usado? Tecnicamente era verdade, mas não havia como nosso software estar pronto para distribuição em larga escala. A reportagem incluía um programa simples de nove linhas que calculava juros, pagamentos mensais e o total devido num empréstimo de 650 dólares a ser pago em dezoito meses à taxa anual de 6,5%. "Há dois elementos essenciais para a nova revolução dos computadores", dizia o texto. "Uma é que os computadores precisam ser baratos, e a outra é que devem ser fáceis de compreender. O Altair 8800 e o Altair Basic atendem aos dois critérios."

Ninguém que lesse ia saber que tudo o que tínhamos era uma versão rudimentar de 4 K do nosso software, que ainda precisava de meses de testes. Além disso, ainda não havia contrato assinado. Só muito recentemente é que tínhamos encontrado um advogado e começado a preparar nosso acordo. Até o advento daquela reportagem, apenas um pequeno grupo tinha conhecimento sobre nosso Basic. Agora, já eram milhares.

* * *

"Quero te ver no meu escritório amanhã às dez. Estou na Sala 20", disse o diretor associado quando atendi ao telefone no meu dormitório. Estávamos em pleno período de estudos, 14 de maio, para ser preciso, e eu me preparava para os exames finais. Tive certeza de que estava sendo convocado ao Aiken para falar sobre o uso do computador.

Na manhã seguinte, o diretor associado foi direto ao ponto. Por que eu passava tanto tempo no centro? No que estava trabalhando? Quem eu levava para o centro?

Expliquei-lhe que tinha escrito uma versão do Basic para microcomputador, em colaboração com Paul e Monte. Falei da viagem de Paul à MITS e do contrato que estávamos negociando. Para qualquer pessoa que usasse o centro regularmente, nada do que eu disse seria novidade. Sempre fui honesto com todo mundo no laboratório sobre o que fazíamos.

Ele parecia já ter muitas respostas. O centro acabara de introduzir um programa de contabilidade para rastrear quanto tempo cada pessoa usava o computador. Colocou um papel na minha frente mostrando os resultados relativos ao usuário 4114, minha conta. Eu acumulara 711 horas em fevereiro e 674 horas em março. Levando em conta que não havia tantas horas num mês, isso lhe parecia exagerado. Ficou perplexo ao fazer as contas e descobrir que aquelas 711 horas significavam que Bill Gates e seus "associados", como chamava Monte e Paul, usaram o centro a uma média de oito horas e meia por dia durante os 28 dias de fevereiro. Como era possível? Fiquei em dúvida se ele entendia que era praxe deixar o terminal sem supervisão por longas horas enquanto a máquina executava seu trabalho sozinha. Às vezes, usávamos simultaneamente dois ou três terminais, o que me dava a certeza de que aquelas horas correspondiam ao dobro ou até ao triplo do tempo que de fato ficávamos no centro.

Talvez isso não tivesse importância. Além do tempo de computador, a questão era eu ter trazido gente não autorizada — Paul e Monte — para o laboratório, além de ter trabalhado num projeto comercial. Ele explicou que o governo ficaria preocupado com o fato de trabalho comercial ter sido executado sob o contrato da DARPA.

Enquanto me examinava do outro lado da mesa, tenho certeza de que via diante de si um estudante indisciplinado que, por imprudência, tivera acesso ao seu centro e sub-repticiamente levara dois cúmplices para a segura sala de computadores de Harvard, onde os três trabalhavam num produto misterioso qualquer tarde da noite para não serem vistos. Se os generais do Departamento de Defesa descobrissem esse plano, não teriam alternativa senão cortar a generosa verba do Laboratório de Computação Aiken, setor de ponta de Harvard.

Aquele desfecho me pareceu altamente improvável, e acredito que, de alguma forma, dei a entender isso. Minha falta de arrependimento parecia tê-lo incomodado. Em anotações que encontrei há pouco tempo nos meus registros de Harvard, ele escreveu: "Ele [eu] não entendia as implicações de suas atividades e parecia totalmente indiferente quando as expliquei". Em outra, ele comenta que eu "bancava o esperto".

Talvez eu fizesse isso. Naquela época, não conseguia filtrar minhas reações. Antes o laboratório que ele agora supervisionava não tinha regras nem supervisão efetiva. Diversos usuários trabalhavam em seus próprios projetos paralelos, incluindo um que usou o computador para escrever o computador para ganhar dinheiro escrevendo ensaios e teses de outros alunos. Nosso uso do computador não atrapalhou ninguém; a máquina estaria ociosa se não a estivéssemos usando. Também não fomos contratados pela MITS para desenvolver o software. Foi feito sob especulação, uma aposta de que, se pudéssemos escrevê-lo, a empresa poderia comprá-lo.

Não tenho certeza se mais arrependimento teria mesmo ajudado. A impressão era de que uma decisão já tinha sido tomada.

"Quero lembrá-lo de que está falando diante de uma testemunha", observou ele a certa altura, indicando que sua assistente administrativa estava sentada a uma mesa perto dali. *Testemunha? Estou em algum perigo legal?*, pensei comigo. Eu disse que reembolsaria o centro pelo tempo que usei o computador e acrescentei que colocaria a versão do Basic escrita em Harvard em domínio público, para que qualquer pessoa pudesse acessá-la livremente.

Ele pediu minha chave do centro do Aiken. Em seguida, desativou minha conta ali mesmo, na minha frente. E disse que informaria o Conselho Administrativo a respeito de tudo.

Conselho Administrativo? Isso significava que o reitor e um comitê de administradores e membros do corpo docente examinariam meu caso. Dois dias depois, fiquei sabendo o que estava em jogo. Meu tutor sênior (um estudante mais avançado que atuava como orientador) explicou que, na pior das hipóteses, o conselho me expulsaria de Harvard e, se achasse minhas ações particularmente graves, eliminaria meus registros, o que significava praticamente apagar o fato de, um dia, ter frequentado a universidade. Engoli em seco.

Eu não telefonava com frequência para meus pais naquela época — a cada três semanas, mais ou menos. Também não tinha conversado muito com eles sobre o que andava fazendo com Paul e o Basic.

Agora, bastou uma ligação para ficarem a par de tudo.

Para variar, meu pai foi direto às perguntas que de fato importavam: as regras do laboratório estavam escritas em algum lugar e foram comunicadas a vocês? Como é que a escola faz a distinção entre o uso do computador por vocês e o uso de recursos da universidade por professores em seus trabalhos comerciais? Vocês terão acesso aos depoimentos de outras pessoas? Em algum momento, meu pai ligou para a escola e fez perguntas parecidas. Ele jamais adotava uma postura rígida e autoritária, mas, com seu temperamento comedido, lógico, sucinto, inimigo de conversa fiada, o efeito produzido podia ser igualmente intimidante. Tenho certeza de que a pessoa com quem falou, fosse ela quem fosse, ficou com a impressão de que ele monitorava a situação atentamente. Explícito ou não, o recado foi: seja qual for o veredito, é melhor que o processo seja justo.

Tantos anos depois, não lembro direito os detalhes do envolvimento dos meus pais na confusão que aprontei no Aiken. Sei que meu pai pegou o avião para me ver em Boston e avaliar a gravidade da situação. Sei que ele temia que Harvard pudesse me tratar de maneira injusta e desrespeitosa. Sei que a possibilidade de eu vir a ser expulso de Harvard deixou minha mãe angustiada. Ela ficou muito preocupada comigo.

Tenho certeza de que ela se preocupava também com a reputação da nossa família na comunidade. Naquela época, ela alcançara o tipo de sucesso que vinha buscando havia anos: a primeira mulher a dirigir um grande banco em Washington, e a primeira mulher a presidir a King County United Way (e mais tarde foi presidente da instituição de caridade em nível nacional). Naquele ano, ainda foi nomeada para o Conselho de Regentes da Universidade de Washington. Tudo isso enquanto atuava nos conselhos do Hospital Infantil e da Seattle Foundation. Kristi começava em um emprego na área contábil, em um caminho para o tipo de carreira que até a geração anterior era praticamente vetado a mulheres como minha mãe. Foi um momento de muito orgulho quando Kristi conseguiu emprego na Deloitte. Libby, então com dez anos, se destacava em três esportes (enfim uma herdeira do talento atlético da minha mãe!). E ter um filho em Harvard com bom desempenho acadêmico completava a imagem de família bem-sucedida que ela buscava havia vinte anos, talvez até mais.

Seria chocante aquele filho abandonar a faculdade. Seria ainda pior ele ser expulso.

Sentado diante da minha máquina de escrever, senti o peso de tudo aquilo e, durante uma noite longa, escrevi uma carta para o Conselho Administrativo.

O documento — do qual ainda guardo uma cópia — era, ao mesmo tempo, uma defesa das minhas ações, uma crítica ao Aiken, uma descrição do nosso projeto e um flagrante de uma indústria à iminência de uma revolução. Expliquei que o advento do microprocessador em 1974 significava que, de repente, computadores poderiam "se tornar menores do que uma caixa de fósforos". Disse também que "Paul Allen tem plena convicção de que os microcomputadores são o futuro" e falei do nosso interesse em fazer parte desse movimento.

Eu me sentia muito mal por ter arrastado Monte para aquela bagunça. O conselho também estudava uma medida disciplinar contra ele — um calouro, no início da sua carreira na faculdade. O projeto já tinha prejudicado suas notas. Na carta, ressaltei que eu estava no comando do projeto, que eu é que tinha trazido Monte para o laboratório, e que o erro era meu. Estava fortemente convencido de que ele deveria ser absolvido por completo.

Quando terminei, li as dez páginas para meus pais pelo telefone. Meu pai sugeriu um tom mais conciliador. Seguindo seu conselho, terminei a carta dizendo: "Peço desculpas por meus erros. Reconheço que demonstrei grave falha de julgamento em relação à venda do Basic. Entendo que posso continuar contribuindo de forma positiva para a comunidade de Harvard e peço que não maculem meus registros de uma forma que prejudique meus objetivos futuros".

Em 19 de maio, voltei à máquina de escrever para redigir uma carta a Paul. "Estive pensando muito na Micro-Soft esta noite e achei que seria bom pôr algumas ideias no papel e enviá-las para você." Sublinhei os itens da nossa negociação com a MITS e esbocei detalhes técnicos de novos produtos. A carta é um retrato de três páginas da mente de um novo empresário lidando com detalhes: como dividiríamos os lucros, gerenciaríamos nossas despesas e evitaríamos um aperto de caixa uma vez que precisávamos pagar nosso advogado, alugar um apartamento e cobrir tanto nossas despesas de subsistência quanto as de um funcionário, um amigo da Lakeside. Se Paul ou eu "desaparecermos de forma significativa (voltando para a escola)", calculei como dividiríamos a renda de contratos futuros. "Acho que não haverá problema... até lá, nossa fortuna estará na casa dos seis dígitos de qualquer maneira", previ.

Uma semana depois, eu estava no meu dormitório estudando para os exames finais quando meu tutor sênior me ligou. O Conselho de Administração acabara de se reunir para tratar do meu caso. Votou por me "repreender" pelo uso indevido e não autorizado do laboratório. O que significa isso? Ele explicou: eu me safei com mais facilidade do que ele imaginava. Nenhuma punição.

Das três áreas de preocupação — uso do computador, desenvolvimento de produto comercial e ingresso de pessoas não autorizadas no laboratório —, entenderam que eu só tinha violado a terceira. Deveria ter pedido autorização antes de levar Paul e Monte ao Aiken. Felizmente, resolveram também "arquivar" o caso contra Monte, o que, na linguagem de Harvard, significava que ele foi totalmente absolvido.

Minha sorte foi o conselho ter percebido que o laboratório vinha sendo administrado sem nenhum rigor e quase sem regras estabelecidas. Todas as pessoas entrevistadas em relação ao meu caso confirmaram esse fato, mas tenho certeza de que o meu guru do Aiken, Eric Roberts, me ajudou muito. Na sua declaração ao conselho, ele afirmou que, apesar de se opor ao resultado comercial do nosso trabalho, "acho que a atitude de Bill deve ser examinada à luz da atitude tradicionalmente negligente do Centro, e que o Centro tem sua parcela de responsabilidade por não estabelecer critérios para o uso da máquina". Eric viria a criar o primeiro departamento de ciência da computação de Wellesley College e lecionar para milhares de alunos em Stanford e outras universidades.

Não sei por que não me lembro com mais clareza das preocupações dos meus pais na época dos meus problemas no Aiken. Eu era muito independente e menos sintonizado com os sentimentos alheios do que sou hoje. Lembro que, na época, achava que cabia a mim resolver um problema que eu havia causado. Um registro que guardo desse período é uma carta de Natal de Gami. Como era de esperar, sua opinião sobre a confusão que aprontei era rígida e baseada em sólidos princípios. Seus pensamentos, sem dúvida, refletiam os dos meus pais:

Tenho certeza de que você sabe que tem um talento maravilhoso, e todos nós nos orgulhamos da sua criatividade e do seu empenho com cada ideia. Certifique-se de manter o mais alto padrão ético. Esforce-se ao máximo para examinar de todos os ângulos cada aspecto da sua empreitada. Talvez eu esteja preocupada por saber que é tentador ceder um pouco aqui e ali, esquecendo-nos de que o nosso objetivo maior está sendo prejudicado. Essa sua experiência em Harvard, embora você tenha passado praticamente incólume, ainda é um lembrete para que sempre se mantenha acima de qualquer suspeita. Tendo visto vidas destruídas porque a pessoa achava que os fins justificam os meios, devemos nos manter vigilantes. Quero que esteja sempre atento. Que seu trabalho seja correto a ponto de jamais ser interpretado como impróprio. Você é um grande rapaz — estou ao seu lado e amo você. Vejo-o em breve, Gami

Nos meus registros de Harvard, cinquenta anos depois, encontrei anotações de uma entrevista com Tom Cheatham realizada como parte da minha avaliação pelo Comitê Administrativo. Ele foi a pessoa que me abriu seu laboratório e que se tornou meu orientador acadêmico no segundo ano. Eu voltaria a tê-lo como professor em um ano. Mas não sabia qual era sua posição a respeito do meu caso.

Eu conheci Cheatham no começo do nosso projeto Basic e lhe disse que ia trabalhar nas ferramentas e tentar escrever um interpretador. Ele demonstrou entusiasmo, mas estava ocupado, e não entramos em detalhes. Foi uma rara interação entre nós. Naquela altura, senti que ele se cansava de me ver tomar todo o tempo das nossas reuniões com conversas muito animadas sobre as tecnologias em que eu estava pensando e os projetos que achava que o laboratório deveria assumir. Chegamos ao entendimento tácito de que, se eu precisasse da sua assinatura em alguma coisa, era só deixar com seu assistente e pegar depois. Quando percebi que poderia haver problemas com meu trabalho no Basic no laboratório, marquei uma reunião, mas ele não apareceu. Essa era nossa relação àquela altura. Sempre me sentia desconfortável falando com ele, e talvez ambos ficássemos mais à vontade evitando encontros. Foi uma dinâmica incomum para mim. Achei a maioria dos professores de Harvard muito acessível e construí relacionamentos com eles com base em longas conversas sobre matemática e programação; alguns até contribuíram diretamente para a evolução do meu pensamento sobre o futuro da indústria de computadores.

Na época da controvérsia de Aiken, presumi que Cheatham não estava do meu lado. Mas as notas de Harvard revelam que, na verdade, ele me defendeu. Ele disse ao conselho que seria uma "trágica injustiça" se eu fosse obrigado a sair de Harvard, e que "adoraria ter BG computando no Centro no próximo ano". Parecia saber qual era meu estado de espírito geral. A origem de tudo aquilo, de acordo com as notas dele, era que "BG começou o projeto por puro tédio — um aluno no seu segundo ano já entediado com os cursos de pós-graduação" — e entrou nos microcomputadores para ter alguma coisa com que brincar. Tudo era, sem dúvida, verdade. Olhando para trás, fica claro que ele me apoiou, e sou grato a ele por isso. Só queria que tivéssemos forjado um relacionamento melhor naquela época. Tom Cheatham trabalhou em Harvard no final da década de 1990, e continuou pesquisando maneiras de ajudar a programação a evoluir de suas raízes artesanais para uma disciplina mais próxima da engenharia. Quando li meus registros de Harvard muitos anos depois, soube que ele tinha morrido em 2001.

A tensão criada pelo meu uso do Aiken era resultado do que a computação tinha sido desde sempre: um recurso escasso e protegido. Muita coisa tinha mudado desde que Howard Aiken construiu sua enorme calculadora mecânica Mark I nos anos 1940. Quando a DEC vendeu seu primeiro PDP-10 em 1966, havia milhares de computadores no mundo. Em 1975, quando o Altair apareceu, havia ainda mais. Mas os computadores continuavam caros, e o acesso a eles exigia algum contato ou credenciamento especial, a chave de uma sala ou, com sorte, professores esclarecidos na sua escola.

Embora ninguém fosse capaz de entender plenamente naquela época, a escassez estava em vias de ceder passagem à abundância, e os computadores logo seriam disponibilizados para milhões de pessoas. O programa Basic que escrevemos, que causou tanto rebuliço, desempenharia papel central, assim como o trabalho de milhares de pessoas. De repente, a noção de que um adolescente podia criar algo valioso num computador passaria de impensável a lugar-comum. E os custos caíram tão rápido que a computação logo ficou quase de graça.

13. Micro-Soft

No verão de 1975, quando me mudei para Albuquerque, a antiga lanchonete que passara a abrigar a sede da MITS havia se transformado numa improvisada fábrica de computadores repleta de longas mesas, montadas com cavaletes e tampos de compensado. A qualquer momento, via-se ali cerca de uma dúzia de pessoas acondicionando componentes eletrônicos em caixas, que eram despachadas pelo correio o mais rápido possível — mas não tão rápido quanto desejavam os consumidores ansiosos para receber o kit de computador pelo qual haviam pagado quatrocentos dólares. Os mais fanáticos chegavam mesmo a dirigir centenas ou milhares de quilômetros até a MITS para buscar pessoalmente o kit Altair. Ao chegar para o trabalho no início do dia, não era incomum topar com veículos recreativos estacionados na esquina da Linn Avenue e da California Street esperando por seu Altair como se fosse uma pizza para viagem. Aquele escritório, num decadente shopping a céu aberto — vizinho a um local que descontava cheques, uma lavanderia e uma casa de massagem —, era o marco zero daquilo que viria a ser conhecido como a revolução do computador pessoal.

O pai de tudo aquilo, Ed Roberts, teve a ideia certa, mas subestimou enormemente sua popularidade. Ele havia previsto que a MITS poderia encontrar cerca de oitocentos clientes por ano dispostos a desembolsar dinheiro pela novidade de ter seu próprio computador. Em vez disso, naqueles primeiros meses, os pedidos chegaram aos milhares. Aparentemente, os compradores não se importavam com o fato de que, depois de montado, o Altair não servia para muita coisa além de permitir o acionamento de interruptores e ter luzinhas piscantes. Eles eram, sobretudo, engenheiros, médicos, pequenos comerciantes, estudantes e outros aficionados com dinheiro de sobra para comprar engenhocas eletrônicas e tempo livre para explorar seu funcionamento.

Em Menlo Park, na Califórnia, um grupo de 32 entusiastas se encontrou em março numa garagem a fim de trocar informações sobre o Altair. Antes dessa reunião, um dos membros se dera ao trabalho de viajar de carro da Califórnia até Albuquerque somente para verificar se a empresa por trás dos computadores vendidos pelo correio existia de fato. Ao se encontrar com Ed Roberts, soubera que a MITS havia aceitado mais encomendas do que era capaz de entregar. No encontro seguinte do grupo, os membros tiveram o primeiro vislumbre de um Altair. Sem software, teclado ou monitor, o novo proprietário da máquina, um carpinteiro chamado Steve Dompier, executou um programa elementar. Depois de acionar o último interruptor, o Altair tocou uma versão em staccato da música "Fool on the Hill" dos Beatles, através — surpreendentemente — de um aparelho de rádio AM. (Em seguida, tocou "Daisy, Daisy", que, como todos os presentes deviam saber, era a primeira música tocada em um computador — em 1957 — e a melodia entoada pelo computador HAL 9000 enquanto "morria" aos poucos em *2001: Uma odisseia no espaço*.)

Mais adiante, o grupo se autointitularia Homebrew Computer Club [Clube de Computação Caseira], o qual, em poucos meses, passaria a contar com centenas de membros. Clubes do gênero pipocaram por todo o país. Tal como eu, todos esses pioneiros dos computadores pessoais haviam crescido ouvindo falar que os computadores custavam centenas de milhares de dólares. Agora, por menos de mil dólares, qualquer pessoa podia ter um deles em casa, mesmo que não fizesse muita coisa.

Para estimular esse mercado restrito, mas vibrante, Ed Roberts colocou alguns computadores Altair em seu Dodge azul e contratou um estudante universitário para conduzi-lo numa turnê rápida por várias cidades do país. O Ganso Azul, como ficou conhecida a van, encontrava os aficionados no Holiday Inn local, onde empregados da MITS faziam uma demonstração do Altair rodando nosso Basic, antes de seguir para a cidade seguinte.

Em junho, peguei um avião para San Francisco a fim de me juntar a funcionários da MITS e ao Ganso Azul por alguns dias, conhecer o clube Homebrew e outros interessados. Foi minha primeira visita ao Vale do Silício, um nome adotado poucos anos antes devido à presença de fabricantes de semicondutores, como a Fairchild e a Intel. Foi uma viagem bastante proveitosa para mim. Muitos dos aficionados que conheci viam o Altair e todo o conceito de computadores pessoais sob a perspectiva da contracultura. Computadores baratos ou gratuitos se encaixavam na cultura hippie dos anos 1960 e do início dos 1970. Representavam um triunfo das massas contra as grandes corporações e os baluartes do sistema que controlavam o acesso à computação. Mesmo que alguns desses engenheiros fossem funcionários de empresas de defesa, como a Lockheed, ou de grandes fabricantes de produtos eletrônicos, como a Hewlett-Packard, o modo passional com que encaravam a nova tecnologia era muito arraigado numa ideologia de mudança social e livre circulação de ideias. Entre os grupos que conheci nessa viagem estava a People's Computer Company [Companhia Popular de Computação], que não era mais empresa do que a banda que lhe inspirou o nome — a Big Brother and the Holding Company, de Janis Joplin. A PCC era mais como um clube que oferecia acesso barato a computadores e cursos gratuitos de computação, sobretudo a estudantes do ensino médio. A edição de lançamento do boletim informativo expunha a missão do projeto:

Computadores são, sobretudo,
usados contra as pessoas e não a favor delas,
usados para controlar as pessoas e não para
libertá-las.
Chegou a hora de mudar isso [...]

Uma parada memorável da nossa viagem foi uma apresentação no Rickey's Hyatt House, um hotel em Palo Alto. Aconteceu alguns meses depois de Paul, Monte e eu termos escrito nossa versão do Basic no computador de Harvard. Esse programa, 4K Basic, ainda era rudimentar, um protótipo tosco, mas funcional, que pretendíamos aperfeiçoar naquele verão. No entanto, era a única linguagem de programação oferecida pela MITS para o Altair, de forma que, naquelas demonstrações iniciais, acabou se configurando como a principal atração. Com ele, os entusiastas do Altair conseguiam *fazer* alguma coisa com o kit de quatrocentos dólares.

Um quarto de século depois, um jornalista caracterizaria aquela noite no Hyatt como "o momento em que alguém roubou o programa de Bill Gates". A sala de reuniões do hotel ficou lotada com cerca de duas centenas de pessoas, entre as quais muitos membros do Homebrew. Enquanto um funcionário da MITS apresentava o Altair, alguém enfiou a mão numa caixa de papelão e agarrou uma cópia da fita de papel com o 4K Basic. Quase não guardo lembranças daquela noite, menos ainda de ter notado o sumiço do programa surrupiado — o que só ocorreria meses depois. No final, a fita acabou caindo nas mãos de um membro do Homebrew, que fez setenta cópias do programa, distribuindo-as numa das reuniões do clube e incentivando todos a fazerem mais cópias. Em poucas semanas, dezenas, talvez centenas, de cópias do 4K Basic estavam em circulação — semanas antes de terminarmos a versão que pretendíamos comercializar.

Em sintonia com a cultura hippie do mundo emergente do computador pessoal, havia um consenso de que todo software deveria ser gratuito. Os programas eram algo a ser copiado de um amigo, compartilhado abertamente ou mesmo roubado. Em muitos aspectos, era parecido com o que então se passava na música. Além de todos os fãs de Bruce Springsteen que comprariam *Born to Run* naquele verão, muitos outros simplesmente ouviram o álbum emprestado de um amigo ou o gravaram numa fita cassete sem pagar nada.

Já o equipamento físico, o hardware, era outra história. Era algo tangível. Ficava sobre a sua mesa. Você podia ouvir o zumbido da ventoinha. Quando se encostava nele, sentia-se o calor da fonte de alimentação. Dentro do gabinete, dava para ver os minúsculos componentes soldados com precisão ao redor do cérebro do microprocessador, um dispositivo mágico tão sensível que era produzido numa fábrica especial completamente livre de poeira. Em contraste, o software era algo virtual, pequenos fragmentos de informação armazenados numa fita magnética ou inscritos de modo indecifrável num rolo de papel. Era preciso um salto imaginativo para reconhecer que alguém passara milhares de horas projetando, escrevendo, depurando e se esfalfando para fazer um programa funcionar. E como este sempre havia sido gratuito, por que não o distribuir da mesma forma?

Mas o que Paul e eu queríamos era montar uma empresa. Nossa convicção, consolidada em muitas conversas que avançavam pela madrugada, era que, à medida que os computadores pessoais ficassem cada vez mais baratos e fossem adotados em pequenos negócios e lares, haveria em consequência uma demanda quase ilimitada por programas de alta qualidade. Mesmo enquanto trabalhávamos nessa versão inicial do Basic para a MITS, Paul e eu discutíamos já outros tipos de software que as pessoas necessitariam em seus computadores pessoais. Podíamos fazer ferramentas de programação, como editores de código, e versões de outras linguagens populares, como Fortran e Cobol. Depois de estudar o sistema operacional do minicomputador PDP-8 da DEC, que, como o Altair, tinha muito pouca memória, eu estava absolutamente convencido de que também poderíamos criar todo um sistema operacional para um computador pessoal. Um dia, se tudo corresse como esperávamos, a Micro-Soft seria o que chamávamos de "fábrica de programas". Forneceríamos uma ampla gama de produtos que seriam considerados os melhores do mercado. E, se as coisas corressem muito bem, eu imaginava que talvez pudéssemos contar com um grande time de programadores trabalhando para nós.

Nessa altura, se nos perguntassem qual era o nosso objetivo, eu diria que a fábrica de programas era uma meta, ou que o nosso objetivo era colocar os nossos programas em todos os computadores pessoais do mundo. E a reação seria um revirar de olhos ou uma expressão de perplexidade.

Vários outros fabricantes de chips seguiram rapidamente na trilha aberta pela Intel. Motorola, Fairchild, General Instrument, Signetics, Intersil, RCA, Rockwell, Western Digital, National Semiconductor, MOS Technology, Texas Instruments e outros estavam produzindo microprocessadores de 8-bits similares ao Intel 8080. Qualquer um desses chips tinha o potencial de se tornar o cérebro de um computador pessoal. E toda vez que um chip novo era lançado, Paul logo encontrava um artigo técnico com as suas especificações e, com base nisso, avaliávamos se era o caso de dedicar algum tempo para criar o software adequado.

Em abril, um membro do clube Homebrew e seu amigo fundaram a Processor Technology em Berkeley, na Califórnia, a princípio com o propósito de vender módulos de memória adicional para o Altair; mas, um ano depois, eles colocariam no mercado seu próprio computador, o Sol-20. Um professor de Stanford chamado Roger Melen estava visitando o escritório da *Popular Electronics* em Nova York no final de 1974 quando viu o Altair antes de ser anunciado. Ele ficou tão impressionado que mudou seu voo para casa, parando em Albuquerque para ver Ed Roberts. Logo Melen e um amigo de Stanford desenvolveram acessórios para o Altair, incluindo uma câmera digital e um joystick, antes de apresentar um microcomputador, o Z-1. (O nome da empresa, Cromemco, derivava de um dormitório em Stanford, o Crothers Memorial.)

Inspirado pelo Altair e seu cérebro Intel 8080, um engenheiro da Hewlett-Packard chamado Steve Wozniak comprou um MOS Technology 6502, o microprocessador mais barato que conseguiu encontrar, e rapidamente construiu um protótipo do seu próprio computador. Como muitos membros do Homebrew, Wozniak foi motivado pela emoção da engenharia e pelo orgulho de construir algo que poderia compartilhar com o clube. Isto é, até que seu amigo Steve Jobs viu o protótipo. Pouco antes, Jobs tinha retornado de uma estada de sete meses na Índia, onde fora, como diria mais tarde, encontrar a si mesmo. Menos de um ano depois de voltar, ele descartou as túnicas cor de açafrão, deixou crescer o cabelo e convenceu Wozniak de que a sua paixão por computadores era um negócio a ser explorado. Não demorou para que fundassem uma empresa, a Apple, e começassem a vender o seu primeiro microcomputador, o Apple I.

Meus pais esperavam que eu passasse o verão em Seattle e frequentasse um ou dois cursos na Universidade de Washington, como havia feito no verão anterior. Em vez disso, eu ainda estava no Novo México. E logo disse a eles que trancaria um semestre em Harvard e permaneceria em Albuquerque. Eles ficaram preocupados, mas, até onde me lembro, não se opuseram. Talvez, depois da advertência do Conselho Administrativo, achassem que uma pausa faria bem para mim; no inverno, eles devem ter imaginado, essa excursão pelo mundo do software daria em nada ou se transformaria num trabalho paralelo que eu manteria quando retornasse às aulas para obter o meu diploma.

Meu pai costumava usar o termo "organizado" no sentido de alguém que tem tudo sob controle. Quem é organizado tem um plano, um propósito, um objetivo, e pondera a melhor maneira de alcançá-lo. Eu queria mostrar a ele e à minha mãe que eu também era organizado, que sabia o que estava fazendo com aquele empreendimento da Micro-Soft, mesmo estando ciente de que poderia falhar.

Eu mantinha uma lista mental de todas as vezes que tivera de pedir ajuda a meu pai. A primeira fora o confronto que Kent e eu tivemos com a ISI por causa do programa da folha de pagamentos; a segunda, a disputa com o Conselho Administrativo de Harvard. Enquanto me preparava para lançar a Micro-Soft, esperava não ter de voltar a procurá-lo, sobretudo depois de ter dito que conseguiria conciliar a empresa e a universidade.

Na época, não existiam empresas de software — pelo menos não o tipo de empresa de software que Paul e eu queríamos criar. E nosso produto era algo que os clientes em potencial achavam que deveria ser gratuito. Por outro lado, já havíamos conseguido um cliente e tínhamos fé de que, com base nisso, a coisa engrenaria.

Nossa primeira moradia em Albuquerque era um quarto dividido no Sundowner Motor Hotel, a alguns quarteirões da MITS. Depois, Paul e eu alugamos um apartamento de dois quartos, o de número 114, no condomínio Portals, a uma pequena distância de carro do escritório. O aluguel era barato e dava acesso a uma piscina, mas não me lembro de nenhum nós ter tido tempo para usufruí-la. Paul e eu tínhamos nossos quartos, e quando Monte Davidoff apareceu para nos ajudar durante o verão, ele dormia numa cama improvisada com almofadas sobre o tapete felpudo. Em agosto veio Chris Larson, o amigo da Lakeside que estava ajudando a gerenciar nosso Traf-O-Data. Ele e Monte ficaram na sala de estar/dormitório, um arranjo que parecia conveniente, pois Monte preferia virar a noite programando, e aí desmaiava na cama de almofadas assim que Chris acordava de manhã e saía para trabalhar.

Nosso escritório, se é que se poderia chamá-lo assim, fazia parte da MITS, numa sala junto à lateral da sede. Ali contávamos com alguns terminais, conectados por telefone a um PDP-10 que ficava no outro lado da cidade, no distrito escolar de Albuquerque. Paul negociara um desconto no aluguel do acesso ao computador, por isso trabalhávamos normalmente durante a noite quando ele era menos usado pelas escolas. Como não havia impressora, no final de cada jornada um de nós ia de carro até o local onde ficava o computador e pegava resmas de formulário contínuo contendo nosso programa.

Na condição de diretor de software da MITS, Paul passava grande parte do tempo adaptando nosso programa para o Altair e atendendo a ligações de usuários com dúvidas sobre como operar sua nova aquisição. Na Micro-Soft, Paul ajudou a definir nossa direção tecnológica e foi o guardião de nossas ferramentas de desenvolvimento. O trabalho que ele fez para criar o simulador para o PDP-10 e ferramentas relacionadas renderia dividendos por anos. Eles não apenas nos permitiram criar nosso primeiro Basic sem um Altair (ou Intel 8080), mas com o tempo Paul adaptaria as ferramentas para que pudéssemos escrever versões da linguagem e outros softwares para diferentes processadores. Seu trabalho nos ajudou a liderar o Basic e nos daria uma grande vantagem por um longo tempo.

Enquanto isso, eu mergulhei de volta no Basic. Além de corrigirmos os problemas na versão 4K, criamos outras duas versões: uma 8K e a outra 12K, esta batizada de Extended Basic. Se fôssemos escritores, o 4K Basic seria uma sinopse, um mero esboço do texto. A versão 8K teria uma narrativa mais complexa e instigante, e personagens mais bem-acabados; já a versão Extended seria equivalente a uma primeira versão completa do romance, o que, nos domínios da computação, significava que teria instruções ELSE e variáveis de dupla precisão de 64 bits, recursos essenciais para escrever programas melhores.

No fim de julho, fechamos um acordo com a MITS, vencidos pela insistência de Ed para que concedêssemos a ela os direitos globais exclusivos para licenciar todas as nossas versões do Basic para o chip 8080. Com isso, recebemos 3 mil dólares no ato, e um valor fixo por cada cópia de 8080 Basic vendida com um Altair, algo entre dez e sessenta dólares, conforme a versão (4K, 8K ou Extended). Os royalties dessas vendas foram de 180 mil dólares. O contrato concedia à MITS exclusividade para sublicenciar o software; qualquer empresa que quisesse instalar em seus produtos o 8080 Basic teria de adquirir o código-fonte — a receita do Basic — da MITS, e não da Micro-Soft. A MITS concordou em dividir conosco tudo o que recebesse daquelas sublicenças. Se muitas empresas adotassem o Intel 8080 em seus produtos, essa poderia se tornar uma receita significativa. No entanto, em julho de 1975, não havia a menor certeza disso.

Após o sucesso do Altair, Ed planejava oferecer uma versão

mais barata chamada Altair 680, usando o processador 6800 da Motorola. Para isso, precisaria de uma versão do Basic adaptada a esse novo chip. Dissemos a ele que poderíamos fazer isso. Também na mesma época, os disquetes estavam se tornando um substituto viável para o armazenamento em fita de papel, e Ed queria vender unidades de disquete para o Altair. O que requeria ainda outra versão do Basic, que também nos comprometemos a fazer.

Com tanto trabalho, liguei para Ric na casa dos seus pais em Seattle, para ver se estaria disposto a adiar seu último semestre em Stanford. Contei que tínhamos de escrever o Basic para o chip 6800 da Motorola. O que achava de passar o outono em Albuquerque e ganhar algum dinheiro? No final de setembro, Ric se mudou para o apartamento 114 do condomínio Portals, instalando-se no sofá agora liberado, pois Chris Larson voltara para a Lakeside, e Monte, para seu segundo ano em Harvard.

De nós três, Ric era o menos resolvido, de maneira geral, e parecia estar constantemente se debatendo não só com opções do tipo estudar direito ou administração, mas também com questões mais profundas a respeito da sua identidade. Dois anos antes, quando passamos todos juntos aquele verão escrevendo programas na TRW, Paul, Ric e eu havíamos dividido um apartamento no sul de Washington. Naquele verão, Ric procurou Paul e a mim em momentos distintos e nos confessou que era gay. Ele ficou aliviado quando dissemos que isso não fazia a menor diferença para nós — éramos amigos. Brincamos que, de algum modo, já havíamos notado algo nesse sentido: afinal, Ric era o único de nós que tinha exemplar da *Playgirl* no apartamento.

Na época, é bem provável que eu não me tenha dado conta plenamente do quanto Ric foi corajoso ao se assumir. No início dos anos 1970, a homossexualidade ainda era amplamente estigmatizada e o movimento por direitos dos gays estava nos primórdios; não havia muito suporte disponível. No nosso grupo, não passávamos muito tempo discutindo problemas emocionais uns com os outros. Éramos amigos próximos e parceiros nos nossos pequenos empreendimentos. Divertíamo-nos com bobagens, conversávamos sobre tecnologia, saíamos para comer e assistir a filmes. Mas não costumávamos, se é que o fizemos alguma vez, revelar nossos sentimentos e vulnerabilidades mais íntimos. De muitas maneiras, ainda éramos os mesmos adolescentes que se conheceram na sala de computação da Lakeside.

A dinâmica da nossa equipe também não mudou. Paul continuou absorvendo todas as últimas notícias e dados de tecnologia, processando-os em ideias que pudessem ajudar a Micro-Soft a progredir. O ponto forte de Ric era se concentrar em um trabalho e lidar metodicamente com cada etapa até que estivesse concluído, o que para codificação era exatamente o que precisávamos. Eu era o único a mapear nossa estratégia e visão, sempre preocupado que não estivéssemos nos movendo rápido o suficiente ou trabalhando duro o suficiente. Era assim desde quando trabalhávamos na folha de pagamento no ensino médio. Na Lakeside, esse arranjo deu a Paul o espaço para fazer o trabalho de que ele gostava — e no qual era melhor — e deixar o resto para mim. Agora, conforme estávamos tirando a Micro-Soft do papel, naturalmente assumimos essas funções: Paul se concentrando em inovações tecnológicas, como seu simulador e ferramentas, e eu escrevendo um novo software e cuidando da maior parte do lado comercial. Recentemente, eu tinha supervisionado as negociações do contrato com Ed Roberts. Enquanto eu estava em Boston, Paul tentou fazer Ed assinar o contrato, mas não conseguiu; esse tipo de negociação cara a cara era provavelmente a parte que menos atraía Paul em nosso novo empreendimento.

Tínhamos conseguido a MITS a 2 mil milhas de distância com algumas ligações telefônicas e um voo de 240 dólares para Albuquerque. Mas, para encontrar o próximo cliente e o seguinte, precisávamos vender a nós mesmos e nossos produtos escrevendo cartas, participando de feiras comerciais, visitando empresas. E havia muito o que decidir: quanto deveríamos cobrar? Como seria a comercialização? Como deveríamos fazer contratações? Pensar na folha de pagamentos e nos impostos. Todas essas eram questões banais para Paul. Se tudo corresse como esperávamos, essas decisões só aumentariam em número e complexidade.

Poucos dias depois de assinarmos o contrato com a MITS, descrevi como me sentia em um bilhete para Paul: "A Micro-Soft tem chance de dar certo porque é capaz de projetar e escrever bons softwares e porque consegue atrair pessoas, como Monte [...], ensiná-las, escolher o projeto perfeito para elas, fornecer-lhes recursos e gerenciá-las. As decisões monetárias, legais e administrativas envolvidas são muito complicadas, como tenho certeza que sabe. Sinto que minha contribuição para essas tarefas me dá direito a mais de 50% da Micro-Soft".

Deveríamos dividir a participação na empresa em 60% e 40%, continuei com firmeza. A meu ver, nada mais justo. "Estou muito otimista com nosso trabalho juntos. Se as coisas forem bem, pretendo trancar matrícula por um ano na faculdade", escrevi no fim. Paul concordou com a divisão.

Conforme dava início a essa jornada para tentar transformar nossas ideias sobre software em um negócio viável, encontrei um exemplo em Ken Olsen, da DEC. Ele aprendia fazendo e, com o tempo, virou um mestre em seu ramo. Como era engenheiro, imaginei que a matemática devia ser um de seus pontos fortes, e uma vez que a matemática exigia raciocínio lógico e competência em solucionar problemas, concluí que era possível para ele — e, por extensão, para mim — adquirir quaisquer habilidades e conhecimentos necessários. Álgebra linear, topologia e o que restava de matemática 55 testaram meus limites. Comparado a isso, eu achava que cuidar de folhas de pagamento, finanças e até mesmo contratações, marketing e tudo mais que fosse necessário para dirigir uma empresa seria moleza. Era uma visão simplista que o tempo se encarregaria de desfazer; mas, bem, eu tinha dezenove anos e era assim que enxergava as coisas.

Nesse outono, minha vida se resumiu a surtos frenéticos de programação que se estendiam por dias seguidos, entremeados de horas de sono apenas quando necessárias, e muitas vezes ali mesmo onde calhava de estar. Depois da sua jornada de trabalho na MITS, Paul ia até nossa sala ao lado e dedicava mais algumas horas à Micro-Soft, e só então seguia para casa a fim de dormir um pouco; quando retornava às duas da manhã, ele me encontrava ainda colado ao terminal. Bem cedo, quando os funcionários da MITS chegavam para trabalhar, Paul e eu íamos tomar café da manhã no Denny's, e eu voltava para o apartamento 114 do Portals e dormia durante o resto do dia. Nessa altura, havíamos instalado na sala de estar um terminal que se podia conectar pela linha telefônica ao computador do distrito escolar. Assim, na maioria dos dias, depois de dormir no sofá, Ric se instalava no terminal e começava a trabalhar imediatamente no programa 6800 Basic. No chão, havia páginas espalhadas do nosso código Basic 8080, que ele usava como guia.

Nunca cozinhávamos nada no apartamento, e, além de uma jarra com pés de porco em conserva que Chris comprara por brincadeira, a geladeira estava quase sempre vazia. Fazíamos todas as refeições fora, sobretudo na cafeteria Furr's, uma pequena rede local de restaurantes, onde provei filé de frango frito pela primeira vez e depois adquiri o hábito de pedir isso sempre que voltávamos ao local. Lembro-me também de consumirmos muita comida mexicana, baldes de *chile con queso*, e de desafios para ver quem era capaz de provar um molho especial de pimenta-verde fortíssimo.

Ao voltar para Boston na primavera, Paul deixou comigo o Plymouth, que dava seus últimos suspiros. Dois meses depois, quando fui para a Costa Oeste, larguei o carro onde estava estacionado, sabendo que acabaria sendo rebocado e encaminhado para um ferro-velho. Nesse primeiro verão em Albuquerque, Paul destinou parte do seu salário na MITS para pagar o financiamento do seu primeiro carro novo, um Chevy Monza azul-celeste, modelo 1975. Ele costumava dizer que, no futuro, esperava ganhar o suficiente para comprar um Rolls-Royce. Só que, por ora, teria de se contentar com um Chevrolet hatchback de duas portas. Esse Monza azul virou o carro não oficial da nossa empresa, usado para buscarmos os formulários contínuos impressos no distrito escolar, para irmos comer frango frito e passearmos pelas estradas planas e intermináveis que se estendiam para o oeste e pelas estradas sinuosas através das montanhas Sandia a leste de Albuquerque. Era um carro esportivo leve, com motor V8 e tração traseira, e costumava derrapar se não tivéssemos cuidado. Pouco depois de Paul comprar o Monza, Chris e eu o pegamos emprestado e, ao entrar muito acelerado numa curva, saí da estrada e arranhei a dianteira numa cerca de arame farpado. Essa, provavelmente, foi a única vez que vi Paul prestes a chorar. Paguei pela repintura, mas depois não consegui me livrar do sentimento de culpa. Paul adorava o carro, que, a partir de então, passamos a chamar de "Armadilha Mortal". Dentro de um ano, fui parado por excesso de velocidade. O policial não gostou nada das piadas que fiz e me fez passar a noite na cadeia. Tive de ligar para Paul, que pagou a fiança na manhã seguinte, recolhendo as moedas e notas que encontrou espalhadas no tampo da minha cômoda.

Numa sexta-feira, Paul e eu fomos com outros empregados da MITS a um boteco na Central Avenue. Como a idade mínima para consumir bebidas alcoólicas era de vinte anos, fui barrado, mas os garçons fizeram vista grossa quando os colegas da MITS levaram suas cervejas para as mesas na calçada. Toda a cultura de happy hour era uma novidade para mim. Até aquele dia, na minha ingenuidade, achava que as empresas eram todas administradas com eficiência, e que todos os funcionários eram motivados, adoravam o trabalho e, junto com a gerência, se empenhavam na mesma direção. Nunca me passara pela cabeça a ideia de que uma empresa era uma organização constituída de pessoas, com todas as fraquezas e defeitos humanos. Primeiro de muitos, esse happy hour me curou dessa visão simplória. Durante a sequência de cervejas, surgiram as reclamações. A MITS estava no olho do furacão de um setor novo em expansão e, no entanto, era movida por um frenesi de iniciativas confusas, estratégias mal concebidas, planos que mudavam a toda hora — e, algumas vezes, consumidores finais insatisfeitos. Alguns dos funcionários mais experientes chegaram a responsabilizar o chefe, Ed Roberts. E evidenciaram os motivos: ninguém tinha coragem de apontar os problemas.

Ed era enorme — alto e corpulento — e tinha uma voz potente, que retumbava pelo escritório toda vez que queria alguma ordem cumprida. As pessoas atribuíam seu estilo de gestão, de comandar e controlar, à Força Aérea americana, onde Ed trabalhara com lasers num laboratório militar. Quando falava, esperava ser ouvido; ele intimidava a equipe e sabia disso. Tenho certeza de que a força de vontade era parte do que o tornava um empreendedor inveterado, o tipo de indivíduo que consegue moldar o mundo ao redor no formato que mais lhe convém. Paul era respeitoso com Ed, o que eu acho que Ed esperava. Eu não era. Eu me aproximava de Ed mais como um igual, como eu sempre havia me aproximado de adultos bem antes de ser um. No começo, ele parecia se divertir com isso. Ele era um contador de histórias nato e tinha domínio de uma ampla gama de assuntos; eu ouvia e então contra-atacava com minha opinião. Ele parecia confuso com todo o meu ímpeto — a energia e a intensidade, minha personalidade do tipo "precisamos discutir isso agora". Tivemos ótimas conversas e aprendi com ele. No entanto, ao mesmo tempo, ele via Paul e eu como crianças para as quais ele estava fazendo um favor — daí o apelido que Ed me deu: "o garoto". Ele estava na casa dos trinta, tinha cinco filhos, tinha criado um computador de sucesso e era o presidente de uma empresa bem-sucedida com um grande futuro. Lembro-me de pensar: *Somos uma coisa menor para Ed e a MITS*. Quando ele ficou sentado em nosso contrato por alguns meses, peguei um voo para Seattle para esperar até que ele o assinasse. Na sua opinião, isso constituía insubordinação.

Assim que assinamos o contrato, eu estava pronto para qualquer coisa. Paul e eu viajamos com o Ganso Azul e começamos a escrever artigos sobre software no *Computer Notes*, o boletim informativo da MITS, dando dicas sobre a programação e promovendo uma competição mensal que premiava os melhores programas concebidos pelos usuários do Altair. Numa empresa que pouco sabia sobre software, Paul e eu éramos estranhos fervilhando de ideias e de energia. As sessões noturnas de programação de Paul, ao som de solos ensurdecedores de Jimi Hendrix, e minha agitação constante e exagerada só confirmavam a impressão de que éramos diferentes. Paul costumava contar a história de que Ed orientara os funcionários da MITS a não levarem os clientes até a área do software, porque, ainda segundo Paul, não costumávamos nos barbear nem tomar banho. Certa vez, Ed irrompeu na nossa sala e quase tropeçou em mim, adormecido no chão.

Quando não estava dormindo, programando ou escrevendo cartas para promover o negócio, eu geralmente me concentrava no passo seguinte: contratar gente, fechar negócios, conseguir novos clientes. Se deixassem, eu despejava tudo o que passava pela minha cabeça sobre qualquer um disposto a me ouvir. Em jantares com Paul e o pessoal da MITS, era capaz de ficar falando durante uma hora, bebericando um Shirley Temple enquanto discorria sobre como faríamos chegar nosso software a todos os computadores pessoais, ou por que o Motorola 6800 era melhor do que o MosTech 6502, ou por que uma pequena empresa compraria um Sphere 1 em vez de um Altair. Eu tinha uma necessidade mental de organizar tudo o que ouvia, de absorver cada nova informação. Ficava falando e falando, e, de repente, notava que todos haviam acabado de comer. Eu saía do restaurante sem ter tocado no meu prato. *Talvez eu vá ao Denny's daqui a umas horas. Ou não. Vocês acham que dá pra passar o dia todo sem comer?*

A turma do happy hour me incentivava a conduzir Ed na direção das mudanças que consideravam necessárias na empresa. "Ei, Bill, por que não diz ao Ed que estamos nos dispersando muito e que deveríamos ser mais focados? Ei, Bill, você deveria falar para o Ed que é melhor a gente abandonar esta ideia de um novo Altair." Nessa altura, eu havia mudado um pouco desde os tempos da sala de computação na Lakeside, quando Paul percebera como era fácil me incitar a fazer algo. Um pouco, mas não muito.

A MITS alugou um estande na Feira Estadual do Novo México, que ocorreu em setembro. Foi divertido ficar ali no estande, ao lado de um computador de mais de vinte quilos, esperando que alguém deixasse de lado o algodão-doce e tivesse sua primeira aula de programação na linguagem Basic. Mas éramos otimistas demais. Algumas pessoas até se interessaram, mas, frequentemente, era só começar a demonstração que o computador travava.

O Altair era vendido com uma memória muito pequena — apenas 256 bytes de RAM —, o que seria como dirigir um carro com um tanque de gasolina do tamanho de uma latinha de refrigerante. Essa limitação levou ao surgimento de várias empresas dedicadas à comercialização de módulos de memória, que os usuários compravam separadamente e acoplavam ao Altair.

Ed Roberts abominava esses vendedores de módulos de memória. Eram "parasitas", dizia ele, que minavam um negócio que era dele por direito. Parte do problema era que a MITS ganhava muito pouco com o próprio Altair. Isso aumentava a pressão para que Ed comercializasse periféricos e outros acessórios que pudessem ser vendidos com lucro. E os módulos de memória vinham em primeiro lugar. Mas as memórias da MITS apresentavam falhas, em parte porque ela adquiria módulos defeituosos. Foi isso que levou ao fiasco da nossa demonstração na feira estadual, e também porque, de repente, hordas de compradores de Altair começaram a reclamar. Esses módulos eram um dos assuntos prediletos do pessoal do happy hour. Era óbvio que a MITS deveria parar de comercializá-los. Você deveria dizer isso ao Ed, insistiam eles.

Desenvolvi então um software que diagnosticou o problema como uma combinação de falha no projeto dos módulos e do fato de que alguns deles perdiam a carga elétrica com muita rapidez. Com base nesses resultados, disse a Ed que ele precisava interromper as vendas até resolvermos o problema. Ele respondeu que isso era impossível. "Você não faz ideia de como os bancos estão nos pressionando", berrou. Sem recuar, gritei de volta: "Pare de vender os módulos! Vamos achar uma solução — mas, até lá, pare de vender os módulos!".

Não adiantou nada. Ele continuou a despachá-los, e os módulos acabavam falhando com tanta rapidez que o atendimento ao consumidor da MITS não conseguia dar conta das reclamações e dos pedidos de trocas. No boletim *Computer Notes*, Ed se desculpou pelos problemas. A MITS, disse, vinha envidando esforços para treinar com mais rapidez o pessoal do atendimento. "Por favor, tenham paciência. Estamos tentando resolver!", escreveu.

Eu acabaria vendo Ed como um empreendedor máximo, um polímata curioso a respeito de muitas coisas e disposto a deixar de lado os detalhes problemáticos em busca de uma grande ideia.

O tipo de pessoa que tem uma Ideia Brilhante quase sempre não é o mais indicado para transformá-la num negócio.

Desde que eu o conhecia, Ed sempre tivera novas paixões, e as perseguia com entusiasmo. Com o dinheiro entrando na MITS graças às vendas do Altair, ele comprou um Cessna 310 em setembro de 1975, o que explica como acabei sentado atrás dele no avião bimotor, dois meses depois. Viajamos de Albuquerque a Kansas City, no Missouri, para comparecer a um encontro de empresas ligadas a computadores pessoais que estavam trabalhando na criação de um modo padronizado de armazenamento de dados em fitas cassete.

A conferência correu bem. Tive oportunidade de praticar meus dotes como vendedor, reunindo-me com outras empresas e falando sobre a Micro-Soft e o Basic. E de fato conseguimos estabelecer um padrão, embora ele estivesse fadado ao esquecimento quando os disquetes substituíram a fita cassete.

Uma das coisas que mais guardei dessa conferência, porém, é a lembrança da viagem de volta para Albuquerque. Decolamos no sábado à tarde, depois que a conferência se encerrou. Quando estávamos a cerca de 2 mil metros de altura, Ed disse de repente que havia um vazamento de óleo no motor esquerdo; ele precisava desligá-lo e continuar voando com um motor só. Do banco de trás, observei o suor escorrer por seu rosto conforme ele lutava para impedir o avião de mergulhar abruptamente para a esquerda — aprendi a palavra "cambar" nesse dia — e voltar ao aeroporto para o pouso de emergência. Não sou de me assustar. Gosto de dirigir velozmente. Adoro ser chacoalhado numa montanha-russa. Mas ver Ed suando e brigando para impedir o avião de sair do curso me assustou. Lembro de pensar: *Será que Ed é bom piloto? Devia ter perguntado isso antes.* Quando aterrissamos — em segurança, devo acrescentar —, juro que dava para ver a onda de alívio dominando o corpo de Ed.

Pernoitamos outra vez em Kansas City, onde um mecânico inspecionou o aparelho e afirmou a Ed que não encontrara nada de errado. Na manhã seguinte, decolamos e, *voilà*, novo déjà-vu a 2 mil metros de altura: o motor esquerdo começou a perder óleo outra vez, forçando Ed a realizar seu segundo pouso de emergência em dois dias. Por mais que apreciasse correr riscos, isso foi demais para mim. Deixei Ed e seu avião para trás e peguei um voo comercial até Albuquerque.

À noite, com frequência eu saía do apartamento e fazia longas caminhadas pelas ruas planas próximas à base Kirtland da Força Aérea. Era uma área bem tranquila nessas horas, o lugar perfeito para se andar e pensar, às vezes sobre problemas de programação, mas em geral sobre algum aspecto dos nossos planos para a Micro-Soft. Num desses passeios, em dezembro de 1975, antes de voltar a Seattle para o Natal, refleti sobre os oito meses que se haviam passado desde a fundação da Micro-Soft. Nosso progresso era considerável. Era surpreendente pensar que havia milhares de pessoas que usavam o software que tínhamos criado. Ainda assim, o que preocupava era nossa dependência do pagamento de royalties pela MITS, e também o fato de que muita gente vinha optando pela versão do Basic antiga e copiada, em vez de adquirir as versões mais recentes. Para cada centena de Altairs vendidos pela MITS, talvez dez incluíssem nosso programa, graças à difusão descontrolada da versão pirateada. Como medida da nossa situação financeira, nesse ano a Micro-Soft pagaria impostos sobre um faturamento de apenas 16 mil dólares, que incluíam os 3 mil recebidos da MITS no início. Quanto ao futuro, tínhamos estabelecido muitos contatos, alguns dos quais promissores, mas sem fechar nenhum negócio.

Cerca de um mês depois, eu estava de volta a Harvard. Como planejado, trancara apenas o semestre de outono para dar o impulso inicial na Micro-Soft e, a partir do começo de fevereiro seguinte, tentaria conciliar o trabalho na empresa com uma carga horária de aulas cheia. Paul, por sua vez, equilibrava as demandas como funcionário em tempo integral da MITS com seu papel na Micro-Soft. Ric também estava voltando à faculdade para concluir seu semestre final. Estava indeciso quanto a continuar a colaborar com a Micro-Soft ou ao que fazer em seguida. Com isso, ninguém estava pensando o tempo todo na Micro-Soft.

Todavia, nessa altura, não me parecia mais que íamos fracassar. Estava incrivelmente otimista, talvez em excesso. Confiava na trajetória do negócio dos computadores pessoais. E sentia que estávamos prestes a fechar alguns negócios, e que ainda não enfrentávamos nenhuma concorrência relevante. Uma versão gratuita da linguagem, denominada Tiny Basic, da People's Computer Company, havia surgido no Vale do Silício, mas não era tão boa quanto a nossa.

Naquela caminhada, eu me convenci de que seria capaz de administrar uma empresa e ser estudante em tempo integral. Eu poderia dedicar à Micro-Soft todo o tempo que consumira em projetos paralelos, como o programa de beisebol. Também sentia que tudo o que aprendia em Harvard continuava sendo fundamental para quem eu estava me tornando; em particular, comecei a desenvolver um relacionamento com vários professores de ciência da computação e pensei que poderia aprender muito mais com eles — e obter conhecimento que ajudaria a Micro-Soft. Além disso, adorava a universidade — seu ritmo frenético de aprendizado, as conversas tarde da noite com pessoas que sabiam coisas que eu não sabia. Apesar das dificuldades de adaptação no primeiro ano, tinha conseguido me acomodar num ritmo satisfatório no segundo. Examinando hoje em retrospecto, sabendo como se desenrolou a história da Micro-Soft, parece óbvio que o mais razoável teria sido abandonar os estudos naquela altura. Mas a verdade é que não estava pronto para isso. Tampouco, claro, meus pais estavam. Voltei para casa no Natal e mergulhei em todas as atividades tradicionais da família Gates, incluindo o cartão feito à mão por minha mãe, no qual disfarçava sua preocupação comigo num versinho tosco: "Trey tirou um tempo nesse outono na velha Albuquerque; Para seu negócio de software — que esperamos não seja um fracasso. (O lucro ainda escasso)".

Depois das festas de fim de ano, eu estava de volta a Albuquerque quando meus pais me ligaram para anunciar que meu pai estava sendo cotado para um cargo na magistratura federal. O juiz federal responsável pelo tribunal distrital na nossa região morrera de repente durante uma partida de tênis, e o governo Ford pusera meu pai no topo da lista dos que poderiam substituí-lo. Era uma notícia maravilhosa. Porém, meu pai confessou que, depois de pensar muito, achou melhor recusar a proposta. Seu escritório de advocacia passara por um período turbulento, e ele sentia que o momento não era oportuno. Sua saída seria um duro golpe para a empresa.

No mundo do meu pai, a magistratura era o ápice da carreira, a posição de maior prestígio que alguém poderia almejar. No entanto, permanecer era seu dever para com os colegas. Além disso, como esposa de um juiz, minha mãe talvez fosse obrigada a reduzir suas atividades num momento em que sua carreira ia de vento em popa.

Recebi essa ligação menos de uma semana antes de voar de volta a Boston. Estava hospedado no Four Seasons Motor Inn enquanto terminava de elaborar o programa para a versão em disco do Basic. Havia me empenhado tanto que agora estava extenuado. Trabalhando dezesseis horas por dia, eu escrevia o programa num bloco de papel e, nos últimos quatro dias, vinha me alimentando apenas da comida para viagem. Entre as sessões de programação, comecei a escrever uma carta para meu pai.

Naquela época, era raro escrever a meus pais. Não havia nada que não pudesse ser tratado nas nossas costumeiras conversas por telefone nas noites de domingo. Agora, contudo, uma carta parecia ser a melhor maneira de comunicar o que eu sentia a respeito da decisão dele. Depois de desligar, pensei muito sobre a decisão que tomara. Para ele, a magistratura era o ápice da sua profissão, e por muito tempo ele acalentara a esperança de, um dia, ter a oportunidade de servir como juiz. Agora, com esse objetivo tão próximo, ele preferia abdicar disso — com base na lealdade mais profunda para com seu escritório e minha mãe. Confessei que estava muito surpreso.

Tudo bem decidir que você está satisfeito com o que faz mesmo diante de uma oportunidade que você almejou por tanto tempo. Desde que o conheço, você pensa na magistratura, e sempre imaginei que seria um grande juiz. É uma pena que tivesse de abdicar de tanta coisa que hoje lhe dá prazer, mas não se pode ter tudo. Espero sinceramente que o fardo financeiro da minha educação não tenha pesado na sua decisão, pois estou disposto e tenho condições de assumir essa responsabilidade.

Com amor,

Trey

Ao reler hoje essa carta, não consigo deixar de sorrir diante do tom, como se eu fosse o pai, dizendo que compreendia e acatava a decisão do filho. Era uma carta sincera, ainda que não deixasse transparecer muita emoção. Nosso relacionamento não era assim. Não era comum expressarmos nossos sentimentos mais profundos. De todo modo, foi uma carta excepcional. Nunca dissera ao meu pai o que achava das suas opções profissionais. Nunca me sentira capaz ou maduro o bastante para emitir uma opinião. Além disso, ele sempre se mostrava tão controlado e organizado que jamais dera a impressão de que precisava de opiniões desse tipo.

Porém, havia nas entrelinhas uma mensagem que meu pai certamente notou: a de que eu era maduro o suficiente para entender que ele havia abdicado de uma promoção prestigiosa a fim de preservar algo mais importante. Mas eu também queria comunicar que tinha sensibilidade o bastante para entender as nuances dessa decisão. Queria demonstrar que agora era maduro o suficiente para cuidar de mim mesmo. Em outro trecho da carta, contei como vinha trabalhando duro, enfurnado no quarto e desenvolvendo o programa para o disco, o qual "é extremamente complexo e requer muita concentração, por isso me isolei para concluir a tarefa".

Dias depois veio a resposta dele. Não, disse, os custos da minha educação não pesaram na sua decisão. "Gostei muito da sua carta, expressando seu interesse na decisão sobre a magistratura. É bem isso o que você disse — estou tão contente e convicto do que faço hoje que seria besteira mudar de maneira tão radical assim", escreveu. "Sua mãe e eu ficamos muito emocionados com sua preocupação, e também com a disposição de assumir suas despesas."

E, no final, escreveu: "Espero que esteja conseguindo se organizar. Com amor, Papai".

Em Boston, voltei para a Currier House, os jogos de pôquer e os quebra-cabeças da matemática aplicada. Não tive dificuldade em me adaptar de novo ao ritmo universitário. Quase de imediato, contudo, senti o peso da Micro-Soft. Afinal, conseguimos um cliente importante.

À época, a NCR era um dos maiores fabricantes de computadores, um dos "sete anões" que competiam com a IBM. Além de enormes mainframes, a NCR tinha um produto, o 7200, que era uma combinação de teclado, monitor de sete polegadas e gravador cassete. Havia então um tipo de dispositivo conhecido como terminais burros que, como aquele que havíamos usado na Lakeside (e continuávamos a usar em Albuquerque para nos conectar com o computador do distrito escolar), eram basicamente teclados com um display ou impressora para acessar programas em execução num computador maior. Com o surgimento de processadores baratos, como o Intel 8080, empresas como a NCR passaram a ampliar a capacidade dos terminais, criando a classe de terminais "inteligentes".

Naquela primavera, assinamos um contrato para adaptar o 8080 Basic para o NCR 7200 — por assombrosos 150 mil dólares. Como a MITS tinha os direitos exclusivos de licenciamento do nosso software, teríamos de dividir meio a meio com eles essa quantia.

As negociações com a NCR vieram logo quando as aulas estavam começando, o que significava que precisávamos encontrar alguém para gerenciar esse trabalho. Escrevi uma carta para Ric na qual estimei que levaria dois meses e meio de trabalho para uma pessoa cuidar de todas as reescritas e adições necessárias para adaptar o Basic para o terminal da NCR. Esse tempo, eu disse a ele, era medido em "meses Gates", uma tentativa autorreferencial de deixar claro que eu queria dizer trabalho duro, em tempo integral, sem distrações. Em sua resposta, Ric me informou que, depois de se formar na primavera, ele provavelmente faria um mestrado ou uma faculdade de direito. Eu teria que encontrar outra pessoa.

Embora o kit de computador da MITS continuasse a vender bem, apenas uma pequena parte dos compradores se dispunha a pagar pelo Basic. No outono, Ed Roberts usou sua coluna no *Computer Notes*, o boletim da MITS, para incentivar gentilmente os clientes a pagarem pelo software. Não me parece que tenha sido incisivo o bastante. No meu dormitório, numa noite naquele inverno, datilografei numa única folha de papel tudo o que pensava e sentia, e a enviei a um dos membros da turma do happy hour, o redator da MITS, Dave Bunnell, responsável por editar o *Computer Notes*. Dave enviou cópias da minha carta para um punhado de revistas de computação e para o boletim do Homebrew Computer Club, antes de publicá-la na edição de fevereiro de 1976 do *Computer Notes*:

Carta aberta aos aficionados

Para mim, o aspecto mais crítico hoje do mercado de computadores recreativos é a carência de bons cursos de software, de manuais e do próprio software. Sem um bom programa e um usuário que entenda de programação, um computador para aficionados é um desperdício. Quando programas de boa qualidade serão escritos para esse mercado?

Quase um ano atrás, Paul Allen e eu, na expectativa de que esse mercado se expandisse, contratamos Monte Davidoff e desenvolvemos o Altair Basic. Embora o trabalho inicial tenha consumido apenas dois meses, nós três passamos a maior parte do ano passado documentando, aperfeiçoando e acrescentando recursos ao Basic. Agora temos o 4K, o 8K, o Extended, o ROM e o Disk Basic. Isso nos exigiu um tempo de acesso a computadores com um valor que supera 40 mil dólares.

O retorno que tivemos de centenas de pessoas que dizem usar o Basic foi muito positivo. No entanto, percebemos duas coisas surpreendentes: 1) A maioria desses "usuários" nunca adquiriu o Basic (menos de 10% de todos os donos do Altair compraram também o Basic); e 2) O total de royalties que recebemos das vendas aos aficionados faz com que o tempo gasto no desenvolvimento do Altair Basic tenha um valor inferior a dois dólares por hora.

E por que isso acontece? Como quase todos sabem, a maioria de vocês prefere roubar nosso programa. O hardware precisa ser pago, mas o software é algo a ser compartilhado. Quem se importa se aqueles que nele trabalharam sejam remunerados?

Isso é justo? Uma coisa que vocês não fazem ao roubar o software é reclamar com a MITS quando surge algum problema. A MITS não ganha nada vendendo software. Os royalties que recebemos, o manual, a fita e os custos fazem com que seja uma operação que mal se paga. Há uma consequência disso: vocês impedem que bons programas sejam desenvolvidos. Quem pode se dar ao luxo de fazer algo de qualidade em troca de nada? Qual aficionado pode dedicar três anos de trabalho a programar, corrigir erros, documentar o produto e depois o distribuir de graça? Na verdade, ninguém, com exceção de nós, fez um investimento significativo nesse tipo de software. Nós desenvolvemos o 6800 Basic e estamos trabalhando no 8080 APL e no 6800 APL, mas há poucos incentivos para tornar esses programas disponíveis para os aficionados. Falando com toda a clareza, o que estão fazendo é roubo.

E o que dizer daqueles que revendem o Altair Basic, eles não estão lucrando com o software para aficionados? Sim, mas aqueles que nos foram denunciados podem se arrepender no final. São eles que prejudicam a reputação dos aficionados, e que deveriam ser expulsos de qualquer clube e reunião a que compareçam.

Ficarei muito satisfeito ao receber cartas de quem estiver disposto a nos remunerar, ou tenha alguma sugestão ou comentário. Escrevam para mim em 1180 Alvarado SE, n° 114, Albuquerque, Novo México, 87108. Nada me deixaria mais contente do que poder contratar uma dezena de programadores e inundar o mercado com software de qualidade.

Bill Gates
Sócio-gerente, Micro-Soft

A carta explodiu como uma bomba no mundo dos clubes e aficionados de microcomputadores. Antes dela, se algum usuário do Altair ouvisse os nomes de Micro-Soft ou Bill Gates, provavelmente não teria nada a dizer. Éramos quase desconhecidos. Agora a Micro-Soft estava no centro de um debate ideológico sobre o futuro do software. Distribuído gratuitamente ou vendido? Um punhado de leitores me apoiou, ecoando meu argumento de que, sem incentivo financeiro, poucos desenvolveriam os programas desejados por todos.

Outros me criticaram. "Quanto aos problemas levantados por Bill Gates na sua carta furibunda", escreveu o editor de uma recém-lançada revista sobre computadores, "quando o software é gratuito, ou tão barato que mais vale pagar do que duplicá-lo, então não há 'roubo.'"

Ed Roberts ficou possesso. Embora ele concordasse que o software deveria ser pago, aos seus olhos, eu havia passado dos limites ao insultar seus clientes. Mais ou menos uma semana depois da publicação da carta, eu estava de volta a Albuquerque, e Ed estava gritando comigo. "Você nem sequer trabalha na nossa empresa!", berrou. Eu me senti muito mal por tê-lo colocado em uma posição difícil e arrependido por não ter sido mais diplomático em minha carta. Como ela foi enviada em papel timbrado da MITS, meu discurso fez parecer — para Ed e provavelmente para muitos outros — que a própria MITS estava chamando seus clientes de ladrões. Ed me disse que eu trabalharia com um funcionário da MITS para escrever outra carta. Nela, eu me desculparia. E essa, ele disse, seria a última vez que escreveria uma carta aberta.

Alguns dias depois, em 27 de março de 1976, não foi sem nervosismo que subi ao palco da Convenção Mundial Altair, realizada num hotel no aeroporto de Albuquerque. O encontro de nome pomposo fora organizado por Dave Bunnell, o redator da MITS, como forma de aumentar ainda mais o burburinho em torno do Altair. Ed Roberts ficou assombrado ao se ver diante de mais de setecentas pessoas. E, graças à carta aberta, muitas delas sabiam quem eu era. Esse seria meu primeiro discurso profissional. Preparei com cuidado o que diria — uma avaliação do Basic como o futuro do software — e vesti minha melhor gravata e meu único paletó esportivo para explicar por que considerava o software o elemento mais importante do computador. Hoje isso parece óbvio, mas na época exigia alguma imaginação vislumbrar como essas máquinas poderiam evoluir. Minha maior lembrança dessa apresentação é o momento em que terminei de falar e a multidão me cercou com perguntas. Nunca havia passado por algo parecido, com tantos desconhecidos em volta e seus olhares sobre mim. Fiquei balançando o corpo enquanto falava, o metrônomo mental me guiando enquanto explicava os detalhes técnicos do software e do negócio que estávamos tentando montar. Não me recordo de ter insistido muito na minha preocupação quanto ao pagamento pelos programas, mas tenho certeza de que tive de responder a muitas perguntas sobre isso.

 Antes de eu deixar Albuquerque, Ed me fez escrever mais uma carta aberta, que Dave Bunnell estampou na edição de abril do *Computer Notes* e enviou a outras publicações. A "SEGUNDA E ÚLTIMA CARTA ABERTA" era menos o pedido de desculpas que Ed desejava do que uma argumentação racional em favor da comercialização do software. Claro que nem todos os aficionados de computadores eram ladrões, escrevi, antes de fazer um gesto conciliador: "Pelo contrário, creio que a maioria são indivíduos inteligentes e honestos que partilham minha preocupação com o futuro do software". Por outro lado, o futuro dos computadores pessoais dependia do desenvolvimento de bons programas e, em consequência, de remuneração para os programadores. "Os programas assinalam a diferença entre um computador ser uma fascinante ferramenta didática durante anos e um enigma intrigante por alguns meses, mas que depois é esquecido num armário", escrevi.

A expectativa de que os clientes pagantes nos permitissem remunerar programadores se concretizou, afinal, nessa primavera, quando o dinheiro do acordo com a NCR e de alguns outros — cerca de 20 mil dólares mensais — possibilitou à Micro-Soft contratar seu primeiro funcionário. Em abril, convidei Marc McDonald, um colega da Lakeside um ano mais novo do que eu. Ele havia sido membro de uma turma da sala de computação e agora estava no segundo ano da faculdade, estudando ciência da computação na Universidade de Washington. Como as aulas não eram muito proveitosas, contou, ele passava bastante tempo trabalhando como programador num PDP-10 da faculdade de ciências médicas. A contratação de Marc foi, provavelmente, a mais fácil em toda a história da empresa: ofereci a ele 8,5 dólares por hora, ele aceitou, dias depois foi de carro até Albuquerque e tomou posse do sofá no nosso apartamento. Alguns dias mais tarde, recebi uma carta de Ric; ele havia mudado de ideia sobre fazer pós-graduação e queria voltar para a Micro-Soft. E sugeriu uma parceria. "Gostaria sinceramente de me empenhar ao máximo para fazer com que a Micro-Soft atinja seu pleno potencial", escreveu. Ele estava disposto a colaborar com a empresa, "por muito tempo, pois posso ver, é claro, rendimentos significativos, tanto financeiros quanto de outras naturezas".

Durante o final de semana seguinte, Paul, Ric e eu chegamos a um acordo quanto aos detalhes em conversas telefônicas. Nós três constituiríamos uma sociedade que acomodaria o fato de eu continuar em Harvard e de Paul continuar empregado na MITS ao menos por outros seis meses. Ric se mudaria para Albuquerque na semana seguinte e providenciaria novos cartões de visita e artigos de papelaria para a Micro-Soft, uma caixa de correio, e bombardearia os clientes em potencial com ofertas dos nossos programas e de serviços de consultoria. Talvez até contratássemos um serviço de atendimento telefônico, na hipótese de que as encomendas começassem a chegar.

Se decidisse ficar em Harvard, eu trabalharia em tempo parcial, cuidaria das questões jurídicas e financeiras, bem como de quaisquer tarefas de programação necessárias. Ric ficou encarregado de administrar a empresa e atuar como presidente enquanto eu estivesse longe. Enquanto continuava trabalhando na MITS, Paul seria responsável por encontrar novas oportunidades tecnológicas para a Micro-Soft e manter nosso relacionamento com clientes existentes, incluindo a MITS, a NCR e outro fabricante de terminais inteligentes que havíamos contratado, chamado Data Terminal Corporation.

Esbocei então nosso plano de negócios em sete páginas de papel sulfite. O princípio fundamental era o de não darmos passos maiores do que podíamos e manter os custos sob controle. Isso significava que cada um de nós receberia nove dólares por hora. "O valor de nove dólares para os sócios é suficiente para que vivam com folga, e não será alterado em função de êxito, esforço individual, sorte individual etc. O único motivo para alteração será para reduzir tal remuneração, caso a MSoft não tenha mais condições de mantê-la."

Nossos dois objetivos principais, escrevi, eram 1) crescer em tamanho e reputação; e 2) gerar lucros. Esse plano marcou a etapa seguinte de um esforço conjunto para nos estabelecer como uma empresa independente. Todos também estávamos de acordo em fazer da Micro-Soft nossa maior prioridade, ao menos nos próximos dois anos.

14. Código-fonte

"Os microcomputadores estão bombando."

Essa era a chamada de uma edição da *Business Week* que comprei no verão de 1976, cerca de um ano depois de termos firmado o contrato com a MITS. Gostei de ver o artigo, porque não saíra numa revista especializada nem num boletim de clube de aficionados, que era o tipo de publicação que cobria nosso nicho no setor da computação. Eu imaginava que os leitores da *Business Week* eram investidores e executivos — em geral, pessoas que, embora ainda não tivessem um computador, poderiam se interessar em ter um deles caso fossem fáceis de usar.

Com uma caneta esferográfica azul, destaquei o que considerei como o principal parágrafo: "A indústria de computadores domésticos já começa a se parecer com uma versão em miniatura do mercado de mainframes — inclusive por ser dominada por um único concorrente. A IBM dos computadores domésticos é a MITS Inc., fundada há sete anos pelo engenheiro H. Edward Roberts na garagem de sua casa em Albuquerque (Novo México)". A matéria mencionava que a MITS vendera 8 mil unidades do Altair e obtivera um faturamento de 3,5 milhões de dólares no ano anterior. A concorrência existia, ressalvava o artigo, mas a liderança inicial do Altair fez dele um padrão da indústria.

A matéria ocasionou uma enxurrada de telefonemas para a MITS, de lugares tão distantes quanto a África do Sul; as pessoas queriam ter alguma ligação com a empolgante empresa mencionada por ela, atuando como distribuidores, abrindo lojas de computador ou trabalhando como consultores para apresentar o Altair a clientes de negócios. Os funcionários da MITS se entusiasmaram com o artigo e esperavam que ele levasse a aplicações ainda mais sofisticadas para sua máquina.

Quando li aquilo, pensei: *Mesmo que a MITS seja a IBM do momento, isso não vai durar.* Um dos motivos era que se a IBM algum dia decidisse fabricar um computador pessoal, havia uma boa chance de tomar o posto da MITS como a IBM do momento. Eu sabia que Ed Roberts além disso estava preocupado que grandes empresas de eletrônicos entrassem na briga. A seu ver, a mais intimidadora delas era a Texas Instruments. No início da década de 1970, a MITS fora pioneira na produção de kits para as pessoas construírem sua própria calculadora programável, utilizada por engenheiros e cientistas. Quando esse mercado atingiu um tamanho considerável, grandes empresas, lideradas pela Texas Instruments, investiram com toda força em alternativas de baixo custo para a montagem de calculadoras, quase arruinando a MITS. Ed morria de medo que isso pudesse se repetir com os computadores pessoais.

Ficou claro para todo mundo que Ed estava ficando cansado de tocar a MITS. Menos de dois anos após o lançamento do Altair, sua rotina de trabalho se transformara numa dor de cabeça incessante de ligações com clientes, queixas de revendedores e problemas cotidianos típicos de uma empresa que fora rapidamente de um punhado de gente para bem mais de duzentos funcionários. Não era incomum um funcionário frustrado reclamar com ele por algum colega estar recebendo alguns centavos a mais por hora. Pelo menos em uma ocasião, ele demitiu uma pessoa, mas ficou tão mal com isso que logo a chamou de volta. Ed tinha um lado sensível que nem sempre combinava com sua fachada geralmente ranzinza.

Eu me preocupava com o fato de ainda sermos tão dependentes da MITS. Os royalties das licenças do Basic para o microprocessador Intel 8080 do Altair continuavam sendo nossa principal fonte de receita. As licenças do nosso código-fonte para essa versão do Basic começavam a dar frutos. Nessa época, fechamos com a General Electric, que nos pagou 50 mil dólares pelo uso ilimitado do código-fonte Basic 8080. Após o acordo com a NCR, fomos procurados por um punhado de outras empresas de terminal inteligente. Visitei uma delas, a Applied Digital Data Systems, em Long Island. Desembarquei no aeroporto JFK em Nova York com a intenção de alugar um carro para ir à ADDS em Hauppauge, a cerca de uma hora de distância. Meus planos foram frustrados pelo atendente da locadora, que me informou que não poderia alugar um carro para mim: eu não tinha idade suficiente. Alguém da ADDS foi me buscar no aeroporto. Era um começo constrangedor para o relacionamento. Mesmo assim, estavam interessados, então iniciamos uma demorada negociação para chegar a um acordo.

Obviamente, como a MITS detinha os direitos no mundo todo sobre o Basic 8080, sempre que encontrávamos um cliente para o código-fonte, o contrato tinha de passar por eles. Se fechássemos um acordo, teríamos de dividir as receitas com eles. Nesse verão, fomos nos desligando gradativamente da MITS. Saímos à procura de um escritório próprio e começamos a trabalhar em produtos que pudessem atrair novos clientes.

A tarefa de encontrar esses novos clientes ficou ao encargo sobretudo de Ric, que assumira a função de gerente-geral. Ao longo dos meses, desde que concordáramos com uma sociedade de três, Ric mudara de ideia. Ser um sócio significava que ele tinha de se dedicar completamente à Micro-Soft; ele queria ter tempo para fazer outras coisas e desfrutar de uma vida mais plena. Ele gostava de ir à igreja, puxar ferro na academia e visitar amigos em Los Angeles. Embora Ric tivesse assumido sua homossexualidade para Paul e eu anos antes, foi em Albuquerque que abraçou de verdade quem realmente era. Como símbolo dessa nova fase, comprou uma Corvette com uma placa personalizada que dizia, "YES I AM" [é, sou sim], para ninguém ter dúvida. Ele desabrochou socialmente e encontrou seu primeiro amor.

Depois que Ric optou por deixar a sociedade, Paul e eu concordamos em continuar dividindo a participação na Micro-Soft na proporção 60% e 40%. Oficialmente usávamos ambos o título de "sócio sênior", mas, parodiando o estereótipo dos executivos de grandes empresas, entre nós nos tratávamos por títulos grandiosos: eu era o "Presidente" e ele, o "Vice". Como gerente-geral, Ric lidava com o marketing e a maior parte do trabalho no dia a dia, desde tratar com a MITS até se encarregar de depositar os cheques e procurar um escritório para nós. Ele era detalhista, registrando todas as interações em um caderninho intitulado "Diário da Micro Soft", sem hífen. Hoje suas anotações são uma amostra de como fazíamos negócios na década de 1970: cartas datilografadas e uma ligação após outra para uma empresa após outra, na esperança de encontrar algum interessado em comprar nosso software. Por exemplo:

Sábado, 24 de julho:
14h45 Tentei Steve Jobs. Deixei recado com a mãe dele.

Terça-feira, 27 de julho:
10h55 Tentei Steve Jobs. Ocupado.
11h15 Steve Jobs ligou. Foi muito grosso.
11h30 Tentei Peddle outra vez. Preciso falar com ele.

Peddle era Chuck Peddle, engenheiro da MOS Technology, fabricante do chip 6502 que Steve Wozniak usara no Apple I. Alguns anos antes, Peddle saíra da Motorola, junto com diversos outros engenheiros, para se juntar à MOS Technology, onde criaram o 6502. O chip era similar ao microprocessador Motorola 6800. Havíamos desenvolvido uma versão do Basic para o chip da Motorola, então Ric começou a escrever uma versão para o 6502. Mas precisávamos de um cliente. Ao longo de todo o verão e no início do outono, Ric encheu o diário com suas tentativas de entrar em contato por telefone com a empresa: "12h55 Tentei Peddle outra vez; liguei para Peddle na MOS Technology. Saiu de férias. Liguei para Peddle. Ocupado". Steve Jobs, enquanto isso, afirmou a Ric que a Apple tinha uma versão do Basic feita por seu sócio, Wozniak, e que, se precisasse de outra, seria Wozniak que a escreveria, não a Micro-Soft. Independentemente da maneira como Steve transmitiu essa notícia, imagino que Ric a achou desagradável.

A popularidade do Basic proporcionou à Micro-Soft seu impulso inicial, e continuaríamos a adaptar a linguagem para diferentes microprocessadores, como Ric estava fazendo com o 6502. No entanto o Basic, a despeito da facilidade de uso e de ser popular entre os amantes de computadores, não era a linguagem que compradores mais sérios queriam. Cientistas e acadêmicos usavam Fortran; empresas, Cobol. Enquanto isso, o Focal era uma alternativa ao Basic que ganhara popularidade entre os muitos usuários de minicomputadores DEC. Numa tentativa de expandir os negócios, passamos a trabalhar em versões dessas três. Também começamos a anunciar as ferramentas de desenvolvimento de Paul para os clientes. No início, Paul e eu havíamos imaginado que a Micro-Soft forneceria um amplo leque de produtos de software — a ideia da fábrica de software. Ainda estávamos muito longe disso, mas dispor de um conjunto de linguagens e ferramentas de desenvolvimento era um passo rumo a esse futuro.

Para apoiar o desenvolvimento de novos produtos, no fim do verão começamos a contratar nossos primeiros funcionários em período integral fora de nosso círculo na Lakeside, incluindo Steve Wood, que acabara de concluir seu mestrado em engenharia elétrica em Stanford, e sua esposa, Marla Wood. Até esse momento, éramos um bando de amigos cujo futuro não me preocupava. Se tudo fosse por água abaixo, eu tinha confiança de que cada um seguiria seu caminho e ficaríamos todos bem. Mas agora estávamos contratando pessoas que não conhecíamos e lhes pedindo para se mudarem para o Novo México e apostarem todas as suas fichas em nós, uma empresa com dezoito meses de idade e um futuro incerto. Era um pouco intimidador. Para mim, essas primeiras contratações faziam a Micro-Soft parecer uma empresa de verdade.

Passei o verão em Seattle escrevendo o que acreditava ser nosso grande produto para o futuro, uma linguagem de programação chamada APL, que era a sigla para, HMM, "A Programming Language" [Uma Linguagem de Programação]. A IBM, que desenvolvera a versão original no início da década de 1960, continuava a promovê-la na década seguinte e a oferecia numa variedade de computadores. A linguagem era tida em alta conta por programadores sérios, muitos dos quais achavam que sua popularidade estava prestes a crescer. Se conseguíssemos produzir nossa própria versão, imaginei que poderíamos pegar essa onda e expandir o negócio para além de nossas raízes entre entusiastas do Basic e chegar ao mercado empresarial.

A APL além disso me atraía como programador. Sua sintaxe era extremamente concisa, permitindo à pessoa executar em apenas algumas instruções o que exigiria muitas linhas de código em outras linguagens. Com isso, escrever uma versão para um computador pessoal era um quebra-cabeça intrigante, exigindo compactar uma grande complexidade em um pequeno pacote. Suei dia e noite tentando entendê-la, trabalhando em um terminal portátil que instalara no meu quarto e pagando meus pais pelos custos da conexão discada. Libby, então com doze anos, ficava parada na minha porta se perguntando o que seu irmão maluco devia estar fazendo, grudado no terminal de computador o dia inteiro. Quando eu fazia uma pausa, ela me desafiava no pingue--pongue. (Nunca consegui decifrar a APL, mas minhas habilidades no pingue-pongue melhoraram.)

Nesse verão, eu deixaria de morar na casa dos meus pais em definitivo. Quando penso nisso hoje, sinto uma gratidão muito maior pelo papel que minha família desempenhou naquele período inicial da Micro-Soft. Por mais orgulhosamente independente que me imaginasse, a verdade é que minha família me deu seu apoio tanto no lado prático como no emocional. Ao longo do ano, eu regularmente me recolhia na casa de Gami, no canal Hood, para meus tão necessários períodos de reflexão, e esse verão não foi exceção. Meu pai estava sempre pronto para me ajudar com alguma questão legal. Kristi, por sua vez, agora com 22 anos e progredindo na Deloitte, cuidava dos impostos da Micro-Soft.

Para meus pais, deve ter parecido que eu estava finalmente conseguindo me organizar, no sentido que meu pai atribuía à palavra. Tinha meu próprio negócio e, embora houvesse trancado matrícula por um semestre na faculdade, estaria de volta no outono para o que seria o segundo semestre de meu penúltimo ano. Eles ficaram satisfeitos com meu plano e compreenderam que eu achava a faculdade intelectualmente gratificante de um jeito diferente da Micro-Soft. Inscrevi-me em um curso de história da Grã-Bretanha durante a Revolução Industrial e usei minhas habilidades em matemática aplicada como trunfo para conseguir entrar no ECON 2010, um curso de teoria econômica para a pós-graduação. Havia outro aluno de graduação na classe, da matemática, chamado Steve Ballmer.

No ano anterior, um amigo na Currier House havia sugerido que eu deveria conhecer um cara que morava no mesmo corredor. "Steve é muito parecido com você", disse. Nessa época eu conseguia reconhecer de modo instantâneo outras pessoas — Boomer e Kent eram os exemplos perfeitos — que emitiam o mesmo tipo de excesso de energia que eu. Steve Ballmer tinha isso mais do que qualquer outro que eu já conhecera. Em sua maioria, os moradores homens da Currier eram nerds da matemática e da ciência que ficavam na sua e cujas vidas sociais giravam em torno de jogar Pong ou pôquer no porão do dormitório. Steve não se encaixava nesse estereótipo. Exibia uma combinação incomum de miolos e músculos, e uma sociabilidade descontraída. Eu nunca conhecera alguém tão ativo na faculdade: ele cuidava da publicidade no *The Harvard Crimson*, era presidente da revista literária e atuava como técnico do time de futebol.

Fui a uma partida nesse outono e da arquibancada pude observar como Steve gastava tanta energia andando de um lado para o outro e pulando à beira do campo quanto qualquer jogador do time de Harvard. Ele empenhava cada molécula de seu corpo em treinar aquele time. Era visível como se importava de verdade com seu papel de técnico. Seu entusiasmo era contagiante. Steve expandiu meu círculo social e, por intermédio dele, fui indicado para membro do Fox Club, um clube exclusivamente masculino com festas de gala, apertos de mão secretos e outras regras e rituais arcaicos que normalmente teria evitado. Mas, como Steve era membro, concordei com a indicação, e fui aceito.

Acabamos não passando muito tempo juntos no ECON 2010; haja vista minha usual estratégia de faltar às aulas até a prova final e a agenda lotada de Steve, nenhum de nós compareceu às três horas de palestras semanais. Combinamos de apostar tudo na prova final. Tarde da noite, no dormitório, porém, Steve e eu tivemos longas conversas sobre nossos objetivos na vida, lembrando-me das conversas que eu tinha com Kent. Falávamos sobre o que seria mais vantajoso, trabalhar para o governo ou para uma empresa, e qual dessas opções nos permitiria fazer mais coisas pela sociedade e causar mais impacto no mundo. Ele era mais inclinado a um papel importante no serviço público. Eu, obviamente, tendia para o setor privado. Afinal, era o que ocupava minha mente na maior parte do tempo.

Com o decorrer do semestre, comecei a me sentir extremamente dividido em relação à Micro-Soft. Até então, parecera factível administrar a empresa de longe, sobretudo com Ric supervisionando as operações no dia a dia. Mas, à medida que crescíamos, o negócio aumentava em complexidade. Quase sempre que falava com Paul ou Ric, eu ficava sabendo de algum novo problema que a meu ver não estava sendo resolvido. Quanto mais me inteirava do acordo com a GE, por exemplo, mais achava que havíamos subestimado o trabalho que prometêramos realizar. Ric não estava monitorando as despesas de viagens dos funcionários, e já havíamos estourado em muito o orçamento para isso; a NCR nos devia 10 mil dólares, mas nem Paul nem Ric sabiam quando receberíamos esse dinheiro. Um dos nossos maiores problemas era a MITS, que não nos pagara os royalties devidos pelos Altairs que incluíam memória extra. Como a maior parte da nossa receita vinha da MITS, precisávamos de cada centavo para manter a Micro-Soft funcionando até outras fontes de receita vingarem.

Explicitei minha frustração no início de novembro. Após uma rara noite de descontração com Steve e meus novos amigos do clube social, voltei ao dormitório e escrevi uma carta para Paul e Ric, avisando que "hoje à noite saí para beber pela primeira vez neste semestre, então talvez não pareça muito coerente, mas decidi escrever nesta noite mesmo, então é o que vou fazer".

Lendo a carta hoje me vem à lembrança que mesmo quando nossa empresa começava a decolar, ainda trabalhávamos no projeto do tráfego e na grade de horários da Lakeside. Primeiro comentei sobre as diretrizes técnicas relacionadas a esses dois projetos. Mas o foco era a Micro-Soft, bem como todas as coisas sendo negligenciadas: despesas de viagem, supervisão dos funcionários, acompanhamento de clientes e negociações de contratos. A seguir protestei que eles ainda não haviam providenciado um cartão de crédito corporativo. Pagar oitocentos dólares de multa por algum tipo de infração era outra queixa, assim como o eterno problema de fazer a MITS pagar nossos royalties. Escrevi: "Gastar 14 mil dólares desde que eu saí sem considerar o fluxo de caixa nem ir atrás dos royalties da memória é a fórmula perfeita para nos levar à falência".

Encerrei a carta dizendo que, "Com toda essa conversa de trabalhar duro e virar noites, está claro que vocês não estão se reunindo para falar sobre a Micro Soft, tampouco refletindo sobre ela individualmente, pelo menos não o suficiente. Quanto a 'dar seu máximo', é uma promessa que simplesmente não está sendo cumprida. Seu amigo, Bill".

À parte a advertência sobre ter bebido, meu tom não era incomum para a época. Eu sempre fora o mais disciplinado dos três, preocupado constantemente com a possibilidade de perdermos a dianteira, e temendo que, se déssemos mole, poderíamos ir por água abaixo. Havíamos presenciado a C ao Cubo passar de uma start-up promissora a ver os credores levando seus móveis dezoito meses depois. E no último ano testemunhávamos os problemas crescentes da MITS, que continuava na ponta, mas parecia carecer do rigor administrativo necessário para mantê-la. Éramos uma empresa jovem descobrindo todos os aspectos envolvidos no negócio: jurídicos, recursos humanos, impostos, contratos, orçamentos, finanças. Sabíamos o trabalho central de desenvolver softwares. Minha preocupação era que não estávamos aprendendo todo o resto com rapidez suficiente.

Algumas semanas depois, no feriado de Ação de Graças, passei dez dias em Albuquerque para tentar resolver alguns dos problemas mencionados em minha dura carta. Acabáramos de nos mudar para nossa primeira sede de verdade: um escritório alugado no oitavo andar de um prédio de dez andares recém-construído, o Two Park Central Tower. Era uma das construções mais altas da região, oferecendo uma vista incrível do sol se pondo na direção do centro de Albuquerque e das distantes tempestades no deserto. O lugar contava com uma área de recepção e quatro salas separadas, além de outras que poderíamos alugar à medida que nos expandíssemos. (Foi por volta dessa época que registramos oficialmente a Microsoft no Novo México — sem o hífen.)

Minha viagem coincidiu com a decisão de Paul de se demitir da MITS para se dedicar exclusivamente à Microsoft. Não me lembro se minhas preocupações com a empresa influenciaram sua decisão; não sei dizer até que ponto ele se sentia pressionado por mim. Mas sei que Paul estava farto da MITS. À medida que o estresse de Ed aumentava, a tensão entre ele e Paul também crescia. A certa altura, os dois tiveram uma discussão acalorada devido à insistência de Ed em que Paul enviasse um software que ainda não estava pronto; Paul pediu as contas pouco depois. Fossem quais fossem seus motivos para deixar a MITS, essa era uma boa notícia para nós. Ele teria mais tempo para orientar nossos novos funcionários no desenvolvimento técnico da Fortran e de outros produtos.

Examinei o fluxo de caixa com Paul e Ric e avaliei o custo financeiro de expandir nosso espaço de escritório à medida que contratássemos mais gente. Estávamos recebendo muitas consultas sobre nosso Basic 8080 e tentando fechar contratos com empresas como Delta Data, Lexar, Intel e ADDS, a fabricante de terminais inteligentes que eu visitara em Long Island. Ed, porém, discordava com frequência cada vez maior.

Isso era preocupante. Mas nós tínhamos esperança de que rapidamente conseguiríamos obter novas fontes de receita com outros produtos. Um deles era o Basic 6502 que Ric estava escrevendo. No fim de agosto, uma empresa chamada Commodore International anunciou a aquisição da MOS Technology. A Commodore, antes líder no mercado de calculadoras, assim como a MITS fora superada pela Texas Instruments. Mas, também como a MITS, possuía o conhecimento necessário para projetar e construir um computador pessoal. E agora a Commodore tinha o chip para isso.

Certa tarde, pouco antes do Dia de Ação de Graças, Ric ligou para Chuck Peddle, seu contato na MOS Technology, agora parte da Commodore. Após meses de ligações não atendidas e recados, Peddle afirmou que a Commodore estava interessada em nosso Basic e que nosso preço era aceitável para eles. Foi uma ótima notícia. (Algumas semanas depois Paul nos alertou para uma matéria na *EE Times*. a Commodore planejava construir um computador de uso geral baseado no 6502. Precisávamos finalizar o Basic para ele o mais rápido possível.)

Mais ou menos uma hora depois de Ric falar com Peddle, recebemos uma ligação de um gerente de software da Texas Instruments. O homem informou Ric que a Texas Instruments estava trabalhando em um computador projetado para funcionar com seus próprios chips. Ele queria ver a documentação sobre nosso Basic e nossa empresa. Disse que teria de convencer a administração da Texas Instruments a fechar conosco, mas o simples interesse dela já era um tremendo avanço. Exceto a IBM e a DEC, nenhuma outra empresa fora tão aguardada no mercado de computadores pessoais. A Texas Instruments era uma marca reconhecida e de excelência em engenharia e marketing. Também era a empresa que Ed Roberts por tanto tempo temera. Com capital de sobra e uma política de preços agressiva, a Texas Instruments quase levara a MITS à falência uma vez, e poderia facilmente fazer isso de novo.

Eu estava de volta à faculdade quando escutamos rumores de que um grupo de homens em ternos risca de giz visitara a MITS. A MITS não era um habitat natural de engravatados. Eles chamavam a atenção. No fim descobrimos que o grupo pertencia a uma empresa chamada Pertec. Pertec? Nunca ouvira falar. Fui à Biblioteca Widener (lembre-se de que nessa época ainda não era possível pesquisar tais coisas na internet) e encontrei uma descrição dela. A Pertec, ou Periphereal Equipment Corporation [Companhia de Equipamentos Periféricos], era uma grande empresa de capital aberto sediada na Califórnia que fabricava discos rígidos e outros dispositivos de armazenamento para computadores de grande porte, com mais de mil funcionários e quase 100 milhões de dólares de receita anual.

A Pertec fez uma proposta no início de dezembro para comprar a MITS por 6 milhões de dólares. Se a aquisição se concretizasse, Ed Roberts seria recompensado por sua ideia inovadora de construir um microcomputador. E com o financiamento de uma grande empresa no controle, talvez a MITS conseguisse opor resistência à Texas Instruments e a qualquer outro concorrente que quisesse tirar o mercado de computadores de suas mãos.

Pouco depois de a Pertec começar a cortejar a MITS, tudo relacionado à Microsoft ficou completamente paralisado. Os pagamentos de royalties cessaram; os contratos de licenciamento cessaram. Ed já nos informara que se recusava a vender nosso Basic para qualquer empresa que na sua opinião seria uma concorrente da MITS. No final de 1976, sua definição de concorrência se ampliara para abarcar a indústria toda.

Em Seattle para passar o Natal, recebi uma carta de Ric. Nova mudança de planos: ele decidira deixar a Microsoft. Após muito refletir, chegara à conclusão de que queria morar em Los Angeles, onde achava que levaria uma vida social mais vibrante. Além disso havia uma empresa de software pequena mas bem estabelecida que queria contratá-lo.

Fiquei com a sensação de que estava sendo abandonado. Quando voltamos a conversar, acusei-o de mentir para mim na primavera anterior, em que havia me assegurado de seu envolvimento com a Microsoft. Ele respondeu que nunca se comprometera a permanecer por um tempo prolongado. Falamos de dinheiro e de todo o trabalho que ainda tínhamos pela frente.

Até que finalmente nos acalmamos. Pedi a ele que ficasse até março e concluísse o Basic 6502 para a Commodore. Disse-lhe que pagaríamos pelo trabalho que estava fazendo, além do salário prometido por sua nova empresa, até sua saída em março. Ele concordou. Depois viajou para o Consumer Electronics Show em Chicago, onde nossa nova parceira, a Commodore, lançou o Commodore PFT 2001, um computador integrado com monitor, teclado e reprodutor de fita cassete (para o armazenamento de dados). A máquina vinha em um gabinete de plástico moldado e seu design era diferente de qualquer outro computador já visto, parecia antes destinado ao uso doméstico do que algo que você encontraria na bancada de garagem de um aficionado amador. A ideia era essa mesmo.

Quando visitava minha avó no canal Hood durante as férias,

saí certa noite para uma longa caminhada. Lembro-me vividamente de andar pela Rota 106, uma sinuosa estrada de mão dupla que serpenteia pela faixa sul do canal, refletindo sobre os problemas com a MITS e a questão mais ampla de como administrar a Microsoft no ano seguinte. A MITS e a Pertec, que pretendia adquiri-la, não faziam o menor esforço para vender nosso software, e ainda por cima impediam a realização de negócios mesmo com a procura cada vez maior das empresas. Parecia que a indústria estava finalmente decolando, e não poderíamos ficar de fora de jeito nenhum, disse a mim mesmo. Isso tudo vinha acompanhado da sensação de que estava ficando cada vez mais difícil levar a vida de estudante universitário com uma empresa de software paralela.

Paul e eu estávamos totalmente alinhados à visão de criar uma fabricante de software para PCs que fosse líder de mercado. Esse objetivo era como um prêmio que podíamos vislumbrar na margem oposta de um rio. Mas no final de 1976 ficou claro para mim que a ambição de sermos os primeiros a chegar lá — de sermos os mais rápidos em construir a melhor ponte para atravessá-la — era maior em mim do que nele.

Como se fosse uma dessas portas estanques de submarino, eu conseguia me isolar do resto do mundo. Movido por meu senso de responsabilidade para com a Microsoft, havia girado a trava e trancado a porta. Nada de namorada, nada de hobbies. Minha vida social girava em torno de Paul, Ric e das pessoas com quem eu trabalhava. Era a única forma que eu sabia de me manter à frente. E esperava igual dedicação por parte dos demais. Tínhamos uma oportunidade imensa diante de nós. Quem não aceitaria trabalhar oitenta horas por semana para aproveitá-la? Sim, era exaustivo, mas ao mesmo tempo também era empolgante.

A despeito da minha autoconfiança e da minha propensão a resolver as coisas sozinho, eu começava a perceber que precisava de um tipo de ajuda que Paul não estava preparado para fornecer.

Ele agia como sócio em alguns dos aspectos mais importantes: partilhávamos de uma visão para a empresa e trabalhávamos bem juntos nas questões de tecnologia e de quem contratar para a função de desenvolvedor de software. Mas nada disso importava se a base do negócio não fosse sólida. Manter a Microsoft funcionando era um trabalho solitário. Eu precisava de um sócio em tempo integral, alguém com o mesmo status que eu dentro da empresa para debater comigo as decisões importantes, para se debruçar sobre listas manuscritas de clientes que poderiam ou não pagar e para analisar como ficaria nosso saldo no banco em função de tudo isso. Assumir sozinho uma centena de responsabilidades como essas semanalmente era um fardo pelo qual na época eu achava que deveria ser reconhecido com uma participação ainda maior no que estávamos construindo.

Naquela caminhada à beira do canal Hood, decidi que se largasse a faculdade para ficar na Microsoft em período integral eu diria a Paul que queria uma participação maior na empresa. Ruminei sobre ambas as decisões após voltar a Harvard em janeiro para o período de estudos antes das provas finais. Steve Ballmer e eu mantivemos o plano de faltar ao curso ECON 2010. Aproveitamos esse período para estudar juntos o material do curso, trabalhando de forma quase ininterrupta para tentar espremer dentro do cérebro um semestre inteiro de conteúdo. Quando conseguimos passar na prova final, uma única página, ficamos exultantes.

Em 15 de janeiro escrevi para Harvard: "Um amigo e eu temos uma sociedade, a Microsoft, que presta consultoria de software para microprocessador. As novas obrigações que acabamos de assumir exigem que me dedique em tempo integral a trabalhar na Microsoft". Afirmei que planejava voltar à faculdade no outono e me formar em junho de 1978.

Meus pais sabiam que seria inútil insistir comigo para continuar a faculdade. Eu era independente demais. Mas minha mãe às vezes usava algum meio sutil para tentar me convencer. A determinada altura, não me lembro se nesse ano ou no ano anterior, ela me apresentou a um empresário proeminente de Seattle, Sam Stroum, que construíra uma grande rede de lojas de eletrônicos antes de adquirir e expandir uma importante cadeia regional de autopeças. Ele era além disso um indivíduo muito ativo em organizações sem fins lucrativos, sendo considerado um dos pilares da sociedade de Seattle. Minha mãe o conhecera por intermédio de seu trabalho na United Way. Em um almoço, expliquei a ele sobre a Microsoft e meu plano de produzir software para o máximo de microprocessadores que conseguíssemos, falando também sobre como o mercado iria crescer e, junto com ele, nossa empresa. Fosse qual fosse a esperança que minha mãe tivera em relação a esse almoço, não creio que se concretizou. Em vez de me dizer para continuar em Harvard, Sam ficou empolgado com o que eu estava fazendo. Seu entusiasmo deve ter amenizado um pouco as preocupações de minha mãe, embora não totalmente. (Anos depois, Sam costumava brincar que se arrependia de não ter assinado um cheque para mim naquele almoço em troca de uma participação na empresa.)

"Se a Microsoft não der certo, eu volto para a faculdade", assegurei a meus pais.

Quando regressei a Albuquerque, afirmei a Paul que queria mudar a divisão: 64% para mim, 36% para ele. Ele resistiu, mas, após alguma discussão, acabou cedendo. Hoje em dia fico mal por ter insistido, mas, na época, eu achava que a divisão refletia com mais precisão o comprometimento que a Microsoft precisava de cada um de nós. Assinamos os papéis no início de fevereiro e oficializamos o acordo. (Cerca de três anos depois essa divisão voltaria à mesa quando tentei convencer Steve Ballmer a largar a escola de negócios para se juntar à Microsoft. Como incentivo, incluí esses 4% a mais como parte de seu pacote. Ele se juntou a nós em 1980 e se revelou o sócio em período integral de que eu tanto precisava.)

Apesar das tensões pela participação na empresa e nossas eternas brigas, Paul e eu éramos fortemente ligados. Nossa jornada comum até lá já era algo incrível; agora estávamos construindo uma coisa única. Além de desfrutar muito tudo isso.

Também descobrimos uma forma de ajudar a manter a amizade intacta: não morar mais juntos. Quando eu estava em Boston, Paul saíra de nosso apartamento no Portals e alugara uma casa de três dormitórios no subúrbio com Ric e Marc McDonald. Quando voltei a Albuquerque, mudei-me para um apartamento com Chris Larson. Chris ia e vinha de Albuquerque para trabalhar nos verões conosco. Agora em seu último ano na Lakeside, ele convenceu seus pais a deixá-lo entrar para a Microsoft, trancando matrícula por um semestre, como eu fizera para o trabalho na TRW.

Sem Paul por perto, eu não tinha mais acesso ao Monza Armadilha Mortal, assim comprei meu próprio carro, um Porsche 911 de 1971. Embora fosse um carro usado, ele pesou consideravelmente no meu bolso, mas sempre cobicei os Porsches e adorava o som agudo e rouco de seu motor de seis cilindros. Mesmo assim, até hoje fico um pouco constrangido em admitir que comprei um.

Andar naquele Porsche virou uma fuga para mim, um momento para refletir sobre os desafios da empresa percorrendo as sinuosas estradas das montanhas Sandia muito acima do limite de velocidade. Chris costumava me acompanhar. No ano anterior, descobríramos uma estradinha bem cuidada e agradável que serpenteava pelas montanhas para dar numa fábrica de cimento. Quando comprei o Porsche, fomos com frequência à Estrada da Fábrica de Cimento, como a apelidamos, para correr a mil por hora. Certa vez, tarde da noite, paramos diante da fábrica e vimos que havia algumas escavadeiras ali com a chave na ignição. Depois disso, Chris e eu passamos muitas noites no topo dessa estrada aprendendo a dirigir aquelas máquinas.

Minha vida fora do trabalho em Albuquerque se resumia a andar de carro à noite junto com Chris, ir ao cinema e passar o tempo com Paul e o resto da equipe da Microsoft. Steve e Marla Wood, o único casal em nosso grupo que era casado de fato, proporcionavam uma dose de domesticidade, muitas vezes nos convidando para jantar, ou então íamos à casa de Paul para assistir programas em sua tevê projetora. Éramos fissurados em *The Pallisers*, uma produção da BBC baseada nos romances de Anthony Trollope da série Palliser. Acomodados no sofá e no tapete após o trabalho, ficávamos completamente absorvidos pelas 22 horas de duques e duquesas, triângulos amorosos e problemas financeiros na Inglaterra vitoriana.

Com a chegada da primavera em 1977 ficou cada vez mais claro para mim que a MITS e a Pertec não tinham a menor intenção de nos pagar os royalties atrasados nem de sublicenciar o Basic 8080 para qualquer outra empresa. No entender deles, eram os donos do software e nós não passávamos de um aborrecimento, um pequeno empecilho em seus planos de adquirir a principal fabricante de computadores pessoais. A Pertec havia estruturado a aquisição como uma fusão entre a MITS e uma nova subsidiária da Pertec criada para a ocasião. Achamos que haviam feito isso em parte para garantir que os direitos que a MITS detinha sobre nosso Basic entrassem como parte do acordo. Mas agora eu me perguntava até se haviam chegado a ler nosso contrato. Não transferimos a propriedade do software para a MITS. Nós a licenciamos para eles. E a MITS era obrigada por contrato a pôr todo seu empenho em sublicenciar o software para outras empresas.

Tudo isso remetia à primavera de 1975 e às semanas seguintes em que Paul, Monte e eu escrevemos o Basic de 4K e o entregamos à MITS. Fora nessa época que Ed adiara a assinatura do contrato enquanto eu me enfurnara em Seattle até ele assinar.

Na negociação desse contrato, Ed insistira que concedêssemos à MITS uma licença mundial exclusiva para o Basic 8080 por dez anos. Eu não estava muito disposto a concordar com isso, mas queria fechar o negócio. E queria causar uma boa impressão em nossa nova parceira.

Pedi a meu pai que nos ajudasse a encontrar uma representação legal no Novo México. Isso o levou a procurar um colega de sua antiga firma, cujo sobrinho, um sujeito chamado Paull Mines, trabalhava como advogado em Albuquerque. Liguei para Mines, e seu escritório, o Poole, Tinnin & Martin, nos ajudou a preparar a minuta. Em 1975, um contrato para licenciar software ainda era uma grande novidade. Estou certo de que essa provavelmente era a primeira vez que seu escritório preparava esse tipo de minuta. Fizeram um bom trabalho, e incluí algo importante no contrato.

Não sei quando escutei pela primeira vez alguém usar a expressão *best efforts*, "se empenhar ao máximo", como um termo legal, mas muito provavelmente teria sido à mesa do jantar, ouvindo meus pais conversarem sobre o trabalho de papai. Quando uma empresa concorda em dar seu máximo empenho, ela concorda em fazer tudo a seu alcance para cumprir o que está estipulado em um contrato. Mas independentemente de como a frase ficou gravada em minha mente, ela veio à tona durante essas negociações de contrato com a MITS. Afirmei que concordaríamos com a licença exclusiva se a MITS concordasse em se empenhar ao máximo para licenciar nosso código-fonte. Os advogados da MITS resistiram, dizendo que ninguém concordava com empenho máximo. Estavam dispostos a considerar "empenho razoável", mas não concordei. Assim o empenho máximo prevaleceu.

Agora eu voltava e relia os termos repetidas vezes. Página 2, cláusula 5: "Empenho da empresa. A EMPRESA [MITS] concorda em se empenhar ao máximo para licenciar, promover e comercializar o PROGRAMA. O eventual descumprimento por parte da EMPRESA em empreender seu empenho máximo conforme supramencionado constituirá base legal e razão suficiente para a rescisão deste contrato por parte dos LICENCIADORES".

Para mim, parecia muito claro.

No ano anterior eu fizera amizade com Eddie Currie, gerente-geral da MITS e nosso parceiro em tentar comercializar o BASIC para empresas de fora. Eddie crescera na mesma comunidade de Ed Roberts na Flórida; os dois se conheciam desde a escola primária. Mas enquanto Ed podia ser estridente, Eddie era equilibrado e atuava como o mediador tranquilo entre a MITS e a Microsoft. Eddie parecia muito empenhado em ajudar ambas as empresas a crescer. Juntos, apresentamos o Basic 8080 a empresas de fora e, quando fechamos com uma, Eddie trabalhou com Ed Roberts para obter a assinatura do contrato.

Em sua atribuição como mediador, Eddie Currie me encorajara diversas vezes a me reunir com os advogados da Pertec para tentar resolver as discordâncias. Fiquei intimidado e esperava que pudéssemos resolver tudo diretamente com Ed. Também sabia que Eddie estava tentando convencer Ed a aguardar outra candidata capaz de oferecer um preço mais alto. Quando ficou claro que isso não iria acontecer, concordei em me encontrar com o pessoal da Pertec. Ao entrarmos na sala de reuniões da MITS, havia três advogados da Pertec. Eles pediram que Eddie esperasse do lado de fora enquanto conversávamos.

Os advogados me disseram que quando a Pertec fechasse o negócio com a MITS, eles assumiriam o contrato de licenciamento, e que o contrato seria "transferido" à Pertec. De jeito nenhum, falei. Para isso acontecer eles precisavam que tanto Paul como eu concordássemos, e não estávamos dispostos a fazer isso. Página 7:

"este contrato não pode ser transferido sem o consentimento expresso e por escrito das partes". Não leram isso? Nada disso tinha importância, responderam.

Senti minha frustração aumentando. "Vocês estão totalmente equivocados", disparei. "O interpretador Basic não pertence a vocês!"

O resto da reunião consistiu em um bate-boca exaltado entre os advogados e eu. A certa altura, quando chegamos a um impasse em pleno calor da discussão, Eddie bateu na porta. Paul estava ao telefone, queria falar comigo. Ele me disse que Eddie escutara a altercação e ligara para ele, achando que deveria ir até lá para me tirar da reunião. Deveria ir correndo? "Não", disse eu a Paul, erguendo a voz o suficiente para todo mundo escutar. "Esses caras estão tentando passar a gente pra trás, mas tenho tudo sob controle." Desliguei e voltei à sala de reuniões. Ao retomarmos a discussão, o advogado principal da Pertec explicou sem papas na língua o que faria se eu continuasse a insistir em não ceder nosso software e a não concordar com seus termos. Ele iria "destruir a reputação da Microsoft". Informou-me que eu seria "pessoalmente responsabilizado por fraude criminal, e vou entrar com um processo para ir atrás de todo seu patrimônio pessoal". Posteriormente, Eddie disse que se sentia mal por ter marcado a reunião e que a seu ver aquilo fora uma emboscada preparada pelos advogados.

Liguei para meu pai nessa noite. Ele ficou horrorizado em saber que eu me reunira sozinho com o pessoal da Pertec sem um advogado para representar a Microsoft. No dia seguinte, visitei Paull Mines. Ele revisou nosso contrato e confirmou que a razão estava do nosso lado. A cláusula do máximo empenho tinha de ser respeitada. E, caso alguém ainda estivesse em dúvida, ficou claro que a MITS estava fazendo de tudo para não empreender seu máximo empenho. Em questão de semanas, Ed Roberts enviou uma carta à ADDS afirmando que a MITS decidira descontinuar quaisquer tentativas de licenciar o software Basic. Ele dizia que Bill Gates poderia tentar retomar as discussões. "Para evitar qualquer constrangimento de parte a parte, insisto em levar a seu conhecimento que a MITS detém os direitos exclusivos sobre os programas de software Basic desenvolvidos pelo sr. Gates e seus sócios e que quaisquer compromissos relativos aos direitos do programa Basic, ou quaisquer versões ou partes modificadas dele, feitas por qualquer pessoa que não pertença à equipe da MITS, não estão autorizados."

Em abril, em meio ao impasse, viajei a San Francisco para participar da First West Coast Computer Faire [Primeira Feira de Computadores da Costa Oeste]. Quando entrei no Civic Auditorium, fiquei impressionado. Milhares de pessoas — ao todo, cerca de 13 mil visitantes em dois dias — acotovelavam-se pelos corredores entre os estandes de empresas como a nossa, Processor Technology, IMS Associates e a Commodore, exibindo seu PET. Todas as empresas eram voltadas aos computadores pessoais. Naquele momento, senti que a indústria havia chegado para ficar.

No primeiro dia, quando apresentava nosso Extended Basic a um grupo de pessoas, notei com o canto do olho um sujeito bem-apessoado mais ou menos da minha idade, de cabelo preto e comprido, barba bem aparada, vestindo terno, em um estande próximo, rodeado por seu próprio grupo de pessoas. Mesmo a certa distância dava para perceber que era dotado de certa aura. Pensei com meus botões: *Quem é esse cara?* Esse foi o dia em que conheci Steve Jobs.

Embora menor do que muitas outras empresas, a Apple se sobressaía. Já nessa época era evidente o característico talento para o design que faria da Apple — e de Jobs — algo tão icônico nas décadas seguintes. No evento, estavam lançando o Apple II, que, com seu elegante gabinete bege parecia antes um sofisticado produto eletrônico de consumo que um computador pessoal. A empresa havia decorado seu estande com chiques placas de acrílico, incluindo a elegante logomarca de uma maçã mordida criada para eles por uma empresa de marketing. O estande ficava na entrada do galpão da feira e estavam usando um projetor para exibir os gráficos coloridos do Apple II numa tela gigante, de modo que qualquer um que entrasse veria imediatamente seu símbolo, suas placas e o novo computador. "Os caras da Apple estão chamando bastante atenção", comentou Paul.

Esse encontro inicial na primavera de 1977 seria o início de um longo relacionamento entre Steve Jobs e eu, marcado por cooperação e rivalidade. Mas na feira de computadores conversei mais com Steve Wozniak, que projetara e construíra o Apple II. Como o PET da Commodore, o Apple II utilizava o chip 6502 da MOS Technology.

Wozniak, na época, era uma avis rara em nossa indústria, alguém que entendia profundamente tanto de hardware como de software. O Basic escrito por ele, porém, tinha um problema fundamental: era uma versão simplificada da linguagem e só conseguia lidar com números inteiros — nada de aritmética de ponto flutuante, significando que não utilizava pontos decimais nem notação científica, ambos essenciais para qualquer programa de software sofisticado. A Apple precisava de um Basic menos básico e Wozniak sabia disso. Tendo já escrito um Basic 6502 para a Commodore, estávamos na dianteira em escrever um para a Apple. Durante a convenção, falei sobre nosso trabalho e enfatizei que seria mais barato e rápido licenciar nosso software do que ele mesmo tentar desenvolver um. Quando deixei San Francisco, estava otimista de que fecharíamos um contrato.

Dias depois, de volta a Albuquerque, fui informado pela Texas Instruments que havíamos sido escolhidos para escrever uma versão do Basic para o computador pessoal que estavam construindo. A empresa afirmou que concebia o computador como um aparelho para as famílias administrarem as finanças domésticas, para crianças jogarem e fazerem a lição de casa. Eu tinha esperança de que caberia a esse computador penetrar no mercado de massa. Não simplesmente milhares de consumidores, mas, quem sabe, dezenas de milhares.

Havíamos superado pelo menos dois outros concorrentes. Obter o trabalho foi uma grande injeção de confiança. Minha ideia fora cobrar da Texas Instruments uma taxa fixa de licenciamento de 100 mil dólares, mas amarelei. Com medo de que a empresa pudesse dar para trás diante de um valor de seis dígitos, pedi 90 mil, que mesmo assim seria o maior contrato que fecharíamos até então, à parte a NCR, que precisáramos dividir com a MITS. Quando a Texas Instruments visitou a Microsoft pela primeira vez, nossa nova gerente administrativa precisou correr e comprar cadeiras extras, caso contrário não haveria lugar suficiente para todos sentarem.

A Texas Instruments estava utilizando seu próprio processador, o que significava escrever uma nova versão do Basic a partir do zero. Isso correspondia a meses de trabalho para pelo menos duas pessoas. Monte se dispôs novamente a passar o verão em Albuquerque, mas, com a saída de Ric, precisávamos contratar outro programador. Após assinarmos o contrato com a Texas, liguei para Bob Greenberg, que assistira a algumas aulas de matemática comigo em Harvard e que segundo eu sabia estava considerando ofertas de emprego na época. "Sou a pessoa certa pra isso", ele respondeu.

Quanto ao dinheiro para pagar seu salário, era outra história. A MITS saldara uma pequena parte dos royalties atrasados, mas se recusava a quitar a dívida toda, então em mais de 100 mil dólares.

Paul e eu havíamos chegado ao limite. No fim de abril, trabalhando com nosso advogado, Paull Mines, enviamos a Ed Roberts uma carta de duas páginas enumerando todas as quebras de contrato cometidas pela MITS, incluindo os royalties devidos e sua recusa em pôr todo seu empenho em licenciar o Basic 8080 para empresas como a ADDS e a Delta Data. Avisamos que se a MITS não cumprisse nossas condições de pagamento dos royalties e não retomasse o licenciamento de nosso software dentro de dez dias, o contrato seria rescindido.

A resposta veio rapidamente: em questão de dias, a Pertec e a MITS entrariam com um pedido de medida restritiva para nos impedir de licenciar o Basic 8080. Em junho, como estipulado por nosso contrato com a MITS, a disputa foi para a arbitragem. Inicialmente, fiquei apreensivo com nosso advogado. Paull Mines podia passar a impressão para alguns de ser uma pessoa desorganizada e propensa a perder a linha de raciocínio — mas essa postura dispersa apenas reforçou o que eu via como uma confiança equivocada dos advogados deles. Achei-os presunçosos, pareciam convencidos de que a vitória era certa. Mines na verdade era perspicaz e meticuloso. Toda noite nos reunia em sua sala nos preparando para o dia seguinte, repassando cada detalhe dos contratos e cada interação com todas as empresas que haviam demonstrado interesse no Basic.

As audiências de arbitragem duraram cerca de dez dias. Como representante da Microsoft, acompanhei todos os depoimentos. Eddie Currie desempenhou esse mesmo papel para a MITS. Ric, Paul e eu demos nosso testemunho, assim como Ed Roberts, Eddie e várias outras pessoas de parte a parte. Tirando tudo que estava em jogo para a Microsoft, achei o processo fascinante. Ao melhor estilo Kent, compareci diariamente às audiências levando uma pasta monstruosa abarrotada com todos os documentos de que pudesse precisar. Remexendo ali dentro, eu puxava um papel atrás do outro — tanto para consultá-los como para fazer uma cena. Esperava obter o efeito oposto ao que tentara quando evitava carregar livros no ensino médio: *Olha só todos esses documentos! Eles devem estar superpreparados!*

Algumas noites, ao final da audiência, Paul, Eddie e eu saíamos para jantar e trocar impressões, especulando sobre por qual lado o mediador parecera mais inclinado nesse dia. O homem parecia ter muita dificuldade em compreender os fundamentos da tecnologia no centro da disputa. Tentamos ajudar um pouco apelidando nosso código-fonte para o Basic 8080 de a "Grande Fonte", para diferenciá-lo das outras versões não contempladas pelo contrato.

Havíamos convocado uma testemunha da ADDS, esperando provar que a fabricante de terminais queria licenciar o Basic, mas fora impedida pela MITS. Durante o jantar na noite anterior ao depoimento da ADDS, eu disse a Eddie que o codinome do produto da ADDS era "Centurion". Não me ocorreu que Eddie fosse compartilhar essa informação com alguém. Tampouco que eu havia errado o nome.

Só me toquei das duas coisas quando o advogado da Pertec confrontou a testemunha da ADDS sobre o projeto secreto. "Conte-nos sobre o centurião", disse o advogado, parecendo muito confiante de que estava prestes a expor um enorme furo em nossa defesa.

"Não faço ideia do que seja", disse o sujeito da ADDS.

"O senhor deve estar informado sobre o centurião", insistiu o advogado.

"Acho que sim", respondeu a testemunha. "É uma legião romana, ou soldados romanos, ou qualquer coisa assim."

Não me lembro do codinome correto. Eddie claramente presumiu que eu o tapeara intencionalmente. Quem dera eu fosse tão esperto. Depois disso, aprendi a tomar mais cuidado.

Nosso principal desafio era convencer o mediador de que

(1) muitas empresas queriam licenciar o Basic 8080, e (2) a Pertec/MITS estavam obstruindo esses licenciamentos, mesmo sendo obrigados por contrato a dar seu máximo empenho para intermediá-los. Felizmente, Ric documentara minuciosamente nossa comunicação com todas essas empresas ao longo do ano anterior em seu diário da Microsoft. O registro nos ajudou a mostrar que o mundo queria o que produzimos.

As audiências terminaram no fim de junho. Então aguardamos. E aguardamos um pouco mais.

Como ainda não havíamos recebido da MITS, a Microsoft precisava de dinheiro. Em uma das muitas ligações que fiz a meus pais nesse verão, toquei num assunto que queria evitar: talvez precisasse de um empréstimo para manter a Microsoft funcionando. A essa altura, devíamos cerca de 30 mil dólares a Paull Mines, precisávamos pagar os funcionários e nosso fluxo de caixa se reduzira ao dinheiro que pingava. Paul ficou tão preocupado que certa noite sugeriu para mim que deveríamos considerar um acordo com a MITS. Tanto Paull Mines quanto meu pai haviam me assegurado que provavelmente ganharíamos a disputa, afirmei a ele. Tínhamos de confiar no que diziam.

No dia seguinte ao fim das audiências, Paul e eu levamos os funcionários da Microsoft para almoçar: corte nobre de costela com bufê de salada numa rede chamada Big Valley Ranch, algo que para nós era uma escolha chique. Estávamos em sete, ao que me lembro, incluindo Ric, que no dia seguinte deixaria a empresa em definitivo. O que o Presidente e o Vice fazem quando estão preocupados e querem levantar o moral da equipe? Pagam um almoço para os funcionários e falam com franqueza sobre suas apreensões. Era o momento de comunicar o óbvio: embora tivéssemos confiança em vencer a arbitragem, nada estava garantido.

À tarde, paguei a Ric o que lhe devíamos. No dia seguinte, 1º de julho, ele passou no escritório para nos ver antes de rumar para o novo emprego e a nova vida na Califórnia. Mesmo nesse momento, continuava com sentimentos conflitantes. Minhas emoções eram menos complexas: eu estava apenas triste em vê-lo partir. Na carta de recomendação que escrevi para ele algumas semanas depois, fui sincero: "A meu ver a saída de Ric foi uma grande perda para a Microsoft".

Não sei se o almoço da empresa naquela semana influenciou o que aconteceu a seguir, mas a Microsoft deu sorte: Bob Greenberg, que trabalhava conosco havia menos de um mês, afirmou que nos emprestaria 7 mil dólares, o suficiente para cobrirmos a folha de pagamento. Anos depois, tanto eu como Bob éramos incapazes de lembrar se eu lhe pedira o dinheiro ou se ele oferecera, mas o empréstimo veio, com a condição de que a Microsoft lhe pagaria oitenta dólares de juros ao mês. (Bob levou uma bronca quando seu pai ficou sabendo disso. O velho já ficara irritado por ele aceitar trabalhar na Microsoft e não numa empresa de mais renome, e disse: "Quando você arruma um emprego, são eles que pagam você. Você sabe disso, né?".)

Esperando conseguir mais dinheiro, um dia após receber o empréstimo de Bob, escrevi para a Apple:

Prezado sr. Wozniak:

Segue em anexo nosso contrato-padrão de licenciamento. Creio que já lhe comuniquei o preço do Basic 6502:

OPÇÃO 1:

US$ 1000 fixos + US$ 2000 pelo código-fonte + (US$ 35/por cópia até o máximo de US$ 35 000)

OPÇÃO 2:

US$ 21 000 fixos: inclui o código-fonte e plenos direitos de distribuição para o objeto do acordo

Podemos elaborar uma opção entre uma coisa e outra, caso estejam interessados. Devido a sua experiência com software próprio e

hardware especial, é provável que o código-fonte atenda a seus desejos [...].
[...] *Se quiser outra versão demo ou tiver alguma dúvida, não hesite em me contatar. Estou ansioso em resolver um acordo de licenciamento que será mutuamente benéfico.*

Bill

Semanas depois, recebi uma ligação do presidente da Apple, Michael Scott, afirmando que a empresa preferia a segunda opção. Dali a alguns dias chegou um cheque com metade do valor: 10 500 dólares. Usei-o para pagar mais salários e mandei para nosso advogado mais uma parcela de mil dólares por nossas crescentes despesas legais.

Nesse mesmo mês, a Tandy, conhecida por sua rede nacional de lojas de eletrônicos RadioShack, anunciou o computador doméstico TRS-80, tornando-se a mais nova grande empresa a entrar no mercado. Em um mês, a RadioShack vendeu surpreendentes 10 mil unidades do TRS-80, um sucesso absoluto. A máquina da RadioShack era um sistema mais completo do que o Altair e outros computadores feitos apenas para os aficionados. Com um preço inicial de 599,95 dólares, vinha com teclado, monitor e drive de fita cassete, e estava pronta para uso ao sair da caixa. A Tandy incluíra sua própria versão do Basic no computador, baseada no Tiny Basic gratuito. Chamado de Level I Basic, o produto era tão limitado que a Tandy não demorou a receber reclamações de clientes indignados. Embora houvéssemos perdido o lançamento da máquina, eu esperava convencer a Tandy a comprar nosso software. Marquei uma reunião na sede da empresa para o final de setembro.

Pouco após o Labor Day, viajei a Seattle para o casamento de Kristi e aproveitei para conversar com meu pai sobre minha reunião com a Tandy. Eu sabia que a equipe técnica da Tandy era fã do nosso Basic, mas teria de convencer o executivo que a chefiava de seu valor. Embora nunca tivesse me encontrado com John Roach, ouvira dizer que era uma pessoa difícil — um texano famoso pela rispidez.

Também sabia que a Tandy era uma empresa que comprava capacitores, resistores e interruptores *toggle switch* às baciadas. A empresa utilizava para isso "compradores" especializados cuja única função era brigar por cada centavo na negociação com os fabricantes asiáticos que forneciam os milhares de produtos comercializados pelas lojas da RadioShack. Graças a essa cultura de economia, a divisão de computadores da Tandy desenvolvera o primeiro TRS-80 por menos de 150 mil dólares. A empresa obtivera os televisores RCA que usaria como monitores para o TRS-80 por uma pechincha. Como os aparelhos de tevê eram cinza, para abater o custo o computador inteiro acabou saindo na mesma cor.

Conforme contei a meu pai, minha proposta era que a Microsoft vendesse o Basic a um preço bem menor do que custaria para a Tandy escrever sua própria versão. Enchi duas folhas enumerando argumentos sobre como nosso produto era muito melhor comparado a qualquer outra opção disponível no mercado. Meu pai me aconselhou a simplesmente ser franco com Roach. Quando mais não fosse, isso ao menos serviu para me dar confiança. Se eu oferecesse um bom preço e explicasse porque ele era vantajoso, Roach provavelmente escutaria. Segundo meu pai sugeriu, eu poderia até detalhar a estrutura de custos da Microsoft para ajudá-lo a entender meu raciocínio.

Quando cheguei à sede da Tandy em Fort Worth, estava preparado e confiante para apresentar as vantagens do nosso Basic e oferecer um acordo a preço reduzido. Cobráramos 90 mil dólares da Texas Instruments, mas isso exigiu o desenvolvimento de um novo chip e um bocado de trabalho personalizado. Para a RadioShack, decidi que pediríamos 50 mil.

Sentamos todos em volta da mesa: eu, o cara que cuidava de software na empresa, alguns outros e John Roach. Apresentei meu elaborado discurso de vendas.

Enquanto eu falava, Roach mal se mexia, o queixo projetado, sem dar qualquer mostra de que minhas palavras estivessem surtindo algum efeito. Talvez tenha dito algo, não me lembro, mas não consegui evitar a impressão de que ele estava relutante.

Achei difícil conter a empolgação. "Vocês precisam fazer isso!", implorei. "Sem nosso Basic, seu computador não vai servir pra nada!" Nesse momento eu saí completamente do roteiro. "Com nosso Basic, seus problemas estão resolvidos!", acrescentei.

Isso não era mera bravata. A quantidade de massa cinzenta e trabalho empenhados no Basic nos deixavam anos-luz à frente de qualquer concorrente. Eu acreditava de verdade em nosso produto. Nesse momento, estava com as duas mãos apoiadas no tampo da mesa e me inclinando na direção de Roach, cujo rosto ficara muito vermelho.

Ele perguntou quanto custaria. "Cinquenta mil dólares", falei. Preço fixo.

A reação de Roach permanece um dos momentos mais memoráveis dos meus primeiros tempos de Microsoft. "Besteira!" [*horseshit*], ele rosnou. *Uau, isso não estava no roteiro.* Era o tipo de coisa que eu poderia ter escutado saindo de minha própria boca, embora sem sua pitoresca inflexão rural. Concluí nessa reunião que gostava de John Roach. E do pessoal da RadioShack. Eram ótimos homens de negócios. Ajudou também o fato de que, a despeito de sua reação nessa tarde, Horseshit Roach, como passamos a chamá-lo, aceitou nosso preço.

Quando visitei a RadioShack, já tínhamos uma decisão do mediador no caso da MITS, e era favorável à Microsoft. Ele rescindiu os direitos de exclusividade da MITS sobre a licença do Basic 8080, determinando com todas as letras que nosso código-fonte nos pertencia.

Grande parte do parecer do mediador se concentrou nas tentativas da Pertec de impedir que a MITS licenciasse o Basic para concorrentes e no fato de que a empresa usou nosso software para desenvolver sua própria versão do Basic, algo que o mediador descreveu como "um ato de pirataria corporativa que não é admitido nem pela linguagem nem por qualquer interpretação racional do contrato".

Procuramos imediatamente todas as empresas que estavam à espera do software. Em algumas semanas o dinheiro vindo de cinco ou seis clientes começou a entrar, incluindo da ADDS e seu "Projeto Centurion", ou seja lá como era chamado. Daríamos nosso máximo empenho para licenciar nosso software e, com a MITS fora de cena, não precisávamos mais dividir a receita.

No fim de outubro, enviei a Paull Mines o resto do que lhe devíamos, escrevendo, "Espero não estar sendo muito precipitado quando digo que para mim isso marca o encerramento de nossa aventura com a MITS. Além do resultado favorável, achei a experiência emocionante e divertida, duas coisas pelas quais você é em grande parte o responsável". Paull continuaria sendo um consultor de confiança meu e da Microsoft por muitos anos.

O acordo da Pertec para comprar a MITS fora concluído no final de maio. Para Ed a fusão resultou em alguns milhões de dólares e um cargo prestigioso como diretor de um laboratório na Pertec dedicado a desenvolver a próxima grande inovação tecnológica. Mas desde o início, Eddie Currie e nossos outros amigos na MITS disseram que a Pertec não era uma boa parceira. A MITS era obstinada e flexível, inovadora a seu próprio modo. A Pertec por sua vez era rígida e excessivamente confiante em sua capacidade de encontrar seu espaço no mundo em rápida transformação dos computadores pessoais. Ela não demorou a sufocar a empresa menor. O Altair perdeu pouco a pouco sua fatia do mercado. Ed propôs um plano para comercializar um computador portátil, mas a Pertec o rejeitou, sem se convencer de que houvesse mercado para tal coisa.

Quando era novo, na Flórida, Ed sempre sonhara em se tornar cirurgião, e costumava andar com um atlas de anatomia humana; a certo momento, chegou até a trabalhar em um hospital como instrumentador cirúrgico. Após um breve período na Pertec, Ed se demitiu e se mudou com a família para a cidadezinha de Cochran, Georgia. Ali ele tocou uma fazenda por vários anos antes de ir atrás de seu sonho de infância: aos 44 anos, formou-se em medicina pela Universidade Mercer. E pelo resto da vida, Ed dirigiu uma pequena clínica que atendia moradores de sua zona rural.

Minha relação com Ed foi complicada, mas também foi uma das mais formativas no início de minha carreira. Na época em que a Microsoft venceu a arbitragem, eu dera uma passada em seu escritório na MITS. Ele afirmou que se sentia prejudicado pela decisão e achava que o mediador interpretara errado a situação. "Da próxima vez eu contrato um assassino de aluguel", gracejou. Sem dúvida era brincadeira, mas ele não riu. Conforme nossos caminhos divergiam, nos víamos cada vez menos. Em 2009, quando ouvi dizer que Ed estava internado com pneumonia, liguei para ele. Fazia anos que não nos falávamos, mas eu sabia que ainda guardava algum ressentimento. Disse lhe que queria que soubesse que eu aprendera muita coisa com ele quando trabalhamos juntos, algo que, na época, jamais teria dito. "Eu era muito imaturo e um pouco arrogante, mas hoje mudei bastante", falei. Isso pareceu quebrar o gelo e tivemos uma ótima conversa. "Fizemos muitas coisas boas e importantes", afirmou ele. Sim, realmente fizemos, concordei.

Meses depois, quando o quadro de Ed se agravou, entrei em

um avião e fui à Georgia para visitá-lo. Sua consciência ia e vinha, mas por algumas horas conversei com ele e com seu filho David, relembrando os primeiros tempos da indústria. Ele faleceu não muito depois, em abril de 2010, com 68 anos. Além de ser o primeiro a conseguir fazer do computador pessoal um sucesso comercial, Ed Roberts foi um visionário que apontou um caminho para o desenvolvimento da indústria de computadores pessoais. O boletim informativo da MITS foi a primeira revista dedicada a PCs. A empresa patrocinou a primeira feira de tecnologia voltada ao computador pessoal. As primeiras lojas de computador a surgir eram de revendedores do Altair e os grupos de usuários formados em torno da máquina encetaram a fundação de empresas importantes — incluindo a Apple. Mas, quando conversamos, David me disse que para seu pai suas realizações como médico de uma cidade pequena eram tão significativas quanto tudo que ele fizera para dar início a uma revolução tecnológica.

No fim de 1977, o PET da Commodore, o Apple II e o TRS-80 da RadioShack começaram a penetrar em escolas, escritórios e residências, em poucos anos chegando às centenas de milhares de pessoas, a maioria delas sem nunca ter tido contato com um computador. Ao contrário da primeira geração de máquinas para os aficionados de garagem, os três computadores vinham montados e prontos para uso (nenhuma solda necessária). O PET oferecia um monte de recursos, incluindo o drive de cassete para armazenar dados e programas, e seu teclado limitado — com teclas tão frustrantemente minúsculas que os colunistas a compararam aos Chiclets originais — não foi empecilho para seu sucesso. No ano seguinte, a Tandy atualizou o TRS-80, acrescentando novos recursos e aproveitando suas 5 mil lojas RadioShack para obter clientela numa escala que as outras empresas eram incapazes de igualar. As vendas do Apple II cresceram rapidamente, impulsionadas por um marketing inteligente, pelo design engenhoso e pelos gráficos em cores, que faziam dele uma máquina perfeita para jogar.

Conhecidos mais tarde como a "Trindade de 1977", essas três máquinas trouxeram a revolução do computador pessoal para o grande público, enquanto a concorrência ficava para trás. (A Texas Instruments, a temida gigante com quem ficáramos tão empolgados de trabalhar, nunca fez sucesso com PCs.) Instalado em cada membro dessa Trindade havia uma versão do nosso Basic que adaptáramos às exigências de seus fabricantes. No computador da RadioShack era o Level II Basic, no da Apple, o Applesoft — um amálgama de nossos nomes — e no PET, simplesmente Commodore Basic. Em uma versão para a Commodore inserimos uma pequena surpresa no código: se o usuário do PET digitasse o comando WAIT 6502,1, a seguinte palavra apareceria no canto superior esquerdo da tela: MICROSOFT!

Agora que a Microsoft não dependia mais da MITS e Paul e eu tínhamos dificuldades para encontrar programadores em Albuquerque, na primavera de 1978 escrevi um memorando para nossos cerca de dez funcionários listando as possíveis opções para uma sede permanente da Microsoft. Incluí Seattle, Dallas-Fort Worth — que ficava próxima de nossos grandes clientes, a Tandy e a Texas Instruments — e o Vale do Silício, que dispunha de uma massa crítica de clientes e profissionais para contratar, mas também de concorrentes. Paul ficou atraído pela ideia de nossa cidade natal. Estava cansado do calor de Albuquerque e sonhava com os lagos de Seattle, com Puget Sound, além de querer ficar perto da família. A maioria de nossos funcionários se mostrou aberta a qualquer uma dessas opções (embora houvesse os que preferissem permanecer em Albuquerque). Após muita reflexão, concluí que Seattle oferecia as maiores vantagens: a Universidade de Washington era um celeiro de programadores e a distância do

Vale do Silício proporcionava maior grau de sigilo e menor risco de perder funcionários para rivais. E, é claro, também era a preferência de minha mãe. Assim que nos decidimos pela mudança, ela não resistiu a nos enviar recortes de jornal com classificados de imóveis, geralmente oferecendo também sua opinião ("esse aqui seria muito conveniente para pegar a ponte — acho que é uma boa possibilidade").

Em dezembro de 1978, nosso último mês completo em Albuquerque, Bob Greenberg foi premiado em um concurso com um retrato familiar gratuito. Ele enviou um memorando com o assunto "Espírito de Equipe", pedindo a todos para comparecer ao estúdio fotográfico atrás do restaurante Shanghai. A família que levou consistia de onze dos nossos doze funcionários (um deles ficara em casa nesse dia). Posamos para uma foto que viria a ser uma imagem icônica da Microsoft na década de 1970, incluindo as golas largas, os cabelos desgrenhados e cinco barbas cerradas.

Cerca de um mês depois, enfiei minhas modestas posses em meu 911, pus um cassete de *A guerra dos mundos* — emprestado de Paul — no toca-fitas e rumei para o norte, atravessando Nevada e chegando ao Vale do Silício para uma série de reuniões, depois segui para Seattle. Nunca me esqueci das três multas por excesso de velocidade que recebi nessa viagem. Também lembro de pensar como era esquisito me mudar de volta para casa. Quando entrei na faculdade, afirmei a meus pais que nunca mais moraria em Seattle; parecia-me uma certeza que eu estava destinado a viver em algum lugar maior. Na minha cabeça, tal lugar seria a Costa Leste, o centro das finanças, da política, das principais universidades e — naquele tempo — da indústria de computadores. Voltar poderia soar como uma desistência.

Mas depois de refletir me dei conta de que era diferente. A mudança não tinha a ver com minha vida pessoal, simplesmente, mas com a Microsoft — a empresa que eu fundara com um amigo, incluindo aquele grupo heterogêneo de funcionários, e o negócio lucrativo e em crescimento, que doravante seria uma parte integrante de quem eu era. Meu caminho estava traçado. Pisando fundo na I-5 a mais de 150 quilômetros por hora, eu mal podia imaginar até onde ele me levaria.

Epílogo

A minha mãe e a minha avó sempre insistiram para que tivéssemos um local no canal Hood com espaço para todos nós, mesmo quando as minhas irmãs e eu tivéssemos nossas próprias famílias. Gami morreu em 1987, antes que esse plano pudesse ser concretizado. No dia de seu velório, os meus pais, Libby, Kristi e eu fomos de carro até um lote de terra que a minha avó havia encontrado para nós. Adquiri o terreno e, nos anos seguintes, construímos ali um grupo de chalés. Esse condomínio familiar, apelidado pela minha mãe de "Gateaway", tornou-se o meu refúgio durante os altos e baixos — quase sempre altos — dos primeiros anos da Microsoft. Acabei criando o hábito de reservar um tempo para mim no canal Hood que chamei de Semana para Meditar. Uma ou duas vezes por ano, ia até lá de carro ou de hidrotáxi aéreo e passava sete dias ininterruptos debruçado sobre livros, artigos e papéis — em cursos intensivos sobre qualquer assunto que me parecesse necessário entender. Em seguida, elaborava longos memorandos estratégicos sobre como a Microsoft poderia continuar na vanguarda em áreas como segurança na internet ou natural processamento de linguagem. E, tal como haviam imaginado Gami e minha mãe, Gateaway se tornou o ponto de encontro para a nossa família estendida em feriados como Quatro de Julho e o Dia de Ação de Graças, bem como em outras reuniões durante o ano. À medida que a família crescia, Gateaway virou um local onde os meus filhos e os seus primos preservavam o espírito de Cheerio.

Pouco antes da reunião de Quatro de Julho em 2012, o hidravião me levou até um complexo turístico perto de Gateaway. Ao subir no ancoradouro, ouvi alguém me chamar — "Trey!". Ao erguer os olhos, vi um homem mais velho, ainda em forma, que reconheci de bate-pronto: era Marvin Evans, o pai de Kent. Fazia cerca de vinte anos que não nos víamos.

Marvin contou que ele e o irmão mais novo de Kent, David, estavam fazendo uma breve viagem de barco e haviam parado no complexo a fim de passar a noite. Sentamos no deque do seu barco e colocamos o papo em dia. A mãe de Kent havia falecido anos antes, depois de uma longa doença. Agora com oitenta e tantos anos, Marvin falava com o seu sotaque sulino familiar e reconfortante, transportando-me de volta ao banco traseiro do seu Dodge 67, quando levava Kent e eu de um lado para outro em Seattle. Nos últimos anos, contou, ele vinha escrevendo as suas memórias, que naturalmente incluíam as histórias de Kent, de mim e do Lakeside Programming Group. Ele riu quando recitei o número do telefone da casa da família Evans, para sempre gravado em minha memória. Vocês garotos tinham em comum uma extraordinária criatividade intelectual, comentou. Fosse o que fosse aquilo, respondi, provavelmente teria continuado se Kent não tivesse morrido: é muito provável que teríamos ido para a mesma universidade e sido parceiros em alguma empreitada. Marvin disse que também achava isso.

Uma coisa era certa. Mesmo Kent, tão ousadamente otimista

em relação ao nosso futuro, teria ficado estupefato ao ver o caminho que havia tomado a nossa paixão pela programação. O garoto que perguntava se 15 milhões de dólares caberiam num carro adoraria saber que tudo o que estudamos e as habilidades que aprendemos no terminal da Lakeside, aperfeiçoamos na C ao Cubo e colocamos em prática na grade de aulas acabariam afinal levando a uma das empresas mais bem-sucedidas da história. E que o produto dessas habilidades, os programas de computadores, faria parte de quase todos os aspectos da vida contemporânea.

Não sou propenso à nostalgia, mas há dias em que gostaria de ter de novo treze anos, firmando esse pacto com o mundo, de que se seguirmos adiante, aprendermos mais e compreendermos melhor, poderemos criar algo de fato proveitoso e novo.

Muitas vezes as histórias de sucessos reduzem os seus protagonistas a personagens estereotipados: o garoto precoce, o engenheiro genial, o designer iconoclasta, o magnata paradoxal. No meu caso, o que me chama a atenção é o conjunto de circunstâncias únicas — em grande parte fora do meu controle — que moldaram tanto o meu caráter como a minha trajetória. É impossível exagerar o privilégio imerecido de que desfrutei: ter nascido num país próspero como os Estados Unidos é parte importante de um bilhete de loteria premiado, assim como ter nascido branco e homem numa sociedade que privilegia os homens brancos.

Some-se a isso as coincidências temporais que me favoreceram. Eu era um menino rebelde na Acorn Academy quando os engenheiros encontraram uma maneira de implantar minúsculos circuitos elétricos num tablete de silício, dando origem ao chip semicondutor. Eu estava guardando livros nas estantes da biblioteca da sra. Caffiere quando outro engenheiro previu que esses circuitos ficariam cada vez menores, num ritmo exponencial ao longo de anos no futuro. Quando comecei a me interessar por programação, com treze anos de idade, os chips estavam armazenando dados no interior dos grandes computadores aos quais tínhamos acesso raro, e na época em que tirei a minha carteira de motorista, as principais funções de um computador inteiro podiam ser concentradas num único chip.

Perceber logo cedo minha facilidade para a matemática foi um passo crucial. Em seu tremendo livro *O poder do pensamento matemático: A ciência de como não estar errado*, o matemático Jordan Ellenberg comenta que "saber matemática é como usar óculos de raios X que revelam as estruturas ocultas sob a superfície confusa e caótica do mundo". Esses óculos de raios X me ajudaram a identificar a ordem subjacente ao caos, e reforçaram em mim a intuição de que sempre havia uma resposta correta — bastava encontrá-la. Eu me dei conta disso numa das épocas mais cruciais da formação de um garoto, justamente quando o cérebro está se tornando uma ferramenta mais especializada e eficiente. A facilidade com os números me proporcionou confiança, e até um sentimento de segurança.

Com trinta e poucos anos, numa das minhas raras férias, assisti aos filmes de Richard Feynman ensinando física a estudantes universitários. De imediato fiquei cativado pelo domínio absoluto que ele tinha do assunto e pelo maravilhamento infantil que transmitia em suas explicações. Em seguida li tudo o que ele havia publicado. E reconheci o prazer que Feynman tinha ao desvendar novos campos de conhecimento e explorar os mistérios do mundo — "o prazer de descobrir coisas", como disse. "Aí é que está o ouro. Aí está a excitação, a recompensa que se tem por todo o pensamento disciplinado e o trabalho duro", explicou em *The Meaning of It All* [O significado de tudo].

Feynman era um caso especial, um gênio com uma capacidade singular, em todos os sentidos, de entender o mundo e de solucionar racionalmente enigmas em várias áreas. No entanto, ele expressa muito bem o sentimento que se arraigou em mim ainda criança, quando comecei a elaborar modelos mentais que me ajudavam a visualizar como se encaixavam as peças do mundo. À medida que fui acumulando mais conhecimentos, esses modelos foram se tornando mais sofisticados. Esse foi meu caminho para o software. Fiquei viciado em codificação na Lakeside e, por todos os passos que se seguiram, desde hackear na C ao Cubo ao emprego na TRW, eu era intensamente movido pelo amor pelo que estava aprendendo, acumulando expertise exatamente quando era necessário: no alvorecer do computador pessoal.

É claro que a curiosidade não pode ser satisfeita no vácuo. Ela requer cuidados, recursos, orientação, apoio. Quando o dr. Cressey disse que eu era um garoto de sorte, não tenho dúvida de que estava pensando sobretudo na boa sorte que tive de ser filho de Bill e Mary Gates — pais que lutavam com seu filho complicado, mas que no final pareciam saber intuitivamente como orientá-lo.

Se eu estivesse crescendo nos dias de hoje, provavelmente seria diagnosticado como alguém no espectro autista. Na época da minha infância, ainda não estava difundida a ideia de que os cérebros de algumas pessoas processavam a informação de maneira diferente das outras. (O termo "neurodivergente" somente seria cunhado na década de 1990.) Os meus pais não contavam com referências ou guias que explicassem por que o filho deles ficava tão obcecado por certos projetos (minúsculo Delaware), ignorava regras sociais ou podia ser grosseiro ou inadequado sem perceber como isso afetava os outros. Hoje não tenho como saber se isso foi algo reconhecido ou mencionado pelo dr. Cressey.

Por outro lado, não tenho dúvida de que os meus pais me proporcionaram o equilíbrio perfeito de apoio e pressão: eles me deram espaço para crescer emocionalmente, e criaram oportunidades para que desenvolvesse as minhas habilidades sociais. Em vez de permitir que me fechasse, eles me empurraram para o mundo — para o time de beisebol, o escotismo e as mesas de jantar das outras famílias em Cheerio. E me mantiveram em convívio constante com adultos, permitindo que entrasse em contato com a linguagem e as ideias de seus amigos e colegas, o que só exacerbou a minha curiosidade sobre o mundo que existia além da escola. Mesmo com a influência deles, meu lado social demoraria a se desenvolver, assim como minha consciência do impacto que posso ter em outras pessoas. Mas isso veio com a idade, com a experiência, e estou melhor por isso. Gostaria que tivesse vindo antes, mesmo que eu não trocasse por nada o cérebro que me foi dado.

A "frente unida" que meus pais mantinham, proposta por minha mãe na carta que enviou ao noivo antes de se casarem, nunca foi abalada, mas permitia que as diferenças entre eles me moldassem. Nunca vou ter a serenidade do meu pai, mas ele instilou em mim um fundamental senso de confiança e competência. A influência da minha mãe foi mais complexa. Internalizadas por mim, as suas expectativas floresceram numa ambição ainda mais preponderante para alcançar o êxito, me destacar e fazer algo relevante. Era como se eu precisasse superar com uma larga vantagem suas metas para que nada mais pudesse ser dito a respeito.

Mas, claro, sempre havia algo a ser dito. Era a minha mãe que sempre me lembrava de que eu não passava de um administrador de qualquer riqueza que acumulasse. E com a riqueza vinha a responsabilidade de distribuí-la, costumava dizer. Lamento que ela não tenha vivido o suficiente para ver como tentei cumprir ao máximo essa expectativa — em 1994, aos 64 anos de idade, um câncer de mama a levou. Nos anos posteriores à sua morte, caberia ao meu pai me ajudar a colocar de pé a nossa fundação, onde trabalhou como copresidente durante anos, com a mesma compaixão e decência que tanto lhe ajudaram em sua carreira como advogado.

Durante a maior parte da minha vida, tenho me concentrado no que está por vir. Mesmo agora, na maioria dos dias, estou trabalhando na esperança de avanços que podem não acontecer por anos, se é que vão acontecer. À medida que envelheço, porém, me pego cada vez mais olhando para trás. Ao que parece, juntar memórias me ajuda a me entender melhor. É uma maravilha da vida adulta perceber que, quando você tira todos os anos e todo o aprendizado, muito de quem você é estava lá desde o início. De muitas maneiras, ainda sou aquela criança de oito anos sentada à mesa de jantar de Gami enquanto ela distribui as cartas. Sinto a mesma sensação de antecipação, uma criança alerta e querendo dar sentido a tudo isso.

Agradecimentos

Escrevi vários livros, mas mergulhar em um volume de memórias foi uma experiência diferente para mim. Revisitar o início da minha vida e examinar minhas lembranças ganhou vida própria. Para minha surpresa, quanto mais me aprofundava, mais apreciava analisar meu passado e explorar os caminhos intelectuais e emocionais aos quais ele me conduziu. Estou determinado a seguir nessa jornada e planejo escrever outro livro de memórias focado em meus anos dirigindo a Microsoft, bem como um terceiro sobre esta fase atual da minha vida e do meu trabalho na Fundação Gates.

Quero agradecer às muitas pessoas em minha vida que ajudaram a tornar *Código-fonte* possível.

Ao escrever este livro tive a sorte de contar com Rob Guth para extrair, orientar e dar forma às minhas lembranças. Por mais de uma década ele se debruçou sobre o trabalho, conversou com meus amigos e familiares e se tornou um arquivo vivo das minhas memórias e experiências. Sua habilidade em identificar temas e me ajudar a construir uma narrativa envolvente fez deste livro muito mais do que uma coleção de anedotas, e eu não teria conseguido sem ele.

Tenho uma dívida para com Courtney Hodell, cujo senso de narrativa e sábios conselhos pautaram este livro desde que foi concebido, anos atrás. A experiência de Susan Freinkel como escritora e editora foi inestimável para dar forma e clareza à minha história. Agradeço aos pesquisadores, escritores e especialistas, incluindo Chris Quirk, David Pearlstein, Harry McCracken, Lucy Woods, Pablo Perez-Fernandez, Tedd Pitts, Tom Madams, Wayt Gibbs e Yumiko Kono, que apoiaram *Código-Fonte* de diversas maneiras, proporcionando ao livro uma base sólida.

Sou extremamente grato aos amigos que aceitaram ser entrevistados e compartilharam suas histórias e memórias dos primeiros anos da minha vida.

Por suas lembranças da minha infância e de meus pais, quero agradecer a Llew Pritchard, Jonie Pritchard, Marty Smith, Jim Irwin, Jeff Raikes, Tricia Raikes, Tom Fitzpatrick, Tren Griffin, Chris Bayley, Anne Winblad e Bill Neukom, bem como aos colegas de escola Stan "Boomer" Youngs, Kip Cramer, Chip Holland, Lollie Groth e Dave Hennings.

Meus amigos da Lakeside, Page Knudson Cowles, Paul Carlson, Tom Rona e Vicki Weeks, compartilharam histórias dos nossos tempos de colégio, assim como nossos professores, incluindo Bruce Bailey e Fred Wright. Em nossas muitas conversas, Bernie Noe, amigo e membro da comunidade Lakeside, ofereceu conselhos sábios sobre este livro — como sempre faz sobre a vida.

Meus agradecimentos especiais a Connie Gordon por compartilhar as lembranças de seu falecido marido, meu amigo Doug Gordon, um homem brilhante que sempre me desafiou intelectualmente e abordou o mundo com uma mente aberta que vou admirar para sempre.

Dan Sill abriu a porta para minhas lembranças do nosso

tempo nas montanhas, enquanto Mike Collier compartilhou histórias e fotos dessas expedições. Obrigado também a Chip Kennaugh e outros amigos do Grupo 186.

David Evans foi incrivelmente prestativo e, junto com seu pai, Marvin Evans, foi generoso em compartilhar tanto a beleza quanto a dor da curta vida de Kent. Obrigado a Norm Petersen por suas memórias e fotos dos últimos meses de Kent.

Sou grato aos amigos da faculdade Sam Znaimer, Jim Sethna, Andy Braiterman, Peter Galison e Lloyd "Nick" Trefethen, que me inspiraram em Harvard e compartilharam suas lembranças desses anos. Meu professor em Harvard, Harry Lewis, foi além para ajudar a dar vida às minhas lembranças do Aiken Lab e da vida em Harvard no início dos anos 1970. Apesar de não aparecer nas páginas deste livro, devo a Harry minha introdução ao "problema da panqueca". (Para esclarecer, não fui eu quem adiantou o relógio da sala de aula em dez minutos quando Harry não estava olhando.) Agradeço também a Eric Roberts, cujo bondoso apoio em Harvard jamais esquecerei, e a Ed Taft por suas atenciosas contribuições para este livro. Obrigado a Tom Cheatham III pelas lembranças de seu pai.

E, claro, há os membros da equipe original da Microsoft. Sou particularmente grato a Monte Davidoff, Bob Greenberg, Chris Larson, Marc McDonald, Steve Wood e Bob O'Rear, que acreditaram na Micro-Soft quando ainda era uma pequena start-up e me ajudaram a contar nossa história aqui.

Eddie Currie revisitou pacientemente os altos e baixos do nosso tempo com a MITS e generosamente me reconectou a Ed Roberts após muitos anos. Sou grato pelo tempo que passei com David Roberts e por sua ajuda em dar vida a seu pai nas páginas deste livro.

Obrigado a Paul Gilbert, nosso parceiro na Traf-O-Data, e a Mike Schaefer, cuja orientação me ajudou a recontar a vida e as contribuições de Ric para a Microsoft. Van Chandler e Randy Wigginton ajudaram a relembrar o nascimento do computador pessoal.

O acesso a materiais de arquivo relacionados à minha vida foi de enorme ajuda. Quero agradecer especialmente a Joe Ross, Meg Tuomala e Emily Jones nos Arquivos Gates, Patti Thibodeau nos Arquivos da Microsoft e Leslie Schuler nos Arquivos da Lakeside, além de seus colegas no Departamento de Ciências da Lakeside. Agradeço a Josh Schneider, arquivista da Universidade Stanford, e aos arquivistas de Harvard e da Universidade de Washington por sua pesquisa e orientação.

Ao revisitar histórias depois de meio século, é uma grande vantagem contar com escritores talentosos que já cobriram parte do terreno. Aqueles cujo trabalho ajudou a estimular minha memória e a enriquecer a história da indústria dos PCs incluem Paul Andrews, Paul Freiberger, Walter Isaacson, Steven Levy, Steve Lohr, Stephen Manes, John Markoff e Michael Swaine.

Leitores iniciais do manuscrito, incluindo Paula Hurd, Marc St. John e Sheila Gulati, deram feedback essencial em momentos críticos da escrita.

Devo um agradecimento especial a muita gente na Gates Ventures que contribuiu para tornar este livro possível.

Larry Cohen é uma luz brilhante em todos os projetos que fazemos juntos e deu bons conselhos quando me ocorreu a ideia de escrever um livro de memórias.

Alex Reid e a equipe de comunicações gerenciou habilmente a divulgação destas memórias no complexo cenário midiático atual a fim de que o livro encontrasse o seu público ideal.

Andy Cook e sua equipe encontraram maneiras brilhantes de levar o livro a um mercado caracterizado por uma sempre mutável composição de leitores.

Ian Saunders e a sua equipe criativa encontraram inspiração

nas palavras impressas e colocaram em prática a sua mágica visando alcançar os mais diversos públicos.

Jen Krajicek e Pia Dierking cuidaram com diplomacia para que todas as etapas da produção do livro fossem cumpridas com precisão.

Gregg Eskenazi, Hillary Bounds e Laura Ayers enfrentaram e resolveram os aspectos jurídicos e contratuais, aparentemente intermináveis, da publicação de um livro.

Muitos outros desempenharam, ao longo dos anos, um papel essencial na criação e publicação deste livro: Alicia Salmond, Anita Kissée, Anna Dahlquist, Anu Horsman, Aubree Bogdonovich, Bradley Castaneda, Bridgitt Arnold, Cailin Wyatt, Chloe Johnson, Darya Fenton, David Sanger, Dinali Weeraman, Donia Barani, Emily Warden, Emma McHugh, Emma Northup, Erin Rickard, Graham Gerrity, Jacqueline Smith, Joanna Fuller, John Murphy, John Pinette, Jordana Narin, Josh Daniel, Josh Friedman, Katie Rupp, Kerry McNellis, Khiota Therrien, Kim McGee, Kimberly Lamar, Kristi Anthony, Lauren Jiloty, Mara MacLean, Margaret Holsinger, Mariah Young, Meghan Groob, Mike Immerwahr, Neil Shah, Sarah Fosmo, Sean Simons, Sean Williams, Sebastian Majewski, Stephanie Williams, Tom Black, Valerie Morones, Whitney Beatty e Zach Finkelstein.

E gostaria de agradecer ao restante da incrível equipe da Gates Ventures: Aishwarya Sukumar, Alex Bertha, Alex Grinberg, Alexandra Crosby, Amy Mayberry, Andrea Vargas Guerra, Angelina Meadows Comb, Anna Devon-Sand, Anne Liu, Avery Bell, Becky Bartlein, Bennett Sherry, Brian Sanders, Brian Weiss, Bridgette O'Connor, Caitlin McHugh, Chelsea Katzenberg, Chevy Lazenby, Christopher Hughes, Courtney Voigt, Craig Miller, David Phillips, Dillon Mydland, Ebony McKiver, Emily Woolway, Erik Christensen, Farhad Imam, Gloria Ikilezi, Goutham Kandru, Graham Bearden, Greg Martinez, Gretchen

Burk, Hannah Pratt, Heather Viola, Henry Moyers, Ilia Lopez, Jamal Yearwood, Jeanne Solsten, Jeff Huston, Jen Kidwell Drake, Jennie Lyman, Jonathan Shin, Jordan-Tate Thomas, Kate Reizner, Ken Caldeira, Kendra Fahrenbach, Kevin Smallwood, Kristina Malzbender, Kyle Nettelbladt, Linda Patterson, Lindsey Funari, Lisa Bishop, Lisa Perrone, Manny McBride, Matt Clement, Matt Tully, Meredith Kimball, Michael Peters, Mike Maguire, Molly Sinnott, Mukta Phatak, Naomi Zukor, Niranjan Bose, Patrick Owens, Prarthna Desai, Quinn Cornelius, Rachel Phillips, Ray Minchew, Rodi Guidero, Ryan Fitzgerald, Sonya Shekhar, Steve Springmeyer, Sunrise Swanson Williams, Sydney Garfinkel, Sydney Yang Hoffman, Teresa Matson, Tony Hoelscher, Tony Pound, Tricia Jester, Tyler Hughes, Tyler Wilson, Udita Persaud, Varsha Krish, Vijay Sureshkumar, Yasmine Diara, Will Wang e Zach Hennenfent.

Este livro não teria existido sem a colaboração da equipe de excelência mundial da editora Knopf. *Código-fonte* teve três editores, começando pelo lendário Bob Gottlieb. Bob havia editado os meus dois últimos livros, e foi o primeiro a se animar com este. Lamentavelmente, porém, ele faleceu logo quando o manuscrito começava a ficar apresentável. O mundo editorial perdeu um dos seus maiores luminares. Para se ter uma ideia do talento assombroso de Bob, recomendo o filme *Virando todas as páginas: As aventuras de Robert Caro e Robert Gottlieb* (dirigido por Lizzie Gottlieb, a filha de Bob). Após a morte de Bob, tive a sorte de ser apresentado à excepcionalmente ponderada Reagan Arthur, que acompanhou o livro enquanto este ganhava a sua forma inicial e começava a delimitar o seu foco.

Código-fonte foi levado à linha de chegada nas mãos experientes de Jennifer Barth, disposta a assumir o projeto e empregar uma quantidade extraordinária de tempo e energia para tornar este livro o melhor que ele poderia ser. Sou profundamente grato por sua forte direção, generosidade e calma inabalável, mesmo em meio a uma edição complicada.

Também gostaria de agradecer a todos no Knopf Doubleday Publishing Group que apoiaram esta publicação, a começar pela sagaz Maya Mavjee, que sempre acreditou neste projeto, e a brilhante Jordan Pavlin, publisher e editora-chefe da Knopf, sempre inabalável em seu apoio. As contribuições da diretora de produção editorial Ellen Feldman foram nada menos que heroicas. Sou grato a todos os seus colegas que participaram da elaboração de *Código-fonte*, incluindo Anne Achenbaum, Michael Collica, Meredith Dros, Brian Etling, John Gall, Erinn Hartman, Kate Hughes, Oona Intemann, Laura Keefe, Linda Korn, Serena Lehman, Lisa Montebello, Jessica Purcell, Sal Ruggiero, Suzanne Smith e Ellen Whitaker. Também sou grato à incrível participação das equipes da Knopf no Canadá e Allen Lane/Penguin Press no Reino Unido, com as quais foi um prazer colaborar.

Minha vida não teria sido do jeito que é se não fosse por Paul Allen, meu amigo, meu parceiro e meu estímulo. Paul morreu muito jovem. Escrever este livro me deu a chance de reviver aqueles anos maravilhosos quando éramos os mais próximos — uma época em que criamos algo verdadeiramente notável. Sou muito grato a Paul por sua percepção, sabedoria, curiosidade e amizade, especialmente nos momentos difíceis.

Uma menção especial às minhas irmãs, Kristi e Libby. Elas pacientemente me apoiaram por toda a vida, e suas contribuições para *Código-fonte* foram essenciais.

Finalmente, agradeço aos meus filhos Jenn, Rory e Phoebe. Ser seu pai e vê-los crescer foi a maior alegria da minha vida. Ao escrever este livro, pensei em como seus avós e bisavós teriam orgulho das pessoas extraordinárias que vocês se tornaram.

Créditos das imagens

MIOLO

pp. 2, 3, 21, 43, 61, 80 e 125: Acervo pessoal do autor

pp. 103 e 199: Lakeside School Archives

p. 144: Bruce R. Burgess

p. 171: Norman Petersen

p. 220: Harvard Yearbook Publications

p. 249: Foto de Nick DeWolf

p. 269: *Popular Eletronics*

p. 284: Foto de David H. Ahl

p. 316: Kazuhiko Nishi

CADERNO

Todas as fotos do caderno são do acervo pessoal do autor, exceto:

p. 1 (foto do casamento): Richards Studio Tacoma

pp. 2-3 (família Gates): © Wallace Ackerman Photography

pp. 4-5 (jovem Bill Gates com caixa): Museum of History & Industry, Seattle pp. 6-7 (com Papai Noel): Arthur & Associates Holiday Photography

pp. 8-9 (todas as fotos, exceto o jovem Bill Gates com uniforme de escoteiro e o cartão de registro de escoteiro): Mike Collier

pp. 10-11 (jovem Kent Evans de perfil): acervo da família Evans; (fotografia de classe, retratos escolares de Paul Allen e Ric Weiland): Lakeside School Archives; (quatro fotografias de garotos na escola com computador de teletipo): Bruce R. Burgess

pp. 12-13 (três retratos escolares de Bill Gates): Lakeside School Archives

pp. 14-15 (Bill Gates e Paul Allen): Barry Wong/ The Seattle Times; (Bill Gates e Ric Weiland): Michael Schaefer; (Bill Gates atrás da mesa): © Stephen Wood; (antiga sede da Microsoft): Gates Notes, LLC

Em homenagem ao compromisso com o engajamento cívico e a filantropia de Bill Sr. e Mary Maxwell Gates, todos os lucros obtidos com *Código-fonte* serão doados à United Way Worldwide. Mary Gates foi a primeira mulher a presidir a United Way de King County e, posteriormente, foi a primeira diretora mulher da United Way International.

ESTA OBRA FOI COMPOSTA PELO ESTÚDIO O.L.M. / FLAVIO PERALTA EM MINION
E IMPRESSA EM OFSETE PELA LIS GRÁFICA SOBRE PAPEL PÓLEN NATURAL
DA SUZANO S.A. PARA A EDITORA SCHWARCZ EM JANEIRO DE 2025

A marca FSC® é a garantia de que a madeira utilizada na fabricação do papel deste livro provém de florestas que foram gerenciadas de maneira ambientalmente correta, socialmente justa e economicamente viável, além de outras fontes de origem controlada.

1ª EDIÇÃO [1987] 2 reimpressões
2ª EDIÇÃO [2024]

ESTA OBRA FOI COMPOSTA PELA PÁGINA VIVA EM MINION E IMPRESSA PELA GRÁFICA PAYM EM OFSETE SOBRE PAPEL PÓLEN NATURAL DA SUZANO S.A. PARA A EDITORA SCHWARCZ EM DEZEMBRO DE 2024

A marca FSC® é a garantia de que a madeira utilizada na fabricação do papel deste livro provém de florestas que foram gerenciadas de maneira ambientalmente correta, socialmente justa e economicamente viável, além de outras fontes de origem controlada.